中国阅读报告

中国图书馆学会科普与阅读指导委员会 编

顾问：王余光 吴 晞 邱冠华 李东来

耕 读 传 家

主 编：何江涛

副主编：程 莉 温雪萍

U0874562

北京图书馆出版社

图书在版编目(CIP)数据

耕读传家 / 何江涛主编.—北京：北京图书馆出版社，2008.3

(中国阅读报告丛书 / 中国图书馆学会科普与阅读指导委员会编)

ISBN 978-7-5013-3064-3

Ⅰ.耕…　Ⅱ.何…　Ⅲ.家庭—读书活动—研究　Ⅳ.G252.17

中国版本图书馆 CIP 数据核字(2008)第021652号

书名　耕读传家

著者　何江涛　主编

出版　北京图书馆出版社(100034 北京市西城区文津街 7 号)

发行　010-66139745,66175620,66126153

66174391(传真),66126156(门市部)

网址　www.nlcpress.com

经销　新华书店

印刷　北京联兴盛业印刷有限公司

开本　710×1000(毫米)　1/16

印张　15.625

字数　200(千字)

版次　2008 年 3 月第 1 版　2008 年 3 月第 1 次印刷

书号　ISBN 978-7-5013-3064-3/G·745

定价　49.00 元

中国阅读报告丛书的撰写
得到了中国图书馆学会专项资金资助

总序 关注全民阅读

◎ 王余光

在联合国教科文组织第十一个“世界读书日”(2006年4月23日),中国图书馆学会科普与阅读指导委员会在东莞成立了,这标志着中国图书馆学会推动全民阅读有了专门的组织机构和指导原则。一年多来,“科普与阅读指导委员会”在研究图书馆指导全民阅读活动中的作用的基础上,倡导“爱读书、读好

1 2
3 4

1.让孩子从小亲近图书 倪继利摄
2.共享阅读的乐趣 苏州图书馆提供
3.奥斯陆公共图书馆阅览室的女读者 邱冠华摄
4.在社区图书馆阅读的孩子们 赵俊玲摄于新西兰

书”，推动了全民阅读活动的开展。虽然有了这么一个倡导全民阅读的基地，在社会阅读风气面临着新时代、新技术的挑战之时，我们的工作依然任重而道远，但我们深信，一定要“让阅读成为我们生活的一部分”！

中国传统民居常挂的对联：忠厚传家久，诗书继世长。邓咏秋摄于北京鼓楼附近的民居

培养良好的阅读习惯

全民阅读的重点是青少年阅读，在阅读群体中，处于学习阶段的青少年占了很大的比例。目前，网络的普及和升学的压力给青少年阅读带来了误区。一方面，“浅阅读” 已经成为当代社会阅读的明显特征。今天，铺天盖地的网络、电视、电影，甚至市面充斥的大量图文书影响了人们的阅读需求，简化了人类在阅读时所引发的深刻思考，人们阅读的主要需求变成了休闲和享乐。在整个社会已经沉浸在“悦读”的大背景下，青少年无法自觉地接受艰苦的严肃阅读，长期接触不规范的网络语言，造成了他们书面语言能力的弱化；同时网络上不断闪烁画面，随意断章取义的阅读形式，也很容易分散注意力，让青少年不能形成专心致志的习惯。

千百年来，中华民族的读书传统流传下来很多优秀的品质，比如刻苦勤奋、对书的尊重、对读书人的崇敬等等，但是近年来，这些好的传统也被我们丢掉了，只有功利性阅读保持了旺盛的生命力。图书市场上最热销的总是教育类、励志类，即便是严肃文学，也被出版社包装成改编本、文摘本和图文本。在这种情况下，现代读者是选择网络阅读还是书面阅读，只是文本的形式不同罢了，文本的价值并没有太大的区别。我们更应该关注的是阅读的内容和质量。对读书的引导应该提倡读什么，而不是通过什么读。网络改变一代人的阅读习惯，是自然而然的事情。网上的东西固然乱七八糟、良莠不齐，现在的图书内容也不敢说都是精品。所以，读书不一定就高尚，读网也不一定就堕落。

另一方面，目前青少年功利性的阅读现状，并非一时表象，而是有着深层次的社会历史根源。在中国的阅读传统中很重要的一方面就是实用主义。“不为功名不读书”的思想延续了几千年。自古就有“书中自有黄金屋”，“书中车马多如簇”的说法，年轻的读书人往往将读书视为一种腾达的手段。在东亚儒家文化圈中，家庭仍然很重视教育——但这只是功利性读书，并不等同于重视阅读。功利性读书往往容易造成悲剧的发生，我们也可以通过一些文学作品窥视到这一点。比如《儒林外史》在某种程度上正是反映了功利性阅读所造成的人格扭曲。青少年长期接受这种极具功利性、服务性的教育，从而造成了功利性的阅读心理。《河北省高校人力资源现状及未来发展研究》课题组对某重点大学 86 名学生进行的随机调查显示，60%以上的学生认为读书主要是由于学习的需要。这应该说并不是一种好的风气。要改变这种风气，必须从孩子做起，从家庭做起，让孩子在家庭的良好阅读氛围中自觉养成阅读习惯。

重建“耕读传家”传统

作为培养良好阅读习惯、营造良好阅读氛围的重要场所，家庭是推进全民阅读最应关注的对象。中国古代就有“耕读传家”的传统，其中一项重要内容就是注重家庭藏书读书。近年来，这种传统正在丧失。依据中国出版科学研究所在 1999、2002 与 2004 三年中所作的《中国国民阅读与购买倾向抽样调查报告》中的数据，从 2003 年我国国民家庭藏书量情况来看，藏书 100 本以上的家庭占 10.1%，51–100 本的家庭占 14.3%，50 本以下家庭占 37.2%，基本没有藏书的家庭占 38.4%。从总体上看，我国国民家庭拥有藏书的比例超过一半，但家庭藏书数量不多，有藏书的家庭比例下降。

目前我国经济发展较快，人们的生活逐渐由拮据转向小康。然而在这个过程中却丝毫看不出人们对阅读的重视。这种现象的出现，原因在于：第一是藏书家庭的社会职业和阶层分布极不均衡，藏书家庭社会分布面比较狭窄。比如经济比较发达的苏南乡村，很多家庭的经济条件优裕。但是他们宁愿把钱投入到装潢、购买高档家用电器，也不重视家庭藏书建设。社会上也有一些家庭构建家庭藏书，但多为私人藏书家、教师和科研工作者的家庭，不具有普遍代表意义。第二是家庭对孩子阅读的重视不足，家长没有着意培养孩子良好的阅读习惯。他们并不认为阅读是一种生活方式。读书只是为了升学，作为一种谋求功名的手段。教辅市场的发达也印证了这一点。一旦孩子失去升学的机会，家长也就不再继续为其营造阅读环境。

在一些西方国家，他们也仍然保持着很好的阅读传统。据说，犹太民族的孩子稍微懂事时，母亲就会在《圣经》上滴一点蜂蜜，让自己的孩子去吻，使其从小就知道书本是甜蜜的。西方的读书传统对我们来说，是有一定的借鉴的。

与阅读质量同样重要的家庭藏书建设，也需要引起重视。因为家庭是社会最小的细胞，应该在阅读上对其加大引导力度。国人可以从家庭做起，重建“耕读传家”的传统，让书籍走入每个家庭。把购书经费列入家庭开支，建立家庭必备的基本藏书。家庭藏书的主要目的有两个方面。一方面，能让家庭成员有一些必备的读物，有些人家里根本无书可看。目前图书馆还做不到让每一个角落的每一个人都有书看，而家庭藏书能够作为图书馆的一个重要补充。另一方面，家庭藏书可以给家庭成员营造一个阅读的环境和氛围。在此基础上，才能开展国际上流行的培养有修养的母亲、提倡亲子阅读与分享阅读等活动。如果让一个孩子从小就养成读书习惯的话，他一生都会受用无穷。

图书馆推动全民阅读

图书馆有两大任务，一是推进社会信息化，一是推进全民阅读。在推进全民阅读上，图书馆以其专业性、权威性和独有的丰富资源成为读书活动的一个主要阵地，也是倡导全民阅读、终身阅读等阅读基本理念的中坚，是联系群体阅读和个体阅读的桥梁，发挥了巨大的作用。去年，中国图书馆学会增设了一个专业委员会——“科普与阅读指导委员会”，专门用来推动全国性的全民阅读活动。

近年来，国内包括“全民读书月”活动在内的各种阅读活动，开展得有声有色，特别是在经济较发达的地区，图书馆在全民阅读方面发挥了重要的作用。像苏州市、东莞市、深圳市在这方面为全国其他城市做出了榜样。典型的像苏州每年有两次大规模的读书活动，上半年是 4 月 23 日，下半年是 9 月 28 日，而且苏州市还在全市 100 多所学校开展了书香校园阅读活动，在国内很有影响，可以称之为推进全

第二届苏州阅读节海报
苏州阅读节办公室提供

民阅读的“苏州模式”。如东莞市，在2005年新馆落成之际，开展了首界“东莞读书节”，推出了一系列与读书有关的活动，如：东莞图书馆专题动漫活动展、东莞学习论坛读书系列讲座、开通市民学习网、图书展、读书知识竞赛、“我的读书故事”征文比赛、“我喜爱的书房”设计大赛、“藏书与阅读”优秀图书推荐、推荐书目、“学习之家”评选、外来员工“读书学习，争做新东莞人”演讲比赛等。这些活动丰富了人们的文化生活，产生了良好的社会效果。在此基础上，东莞市政府召开专门工作会议，着力打造建设“图书馆之城”。正是在这样的背景下，中国图书馆学会于2005年决定筹建“科普与阅读指导委员会”；也正因为东莞图书馆在推动全民阅读方面做出很多成绩，中国图书馆学会决定，将科普与阅读指导委员会成立会放在东莞图书馆召开。

过去，图书馆是边缘行业，社会关注度低，图书馆在推进全民阅读工作上一直也比较被动，基本是配合政府来开展宣传。中

2007年9月29日，2007东莞第三届读书节开幕暨新莞人书香卡首发仪式在东莞南城新科磁电制品厂隆重举行。5万张“新莞人书香卡”和3万张“亲子书香卡”向全市免费发放。 程永强摄

作为2007年第八届深圳读书月的系列活动之一，深圳图书馆设立了“少儿开放日”（11月10日）。图为在少儿开放日，深圳图书馆的工作人员在对小读者讲关于书的故事。

李军锋摄

国图书馆学会从2004年开始持续举办了世界读书日庆祝活动，取得了积极的社会影响。随着国家对文化事业投入的逐年加大，图书馆在人们的生活中越来越重要，人们纷纷走进图书馆，图书馆已经成为很多人生活中的一部分。《中国国民阅读与购买倾向抽样调查报告》的统计资料中，有一个数字近年来不断增长，即被调查人员去图书馆的比率。1998年，第一次调查的时候，这个数字才1%左右，现在已经超过了5%。这正说明图书馆的地位正在不断提高。图书馆尚需尽最大努力去满足老百姓的精神文化需求，积极推进全民阅读。

为了推动全民阅读的开展、加强全民阅读的理论建设，中国图书馆学会科普与阅读指导委员会主持编辑了这套《中国阅读报告》。蹒跚起步的《中国阅读报告》第一卷包含三册，分别是《耕读传家》、《书香社会》和《爱书人的世界》。这是关注全民阅读的成果，也是共建书香社会的努力。□

本文作者为中国图书馆学会科普与阅读指导委员会主任、北京大学教授。

目 录

第一章 耕读传家

第一节　耕读文化与文化世家

一、耕读文化

古代中国以农业立国，在数千年的历史进程中，自给自足的小农经济形态始终作为社会发展的经济基础。在这种经济形态之上产生的上层建筑——中华民族的主流思想——儒家思想，也必然体现着这一种经济形态。隋唐之后，儒家思想在全社会的统治地位通过科举制度更获得了制度上的保证。于是，小农经济与制度化了的儒家学说互为作用，便形成了具有鲜明特色的耕读文化。

1. 耕读传家

“耕”，可事稼穑，丰五谷，养家糊口，以立性命，是为生存之

耕读传家的古训在一些古老的民居上至今仍存。

黎伟摄

本;“读”,可知诗书,达礼义,修身养性,以立高德,是为教化之路。“耕读”,是在求生存之余,读圣贤书,在日常生活里接受潜移默化的熏陶和教化;“传家”则是相继传承的带有社会性的家庭生活方式。

耕读传家思想是儒家伦理思想的重要组成部分，是相当一部分儒家学者或受儒家思想影响的人们基于家庭建设目的而提出的一种以劝人勤于耕种和善于学习为主要内容的家庭美德思想，它反映了儒家在士农工商诸业选择中基本的价值追求和人文关怀,寄托着儒家学者关于家庭建设和社会风气建设的理想,具有深刻的伦理文化意蕴。

过往的典籍中,关于“耕读”的话语或格言比比皆是。清康熙年间,扬州人石成金编撰的《传家宝》中有言:“人生在世,惟读书、耕田二事是极要紧者。盖书能读得透彻,则理明于心,做事自不冒昧矣。用力田亩,则养赡有赖,俯仰无虑……若不读书,何以立身、行道、显亲、扬名?若不耕田,何以仰事父母?何以俯畜妻子?唐人诗云:‘天下良图读与耕’。要知一切事,总不如此二字之高贵安稳也。”清乾隆时人张师载在他的《课子随笔·序》中说:“风俗之厚薄,不惟其巨,其端恒起于一身一家。”《课子随笔·三·宗约》中说:“耕读为上,商贾次之,工技又次之。”这可以看作是“万般皆下品,惟有读书高”在职业观念上的一种阐述。著名的古村落研究、保护专家陈志华教授对此深有体会:“看到古村落的义塾和书院,看到那巍然高耸的文昌阁和文峰塔,看到宗祠前为举人、进士树立的旗杆和村口的牌楼,看到住宅扇窗上精细的‘琴棋书画’或者‘渔樵耕读’的雕刻,你才能真正理解农村的‘耕读文化’……”

我们以农立国的时代已经成为了历史,今天的中国正在追赶世界的脚步,加速实现现代化,仔细审视传统的耕读文化的兴衰,我们或可从中发掘出其积极的现代意义。

2. 提倡勤俭

从耕读文化传统看来,“勤俭”是居家的根本,只有“勤”才能保证生活的不匮,而只有“俭”才能做到量入为出,使生计得以长久的维系。在古代生产力水平低下的情况下,“兴国”、“兴家”都要靠“勤俭”。农人“勤俭”则五谷丰登;手工业者“勤俭”则货物丰盈;而官员“勤俭”则能廉洁为民、政通人和。

古训说:“俭节则昌,淫佚则亡。”纵观历史,国家奢侈则兴盛难以长久;家庭奢

欧孟仪型

孟母三迁、欧母画荻等慈母教子读书的故事在中国历史上传为佳话，成为中国家庭传统的仪范典型。

“欧母画荻”说的是欧阳修幼年家贫，甚至连买纸笔的钱都没有，她的母亲折河边荻草杆教他写字。

侈则家风不正，其祸也就不远了。因此，无论个人、家庭和国家，都将“勤俭”作为重要的道德规范而大力提倡和践行，而耕读文化中所必含的勤劳俭朴，也自然就成了耕读传家的重要内容。勤俭不仅是一个“君子”所追求的个人美德，而且也是齐家、治国、平天下的必备素质。

传统的勤劳节俭观念，不仅可以抑制人们对社会生活的不合理欲望，从而节制人们的非理性消费行为，减少社会资源的极大浪费；而且针对青少年教育过程中过于溺爱的现象，也应该秉承耕读传家的勤俭美德，所谓“勿以善小而不为，勿以恶小而为之”，培养青少年从小树立勤俭的品德，树立正确的合理的消费观念，这些对于培养社会主义现代化建设的四有新人具有极其重要的意义。

3. 勇毅刚强

耕读文化传统中倡导的勇毅刚强品质，使得传统的读书人在内心深处中有种敢于担当责任的气魄，如孟子的“舍我其谁”般，使儒者能“说大人以藐藐”，自有一股精气挺立于天地之间，这对于我们探索培养青少年意志品质具有重要的借鉴作用。现代社会三口之家的家庭结构，使得家长在培养子女的过程中过于溺爱，使孩子有很重的依赖心理，缺乏独立生存的能力。耕读文化中的勇毅刚强的思想，对磨砺青少年的意志品质，促进青少年健康成长具有极为重要的意义。

广东省恩平市圣堂镇歇马举人村孔子铜像

明、清两朝，该村学子考取功名或有官职的有 670 多人，从九品至正二品的官员有 430 多人，其中获举人以上功名的有 285 人，当上二品官员的有 5 人，故此，该村一直被人们尊称为“举人村”。

吴绍华摄

勇毅刚强作为君子对于自身的道德要求，首先表现在勇是以正义为前提、为目的。一个敢于履行自己责任的人，也就是一个有义的君子。扬雄在《法言·渊骞》中说“‘请问孟轲之勇’。曰：‘勇于义而果于勇，不以贫富贵贱生死动其心’”。《论语·宪问》中，子曰：“有德者必有言，有言者不必有德。仁者必有勇，勇者不必有仁。”这表明“仁”是“勇”的最高体现。所谓“有行之谓有义，有义之谓勇敢”。也讲到勇敢之贵，贵在能以正义为目标。司马光在《资治通鉴·唐玄宗开元十九年》中说：“所以然者，欲其先礼义而后勇力也。君子有勇而无义为乱，小人有勇而无义为盗；若专训之以勇力而不使之知礼义，奚所不为矣！”

勇毅刚强的道德要求也是读书人对自己品德进行砥砺的根本，人的一生不可能一帆风顺，常人遇到逆境往往会退缩委顿，不思进取，而君子则能坦然面对逆境，不屈不挠，将困难当成对自己的一种磨炼，正所谓：“故天将降大任于斯人也，必先苦其心志，劳其筋骨，饿其体肤，空乏其身，行拂乱其所为，所以动心忍性，增益其所不能。”传统道德中的勇毅刚强使培养具有强烈社会责任感与道义使命感的君子成为可能。

4. 劝戒立志

耕读文化传统中关于知书达理的道德规劝其根本宗旨是要立志，使受传统文化熏陶的士人具有“为天地立心，为生民立命，为往圣继绝学，为万世开太平”的心胸和抱负，成为对国家与社会有用的人才。

曾国藩说过：“士人读书，第一要有志，第二要有识，第三要有恒。有志则不甘为下流；有识则知学问无尽，不敢以一得自足，如河伯之观海，如井蛙之窥天，皆无识也。”

知书达理的道德规劝要求学人明白学无止境的道理，从而虚怀若谷，刻苦攻读，才能成为有识之士。知书是为了达理，而要达理，知书则是必须的条件，知书才能明白做人与做事之道理，才能与人为善、为人谦逊、宽厚待人，贵和乐群，才能奋发向上，不断进取。

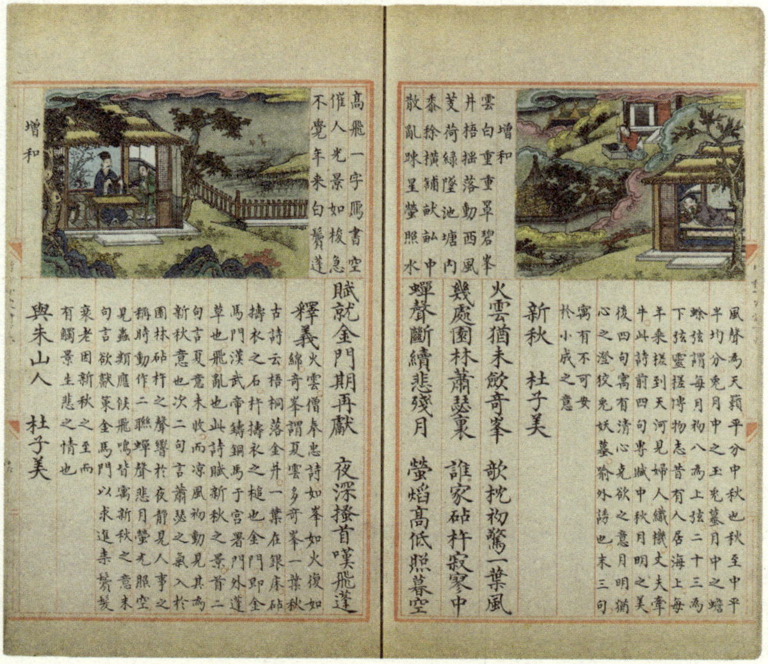

《明解增和千家诗注》
宋谢枋得注，明代内府彩绘插图本，当时用作皇家课业的基本教材，其中的图画以天然矿物质颜料绘成的，色泽鲜艳，历经数百年而不褪色。

5. 文化传承

纵观中国历史，在耕读文化传统中，历代所“耕”的内容并无多大变化，但所“读”却不尽相同。从《河图》、《洛书》、《山海经》、《易经》、《尚书》与《诗经》等孕育于上古的典籍，到孕育于百家争鸣时代的老子、庄子、孔子、孟子、荀子、韩非子、孙子等等中国文化的奠基人的先秦子书；从独尊儒术的两汉经学到大谈玄理的魏晋玄学；从佛学炙盛的隋唐到讲求心与性的宋明理学，再到清代的义理、考据与辞章之学，可谓代有其人、代有其书。

正如牟宗三先生在《才性与玄理·序》中指出的那样：

“中国晚周诸子是中国学术文化发展之原始模型，而以儒家为正宗。此后或引申或吸收，皆不能不受此原始模型之笼罩。引申者固为原始模型所规范，即吸收其他文化系统者，亦不能脱离此原始模型之笼罩，复亦不能取儒家正宗之地位而代之。

秦以法家之术统一六国。西汉是继承儒家而发展之第一阶段。至乎魏晋，则是道家之复兴。道家玄理至此而得其充分之发扬。王弼、嵇康、向秀、郭象，其选也。适于此时而有印度佛教之传入。道家玄理之弘扬正是契接佛教之最佳桥梁。亦因此而拉长中国文化生命歧出之时间。所谓歧出是以正宗之儒家为准。文化生命之歧出是文化生命之暂时离其自己。离其自己正所以充实其自己也。魏晋南北朝隋唐七八百年间之长期歧出，不可谓中国文化生命之容量不弘大。容量弘大，则其所弘扬所吸收者必全尽。全尽必深远。全尽而深远之弘扬与吸收，其在自己之文化生命中所引起之刺激与浸润亦必深刻而洽浃。文化之发展不过是生命之清澈与理性之表现。故在歧出中其所弘扬与吸收者皆有助于其生命之清澈与理性之表现。故此长时期之歧出，吾亦可曰生命之大开。至乎宋明，则为中国文化生命之归其自己，而为大合。故宋明儒学是继承儒家而发展之第二阶段。至乎今日而与西方文化相接触，则亦将复有另一大开大合之阶段之来临。此中国文化生命发展之大脉也。”

附：“耕读传家”之家庭教育

任何一对父母，有了子女，由婴儿至孩提，由儿童到青年，谁又不施管教？古今中外，哪个孩子又没有受过家庭教育呢？除非少数的例外，属于不幸者的遭遇，那就另当别论。因此，所讲家庭教育，岂非极普通而不成问题的问题吗？然而，如何是家庭教育的标准？家庭教育应该要怎样做？哪些父母才有资格担任家庭教育的主角？这等于说：凡是学校，都有老师，可是哪种人才有为人师表的资格？谁又是真正的好老师呢？所以当父母或家长的人，他自己本身的家庭教育，和他所受的其他教育，是否都够水准而无差错呢？这些都是决定家庭教育的先决条件。

依照中国人一般通俗的观念来讲，大体上都认为我国的家庭教育是最完善、最悠久的伦理教育。在中国文化中，对于家庭教育，列有明训的，最早莫过于《礼记》。我总希望自己的国人、自己的民族，都能先行深切了解自己的文化。至少，也须人人一读《礼记》的重要部分，所以在此不再详引。但是依照古礼——也可以说是古代的文化制度，童子六岁入小学，先从"洒扫应对"开始学习。以现代语来讲，便是先从生活的劳动教育入手，以养成清洁整齐的习惯；然后施以待人接物的礼貌教育，这便是所讲"应对"的内涵。换言之，古礼的六岁入小学，先从"洒扫应对"开始。它的教育精神，是注重在人格的培养，和礼仪的规范，并非先以知识的灌输为教育的前提。所以在《论语》中记载孔子的教育，也说"弟子入则孝，出则弟，泛爱众，而亲仁，行有余力，则以学文。"透过这个主要的中心思想，便可想而知中国古代，对于"洒扫应对"的儿童教育，也是在入学后开始。难道六岁以前，在家庭方面，便没有教过"洒扫应对"的事吗？事实不然，所谓"洒扫应对"的教育，当一个儿童在家庭中受到父母家人身教的熏陶，早已"洒扫应对"，所谓不教而教，教在其中已矣。六岁开始入学，除了注重儿童的生活教育和礼仪教育的基础以外，便以知识和技能的养成为前提，那便是：礼、乐、射、御、书、数等有关文事武功的"六艺"。到了十八岁入大学，才实施立身处世的成人教育。所谓"学而优则仕"，便是指这个青年阶段前后的教育而言。总之，中国古代的家庭教育，让我们重复地说一句：除了《礼记》上所列举有关的记载以外，并无别的专书。

晋代名医皇甫谧幼年时父母双亡，过继给了叔父 由叔父婶婶抚养成人。他年少时贪玩而不爱读书，在婶婶的苦心教育和鼓励下，终于顿悟，发愤读书，学有所成。皇甫谧婶也因此作为贤女载入史册。

选自《古今贤女绣像》

汉、魏以后，对于家庭教育，逐渐出现了专书。但是严格地说一句，那些有关家庭教育的皇皇大著，并不见得是为教育的理想而立论，而且更不是由教育哲学的基础而出发。那些著作大体上还是受到秦、汉以后门第观念的影响而作。例如汉、魏之间班昭的《女诫》、隋朝颜之推的《颜氏家训》等。而且它是成人的伦理思想教育，并非绝对可作为儿童家庭教育的范本。

宋、元以后，理学家的儒者们，渗入佛、道二教因果报应的观念，散见于个人学案中有关家庭教育的思想，更为普遍。自元代儒者郭居敬选定了《二十四孝图说》以后，到了明代理学家朱柏庐所作《治家格言》，便更普遍地被认为是儿童教育的读物。而原属于道教教义的《太上感应篇》，以及亦儒亦道亦佛的《阴骘文》、《功过格》，也普遍流行为家喻户晓的家庭教育指南。清儒陈榕门所著《五种遗规》中的"教女"、"训俗"两种遗规，都可以说是儒、佛、道三家的有关家庭教育思想的汇流。实际上，这些著作，大体都是伦理思想和人格养成的成人教育的范围。

摘自《南怀谨全集(第六卷)·亦新亦旧的一代》(复旦大学出版社 2003年12月出版)

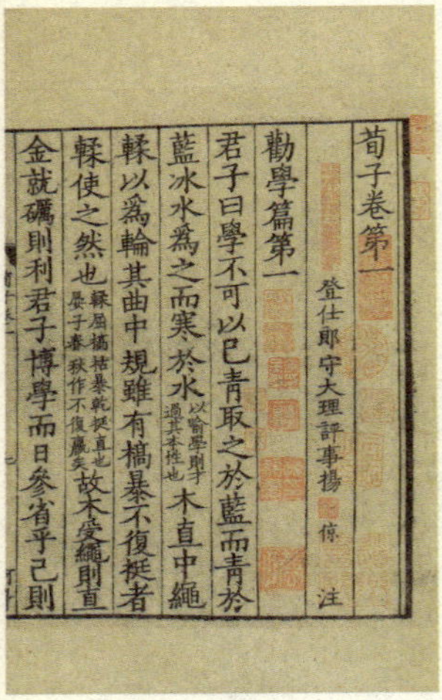

荀子卷第一　登仕郎守大理評事楊倞注
勸學篇第一
君子曰學不可以已青取之於藍而青於
藍冰水爲之而寒於水以喻學則才過其本性也木直中繩
輮以爲輪其曲中規雖有槁暴不復挺者
輮使之然也輮屈槁枯暴乾挺直也晏子春秋作不復贏矣故木受繩則直
金就礪則利君子博學而日參省乎己則

宋代刻本《荀子》，（唐）杨倞注。书上盖有“士礼居”等藏书印。士礼居是清代著名藏书家黄丕烈的藏书楼名。

6. 耕读文化的式微

古代中国形成的耕读文化，其赖以生存和发展的基础是小农经济和科举制度。随着鸦片战争的炮火，国门洞开，自给自足的小农经济渐趋解体，“耕”这种生存方式面临着前所未有的危机，而科举制度的废除，则更加快了耕读文化衰落的进程。光绪三十一年八月初四（1905 年 9 月 2 日）清廷颁诏，谕令自次年起停止科举考试，“自丙午科为始，所有乡会试一律停止，各省岁科考亦即停止。”这样，延续了上千年的科举制度，终于走到了历史的尽头。

传统中国社会是一个以有知识有文化的士大夫为中心的四民社会，在士农工商四大阶级的等级分层中，士大夫阶级是社会的中心。通过科举制度从社会中选拔精英，保证了等级间的有序流动，也维持了社会秩序的整合和稳定。士大夫阶级是国家和社会相互联系的中枢和纽带。他们在朝为官，在野为绅，在乡为地主，是道统和政统的统一。近代，随着帝国主义的入侵，中国经济

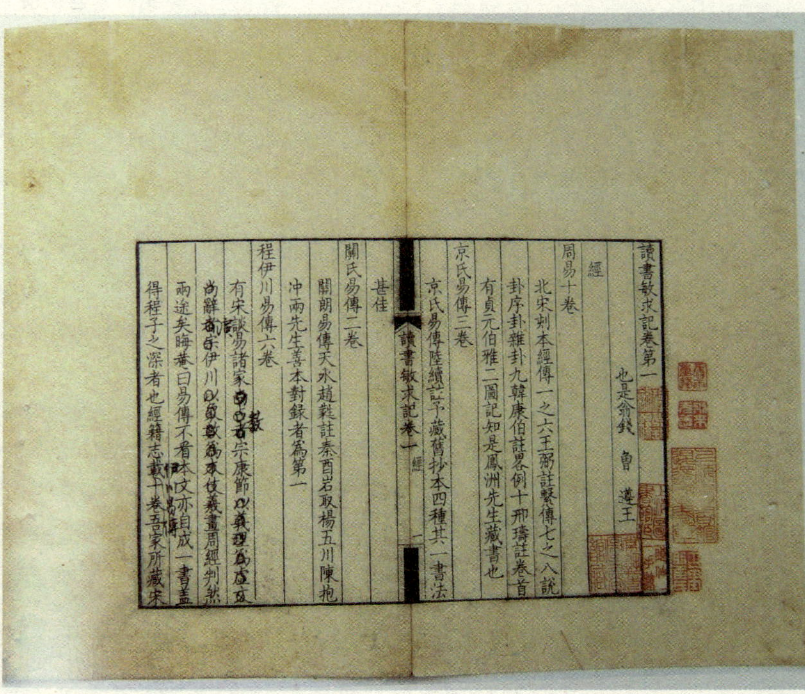

讀書敏求記卷第一　也是翁錢曾遵王
經
周易十卷
北宋刻本經傳一之六王弼註繫傳七之八說
卦序卦雜卦九韓康伯註畧例十邢璹註卷首
有貞元伯雅二圖記知是鳳洲先生藏書也
京氏易傳三卷
京氏易傳陸續註予藏舊抄本四種共一書法
甚佳
關氏易傳二卷
關朗易傳天水趙蕤註秦酉岩取楊五川陳抱
沖兩先生善本對録者爲第一
程伊川易傳六卷
有宋談易諸家尚象者宗康節以象數爲文
尚辭者宗伊川以象數爲本伏羲畫周經判然
兩途矣晦菴曰易傳不看本文亦自成一書蓋
得程子之深者也經籍志載十卷吾家所藏宋

《读书敏求记》雍正六年（1728）濮梁延古堂刻本

《读书敏求记》是清代藏书家、版本目录学家钱曾撰写的一部善本书目。

常熟图书馆提供

广东省恩平市圣堂镇歇马举人村祖训柱

吴绍华摄

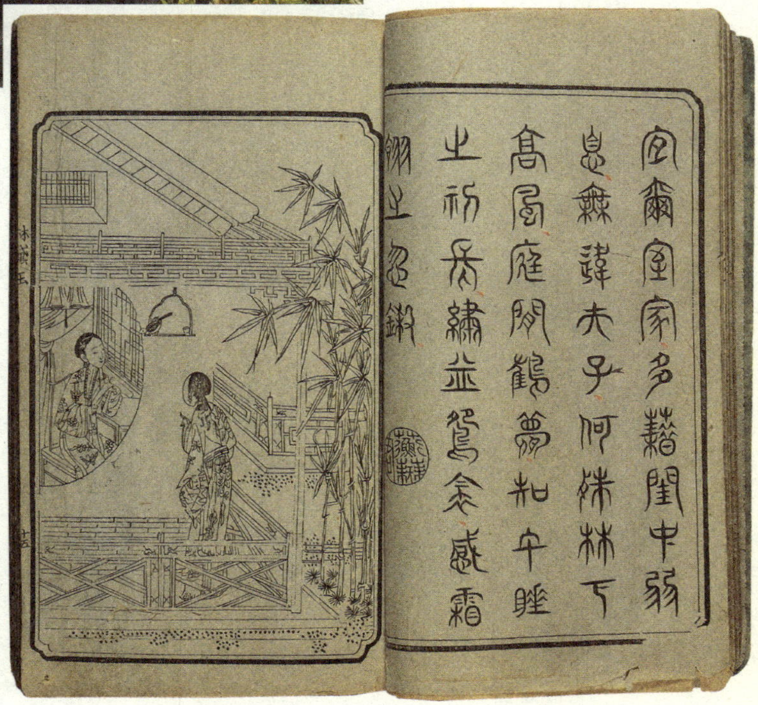

《红楼梦》一百二十回
清曹雪撰，清乾隆五十六年（1791）萃娱阁活字印本

曹雪，号雪芹，所作《红楼梦》，初名《石头记》，是中国古代最杰出的长篇小说。其初以抄本流传，内容只有八十回。直到乾隆五十六年，程伟元、高鹗以活字印刷《红楼梦》，才成一百二十回足本，习称“程甲本”，对《红楼梦》的普及与传播具有非常重要的作用。

政治状况的改变，四民社会在逐渐地解体，随着乡村经济的解体和商品经济的发展，社会对金钱的崇拜代替了身份的崇拜，士大夫阶层发生分化，地位逐渐滑坡；但作为一个阶层被彻底颠覆，从根本上消灭其再生机制的则是于1905年科举制的废除。

近代社会也不再是一个以读书人为中心的四民社会，读书人已不再发挥沟通上下的作用。可以说，士阶层的地位和功能变化，直接促使了耕读文化的衰落。

二、文化世家

在“家齐而后国治”的家国同构的中国古代社会，人们一直重视家庭、家族的提升和发展，形成了所谓世代相传的“世家”、“望族”，也就是政治、经济和军事上的世家大族。除了血缘关系以外，文化学术的传承成为维系世家延续和发展的一个重要纽带，形成了古代中国特有的以家学渊源或家学传承为特征的文化世家。

1. 曾国藩和曾氏家族

在耕读传家的身体力行方面，曾国藩及其家族可称为典范。曾氏家族一直在荷叶塘过着半耕半读的农家生活。

据王定安所撰《曾国藩事略》记载：“曾氏自明朝以来世业农，积善孝友，而不显于世。星冈公（曾国藩的祖父）少时善任侠，已乃折节下士。尝曰：‘吾少耽游惰，往还湘潭市肆与裘马少年相逐，或日高酣寝，长老有讥以浮薄将覆其家者。余闻而立起自责，货马徒行，自是终身未明而起。余年三十五始讲求农事，居枕高嵋山下，垄峻如梯，田小如瓦，吾凿石决壤开十数畛而通为一，然后耕夫易于从事。吾昕宵行水，听虫鸟鸣声以知节候，观露上禾颠以为乐；……吾早岁失学，壮而引为深耻。既令子姓出就名师，又好宾接文士，候望音尘，常愿通材宿儒接迹吾门，此心乃快。’”

曾国藩像

曾国藩的父亲曾麟书曾亲自撰写了一副对联：“有子孙有田园家风半耕半读，但以箕裘承祖泽。无官守无言责世事不闻不问，且将艰巨付儿曹。”亦耕亦读，勤俭持家，敬祖睦邻，成为曾家持家立业的基本生活理念和世代相传的传统。

咸丰十年(1860年)闰三月初四曾国藩在给儿子曾纪泽的信中说："昔吾祖星冈公（曾玉屏，曾国藩祖父）最讲求治家之法，第一起早；第二打扫洁净；第三诚修祭祀；第四善持亲族邻里……此四事之外，于读书、种菜等事尤为刻刻留心。故余近写家信，常常提及书、蔬、鱼、猪四端者，盖祖父相传之家法也。尔现读书无暇，此八事纵不能一一亲自经理，而不可不识得此意，请朱运四先生细心经理，八者缺一不可。"

曾国藩在给其弟曾国潢的信中也提到："余与沅弟（曾国荃）论治家之道，一切以星冈公为法，大约有八字诀。其四字即上年所称'书、蔬、鱼、猪'也，又四字则曰'早、扫、考、宝'。……星冈公生平于此数端最为认真，故余戏述为八字诀曰：'书、蔬、鱼、猪、早、扫、考、宝也'。"

所谓书者，读书习字也；蔬者，下地种菜也；鱼者，池塘养鱼也；猪者，喂猪养畜也；早者，早起也；扫者，扫地也；考者，祭祖也；宝者，亲族和睦也。这集中反映了曾国藩家族的耕读文化传统。

2. 徽州文化世家

据明代嘉靖时人程尚宽纂修的《新安名族志》所载，到明代中期，新安（徽州的前称为"新安郡"，故名徽州为新安）的世家名族共84个，其中大多都有自己一脉相承的家学传统。诸如商学、理学、经学、文学、医学、艺术、篆刻、藏书等等，每一方面都有为数众多的世家群体。他们在各不相同的文化领域，志同道合，施展才能，守成创新，共成辉煌，形成了自成系统且各具特色的徽人贾道、新安理学、皖派经学、徽州文学、徽州戏剧、新安画派、新安医学、徽派工艺等，分别在中国文化史和中国学术思想史上占有重要地位，影响深远。

徽州文化世家的形成，主要有以下三个基本原因：

其一，血缘宗法制的社会背景。中国古代社会具有宗法制的特点，社会成员都是以祖宗血缘亲情联结起来，又以嫡庶长幼的统系分别开来。互相之间既是尊卑有序，又是血缘一体；既肃穆威严，又温情脉脉。此为中国古代社会人际关系的形式。徽人的祖先多是来自中原世家宗族的遗民，他们迁到徽州后，为了自身的生存和发展，依然聚族而居，保持着在宗法制度影响下形成的世家风气；加上徽州四塞之地的特殊环境，逐渐成为后来衰退了的昔日中原家族文化的典型和标本。

其二，儒家思想的内在情结。孔孟仁学和程朱理学是中国儒家思想的正统，也是中国传统文化的核心。徽州素有“东南邹鲁”、“程朱阙里”的称号；朱熹本人更是地道的徽州世家出身，因此程朱理学又称为“新安理学”。徽州与理学这种得天独厚的关系极大地增强了徽州士人的凝聚力和自觉感。自朱子之后，徽州士人多明义理，读朱子之书，服朱子之教，秉朱子之礼成为徽州士人修身、齐家的一个共同的文化情结。至今在徽州境内，留存的各种节烈牌坊还比比皆是，由此可窥一斑。

其三，商业资本的经济支撑。徽商的活跃和实力的雄厚是历史上众所周知的。徽州文化世家大都建立在发达的商业经济基础之上。明清两朝徽州出身的名儒名宦，如许国、金声、潘珏、戴震、汪道昆、王茂荫等均是商人的后代。可以说没有徽商的经济支撑，就没有徽州的文化世家，也就没有今天的徽学。

与历史上一般世家大族相比较，徽州文化世家具有以下三个明显特征。

一是完整的宗族谱系。徽州的世家名族最重视修谱，“族之有谱犹国之有史，国无史不立，族无谱不传。”（绩溪《盘川王氏宗谱·凡例》）基于这种认识，他们视族谱为经典，把修谱看做是家族内部的一件盛事。每一族谱都包括了“始迁祖”以来的所有

婺源古桥

婺源，原属古徽州，为朱熹故里，现属江西省。

婺源民居

灰黑的鱼鳞瓦、白色的马头墙，古徽州特有的民居风格。

家庭成员，由源而流，本末一贯，形成了丰富、完整的族谱系统。仅据《北京图书馆古籍善本书目》所载，该馆馆藏427部族谱中，徽州世家的族谱就占了一半以上，殊为可观。

二是发达的教育事业。徽州士人普遍把培养子弟读书视为修身、齐家第一要紧的事情。“几百年人家无非积善，第一等好事只是读书”、“绵世泽莫如积德，振家声还是读书”，这些徽州古民居的楹联充分说明了对读书的重视和期望。徽州地区拥有比较完善的教育体系，除了官办的府学和县学，还有宗族或士绅们建立的私塾、社学、书院等各类学校。至于学校的教师，必择方正饱学之士，并为此而不惜资力。绩溪《金紫胡氏家谱》言其家“诲其子必千里求师”。于是科举发达，人才辈出。明清两代徽州府籍的进士人数仅次于苏州府，全国名列第二。许多世家名族往往科甲蝉联，朱紫盈门。如婺源坑头的潘珏一门有明一代就出了十多位进士，其中四位又官至尚书，故后人誉之为“一门九进士，六部四尚书”。

三是辉煌的学术成就。徽州士人进学修德的目的不仅仅在于谋求功名利禄的仕宦或营商，还在于能够自觉地传承和弘扬学术。他们或利用书院、文会的组织研讨讲学，或潜心隐居著书立说，从而留下了大量的学术文献和著作，有力推动了中国学术文化事业的发展。这是徽州世家名族文化底蕴的一个重要表现。以清朝乾隆年间纂修的《四库全书》为例，这是整个古代社会学术文化建设的一项标志性成果。该书收编著作总数 3461 种，其中徽州一府士人的著作就有 197 种，占收编著作总数的 1/18，超过当时州府平均数的十多倍，也超过了大多数行省的著作数，成就辉煌。这些著作的内容几乎涉及到“四部”的所有领域。

徽州士人的学术研究最重世代的家学传承。有言曰：“学传三代，方称世家。”徽州文化世家一般都有三代以上的家学传承，有的更是代有薪传，学者辈出。比如黟县西递的明经胡氏就是著名的《易》学世家，宋元期间先后出了 7 个理学名儒，世称“七哲名家”。又如歙县呈坎罗氏家族累世业儒，即述且作，在经学、文学及史志学方面留下了一大批传世之作。其他还如绩溪金紫孔学世家、歙县汪氏文苑世家，以及众多的建筑、篆刻、藏书、文房等工艺世家。他们一代代子承父志、薪火相传，从而成就了一个个各具特色又自成体系的文化世家，也成就了徽州文化称于天下、历久不衰的内在的学术底蕴。

第二节　藏书楼与藏书家

古代的藏书楼在我国文化发展史上曾经作出了巨大贡献，直到今天，虽然藏书楼已辉煌不再，但我们却仍然在承沐着它们的恩泽。在提到古代藏书楼的功绩与作用时，不能不一并提到这些藏书楼的主人——藏书家。藏书楼与藏书家，二者实际上是无法分割的，藏书楼的故事，实际上也就是藏书家的故事。

藏书家的贡献集中体现在对中国历代典籍的保存、传播、完善与再生上。《孟子·告子下》说："诸侯之地方百里；不百里，不足以守宗庙之典籍。"汉代赵岐给这里的"典籍"作注："谓先祖常籍法度之文也。"意思是说典籍就是关于先祖法度的文字记载。产生在古代的典籍，就是古籍，按照写刻的不同，古籍可分为写本、稿本、抄本、原刻本、重刻本等等；按照刊刻时代的不同，古籍可分为唐刻本、五代刻本、宋刻本、辽刻本、元刻本、明刻本等等；按照流传情况和珍贵程度的不同，古籍又可分为足本、节本、残本、通行本、稀见本、孤本、珍本、善本等等。

一、典籍的保存

典籍的保存，这在秦汉以前即已有显著表现。《墨子·贵义》说墨子"南游卫地，载书甚多"；《庄子·天下篇》说"惠子多方，其书五车"；《战国策·苏秦始将连横说秦》说苏秦"陈箧数十"；《史记·老子韩非列传》更记载说"老子尝为周藏室史之吏"，即相当于国家图书馆馆长。

秦始皇统一中国以后，焚书坑儒及随后的严厉禁锢政策，使古代典籍第一次遭受到大规模的毁损，如此高压血腥之下仍有许多的藏书家敢冒杀头的危险将大量禁书藏于夹墙、地窖、山洞等处，为中国典籍的流传保存了至为宝贵的种子。

西汉武帝首开征书之路，征集的主要对象便是这批民间藏书。也正是这批珍贵

兰州文溯阁四库全书藏书馆

《四库全书》

《四库全书》，清乾隆三十七年（1772年）开始，经十年编成。是中国古代最大的一部官修书，也是中国古代最大的一部丛书，分经、史、子、集四部，故名四库。据文津阁藏本统计，该书共收录古籍3503种、79337卷、装订成三万六千余册。《四库全书》共誊写七部，分藏于宫内文渊阁、圆明园文源阁、奉天文溯阁、承德文津阁、扬州文汇阁、镇江文宗阁和杭州文澜阁。

的先秦遗藏，奠定了汉王朝国家藏书的基础，并由此繁衍出以后历代无数的典籍。今天保留下来的数以千百计的宋元刻本，它们中的每一种、每一册都是历经众多有名无名的藏书家之手，如接力赛般层层递传下来的，尽管在递传过程中因种种天灾人祸可能毁损惨重，但这恰恰又说明了藏书保存的极大不易与艰巨。

以单一藏书楼而论，宁波天一阁是一个典籍保存的范例。虽有《四库全书》征书，近代失盗等重大损失因素，天一阁历经四百余年保存下来的明代地方志、登科录等大量明代典籍在当今世界仍是独一无二的孤本。

清末杭州丁申、丁丙兄弟冒战乱烽火奋不顾身抢救出大量文澜阁《四库全书》的业绩，更是突现了藏书家不畏牺牲、无私奉献的崇高品格。江南三阁，文澜独存，实在是藏书家树起的一座丰碑。

二、典籍的传播

从北宋的李氏山房到清末绍兴的古越藏书楼，不少藏书家以传布为己任，使一家之藏为众人所用，极大地扩大了书籍的受众面与利用率，也促进了知识的传播。其中，利用藏书楼藏书精选精校作为底本刊刻图书，是藏书家的一大功绩。藏书家个人出资校刻的图书称为“私刻本”或“家刻本”。

从事此项活动的藏书家与以牟利为目的的书贩子不同。书商刻书，目的在于盈利，因此往往底本选择不良、校勘不精，对书籍的装帧形式也不讲究，甚至错字衍文脱漏颠倒所在皆是，造成谬种流传，贻误后学。而藏书家的旨趣则不同，他们之中有的是为补充私藏而刻书，有的是为治学而刻书，有的是为发表著述而刻书，有的是出于个人爱好，还有的是为了保存珍贵典籍、嘉惠士林。与书商相比，他们不是为了盈利，而是将刊刻图书当作一种毕生的事业来对待。他们本人往往就是才识高远的学者，刊刻书籍以自己的名望为重，因此非常注重书籍种类的选择，并以优秀善本作为底本翻刻，还要对底本进行认真的校对。因此，有名的藏书家作为刊刻者刊刻传世的书籍，其质量是很高的。

采用现代印刷技术复制出版的古籍，北京图书馆出版社出版

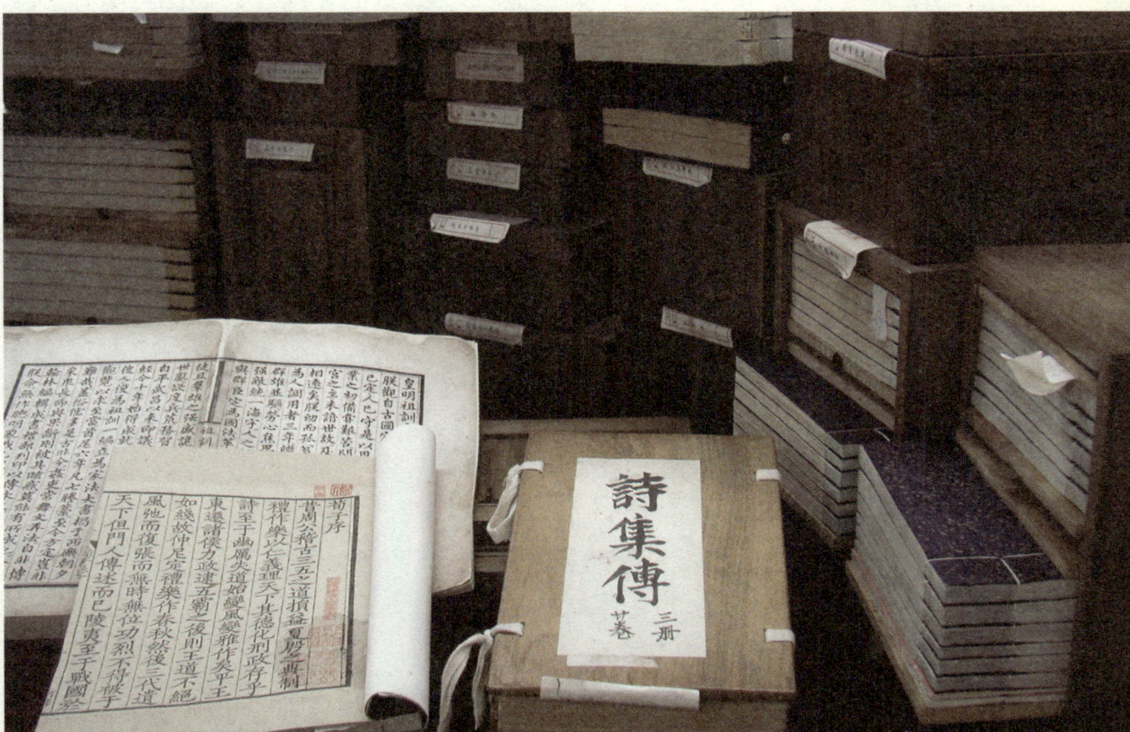

如明末清初著名藏书楼汲古阁的主人毛晋，既是一个私人藏书家，也是一个私人刻书家。其藏书多达八万四千余册，均藏于汲古阁与目耕楼。毛晋一生孜孜于刊刻图书，乐此不疲。自万历末年至顺治年间，四十余年中他所刊刻的书籍竟多达六百余种，仅雕版就达十万九千余片，当时可以号称“毛氏之书走天下”。毛晋所刻之书，流传至今仍被称为善本，其中著名的有十三经、十七史、《津逮秘书》、《六十种曲》等。毛晋刊刻的图书虽然也经常出售，但他与唯利是图的书商有本质的区别。毛晋于所得书中一经发现有善本，便雕版刻印，并以高薪礼聘名士高手精校密雠，书写木板。为保证书籍质量，他从千里之外的江西指定专门选纸工匠定做毛边纸、毛太纸。为了给购书和刻书筹集资金，他于崇祯十四、十五年两年间卖掉土地三百多亩。藏书家利用私人藏书刊布书籍的做法形成一种传统流传下来，代代不绝。

附：北宋·苏轼《李氏山房藏书记》

象犀珠玉怪珍之物，有悦于人之耳目，而不适于用。金石草木丝麻，五谷六材，有适于用，而用之则弊，取之则竭。悦于人之耳目，而适于用，用之而不弊，取之而不竭，贤不肖之所得，各因其才，仁智之所见，各随其分，才分不同，而求无不获者，惟书乎！

自孔子圣人，其学必始于观书。当是时，惟周之柱下史老聃为多书。韩宣子适鲁，然后见《易象》与《鲁春秋》。季札聘于上国，然后得闻《诗》之风、雅、颂。而楚独有左史倚相，能读《三坟》、《五典》、《八索》、《九丘》。士之生于是时，得见《六经》者盖无几，其学可谓难矣。而皆习于礼乐，深于道德，非后世君子所及。自秦、汉以来，作者益众，纸与字画，日趋于简便，而书益多，世莫不有，然学者益以苟简，何哉？余犹及见老儒先生，自言其少时，欲求《史记》、《汉书》而不可得，幸而得之，皆手自书，日夜诵读，惟恐不及。近岁市人，转相摹刻诸子百家之书，日传万纸，学者之于书，多且易致如此，其文词学术，当倍蓰于昔人，而后生科举之士，皆束书不观，游谈无根，此又何也？

余友李公择，少时读书于庐山五老峰下白石庵之僧舍。公择既去，而山中之人思之，指其所居为李氏山房。藏书凡九千余卷。公择既已涉其流，探其源，采剥其华实，而咀嚼其膏味，以为已有，发于文词，见于行事，以闻名于当世矣。而书固自如也，未尝少损。将以遗来者，供其无穷之求，而各足其才分之所当得。是以不藏于家，而藏于其故所居之僧舍，此仁者之心也。

余既衰且病，无所用于世，惟得数年之闲，尽读其所未见之书，而庐山固所愿游而不得者，盖将老焉。尽发公择之藏，拾其余弃以自补，庶有益乎？而公择求余文以为记，乃为一言，使来者知昔之君子见书之难，而今之学者有书而不读为可惜也。

三、典籍的完善

仁人爱物，珍字惜纸是中国人的传统，体现在藏书家身上，便是毫无例外的对图书的宝爱、珍惜、视若生命、护如眼目。历代藏书家对图书从形式到内容的完美追求体现在对图书的爱护、对图书内容的校勘补正、对残缺图书的搜访集全。

书籍在移录传刻过程中，难免会产生“夺”、“误”、“衍”、“倒”等现象，甚至有人出于种种目的有意对原文进行篡改。一本书传抄和翻刻的次数越多，这种讹误就越多。在这种情况下，要想得到内容准确、没有舛误的书籍，就只能靠读书人访求多种刊本，比对勘订，改正书中的错误。藏书家中有很多人就是具备深湛功力的校勘家。大藏书家同时也是大学问家，北宋的宋敏求、南宋的晁公武、清代的黄丕烈等都是精于校雠的人，经过他们校勘的图书被认为是可靠的善本。保存佚书史料，使后世学者得以依据它们辑佚书，使古代已经散佚的图书尽可能重现于世。许多学问功底深厚的藏书家为恢复图书典籍的原貌，宵衣旰食、殚精竭虑，埋首于故纸堆中，爬梳剔抉，进行艰苦的辑佚工作。

藏书楼不仅是藏书家藏书的重地，同时也是藏书家研读精勘的场所，这些人的努力为我们留下了大量可靠的善本。

四、典籍的再生

典籍的再生是指利用藏书在治学探索的基础上，以著述、汇编等形式创造出新的典籍，为民族文化增添新的内容、新的财富，提供更多积累。

利用藏书楼中的藏书，藏书家可以编制各种私家目录。著录完整的私家目录不仅准确记载了大量图书典籍，使我们了解一部书的版本源流和基本内容，还可以开拓学人的眼界。

私家目录的编纂始于南朝宋王俭的《七志》和梁阮孝绪的《七录》。隋唐时期，私家编制目录继续发展。宋代雕版印刷术盛行，自宋至清，私家书目日益丰富，成果多如繁星。

五、晚清中国四大藏书楼

我国近代历史上有四大藏书楼，它们是浙江归安（今浙江湖州）的皕宋楼、江苏常熟的铁琴铜剑楼、山东聊城的海源阁和浙江杭州的八千卷楼。四大藏书楼的第一代主人分别是陆心源、瞿绍基、杨以增和丁申、丁丙兄弟。

陆心源（1834—1894），字刚文，号存斋，晚号潜园老人。清咸丰举人。陆心源一

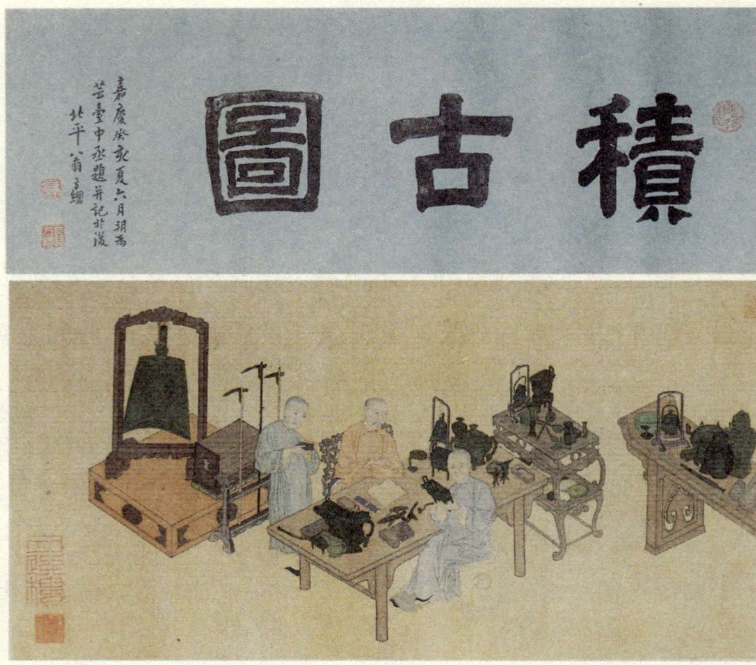

《积古图》

清阮元拓；清周瓒绘

清嘉庆间（1796–1820）拓本

卷首为工笔彩绘绢本《积古图》，其后为阮元手书《积古斋记》，卷心是阮元手拓家藏的历代钟鼎、镜、洗、泉布及砖砚等91件金石文物铭文拓本和91方秦汉印蜕。拓本均挖裱于手卷上。后有翁方纲、法式善等16人题记。全卷集书法、绘画、椎拓、治印为一体，颇具观赏性。

生爱书，从青少年时就开始藏书活动。陆心源一生著述颇丰，是一位大学者，其遗作汇成洋洋大观的《潜园总集》达940多卷，可谓著作等身。陆心源的藏书达15万多卷。陆心源去世后13年，即1907年，陆氏皕宋楼的全部藏书，已被陆心源的后人以10万两银的代价卖给日本人，后归属日本财阀岩崎静嘉堂文库。此举造成中国文化遗产的重大损失，后世引以为恨。

瞿绍基（1772—1836），字厚培，号荫棠。瞿氏自幼就喜读书，深受家乡藏书文化的熏陶，由于家庭经济条件的许可，使他能一心一意收藏图书。其最大特点是酷嗜书籍，遇到好就出资购置。经十几年的收集，瞿氏的藏书达10万多卷。当时，瞿绍基的藏书处叫“恬裕斋”，到他儿子瞿镛时代才以“铁琴铜剑楼”命名。因主人收藏有铁琴与铜剑，故命名为“铁琴铜剑楼”。解放后，“铁琴铜剑楼”藏书几乎全部归入北京图书馆，为我国文化事业作出了贡献。

杨以增（1787—1856），字益之，号至堂，晚号东樵，清道光进士。杨以增平生没有别的嗜好，只是喜爱读书，特别喜好收购书籍。他在任江南洒道总督时，正值战乱，一些藏书家纷纷将书散出，杨乘机收购归入自己的海源阁。他儿子杨绍和（同治进士）又有扩充。到第三代杨保彝时，藏书已达到3336种20多万卷。杨氏藏书的存余部分，后辗转归入北京图书馆和山东省图书馆，得以保存至今。

丁申、丁丙，时人称之“双丁”。丁申，字竹舟，生年不详，卒于1887年。因其以抄补文澜阁《四库全书》有功，被赏四品顶戴。弟丁丙，字嘉鱼，别字松生，晚称松存。23岁入杭州府学，后一心瞩意于地方公众事务及文献、书籍搜集保存，终身未仕。其留下的著作有《谈礼私记》等十多种。丁氏兄弟均博览群书，对图籍嗜藏不怠，一生专好读书治学，丁氏兄弟传名后世，不仅因为家有8000卷藏书，还因为他们在战乱中尽力抢救和保护了杭州文澜阁的《四库全书》。

诗云：“琴剑飘零皕宋空，八千卷散海源同；峥嵘一阁留天壤，文献东南此大宗。”大概可以作为这四大藏书楼最后命运的

天一阁外景

天一阁是亚洲现存最古老的私家藏书楼，它的创建者是我国明嘉靖年间兵部右侍郎范钦。

天一阁提供

一个概括。

六、藏书家的典范——范钦与天一阁

筑阁藏图籍

范钦（1505—1585），明代藏书家，字尧钦，号东明、东明山人，浙江宁波人，嘉靖十一年（1532年）进士。历任湖广随州知州，迁工部员外郎，周任袁州知府，升广西参政，河南副都御史，官至兵部右侍郎。并在兵部右侍郎位上卸职归故里。卸职归故里后，他做了一件连他自己都预料不到的将对后世会有多大贡献的事情，那就是藏书。

古人有读书之好，亦有藏书之好。“藏书”一词始见于《韩非子·喻老》篇。说是有一个叫徐冯的人曾经对人说：“智者不藏书。”它同时也告知我们一个重要的信息，即中国私人藏书之发源甚早。

范钦于明嘉靖四十年（1516年）前后建了天一阁，楼用砖筑成，与住宅建筑不相毗连，楼前开凿水池，使与月湖相通，蓄水备用。为了给新建的书楼题个能存之久远的好名字，及见《龙虎山天一池记》中引有汉人郑玄注《易经》“天一生水，地六成之”之语，于是将藏书楼命为天一阁。

范钦根据“天一生水”和五行生克中的水克火，在设计上独具匠心，把藏书楼建成砖木结构六开间的二层楼房，楼下六间，楼上合而为一，构成了下六上一的建筑格局。下层供阅览读书和收藏石刻所用，上层按经、史、子、集分类列柜藏书。藏书楼在南北两面开窗，空气对流，通风防潮，东西两山墙采用封火山墙，以免邻屋之火患蔓延至书阁。不仅如此，范钦还将阁前所凿水池称“天一池”，甚至如房间的高低深广以及藏书橱的制作也使之在尺寸上合六一之数。池水经暗沟与藏书楼旁边的月湖连通，如遇意外，便能引水灭火。这一切做法已经淡化了风水相术的迷信，而其中包含更多的则是范钦对藏书倾注的心血。

书香满藏楼

范钦自嘉靖初开始收藏图书，经史百家兼收并蓄。大书法家丰坊博学工文，家有万卷楼，藏书数万卷，与范钦为邻。丰氏原为鄞县大姓，历代为官，代出闻人。丰坊自己为人“逸出法纪外，博学工文，家有郭田千余亩，尽鬻以购法书名贴，常夜以继日，心摹手追，读书注目而视，瞳子尝堕眶外半寸，人有出其左右，不知也”（黄宗羲

《丰南禺别传》)。丰坊不善治家理财,故后来家财丧失殆尽,其万卷楼藏书中的宋椠和写本,为门生辈窃去十之有六,后又不幸遭大火,故所存佳本已无多。范钦原与丰坊交往颇深,早时他曾从万卷楼抄书,丰坊亦曾为范钦作《藏书记》。于是,丰坊就将碧沚住所万卷楼劫余之书尽售与范钦,“碧沚园,李氏宅,售与范侍郎为业,南禺笔”。万卷楼的残余藏书从此尽归范钦所有,“虽未曾复丰氏之旧,然亦雄视浙东焉”(全祖望《天一阁藏书记》)。

后来范钦又与后来的《明史》编撰者王世贞互抄,增加了藏书,“又稍从弇州(即王世贞)互抄,以增益之”。(全望祖《天一阁藏书记》)至去世前,藏书已达七万多卷。范钦不仅丰于典藏,还能读勤藏精,各书多“手自题笺,精细详审,并记其所得之岁月”,所以人皆赞其藏刻各书 “有清鉴无妄作”(全望祖《天一阁碑目记》)。还有就是他不仅喜聚典籍,而且积极利用手头上的藏书刻印了许多图书,这就更加丰富了他的藏书。

范钦藏书以宋元以来刊本、钞本与稿本为多,而明刻尤为突出。范钦与一般只注重版本的藏书家不同,他并没有醉心于珍本古籍,而是钟情于当代的文献资料,包括明朝的实录、邸抄、揭贴、招供、地方志、进士登科录、名人传记及诗文集等等,这些为时人不屑一顾的所谓“时人之集”、“三式之书”、“下邑陋志”几乎涵盖了天文、地震、地质、医学、农政、水利、陶瓷、印刷术等自然科学史和农业、手工业、海港史等方面的资料,以及农民起义、民族发展、文学艺术和人物传记等社会科学史料。范钦对它们不遗余力,尽心搜集,每有所得,如获至宝。他所藏的明代方志、政书、实录、诗文集等尤多,而明代登科录和地方志的收藏成为阁藏的特色。其中明代方志原藏 435 种,超出《明志》著录,现存 271 种有六成是海内孤本;登科录,会试录和乡试录有 387 种,也大部分是罕见之本,有意思的是范钦自己的简历就赫然具在于登科录中。

森严的阁禁

拥有了无价之宝的范钦必须要考虑的问题是:怎么保护这些宝贵的藏书?早在建造天一阁的时候范钦就已经有了深谋远虑,如开池蓄水以防火,又采用石灰石防潮,芸草防蠹。另外重要的一点是他还制定了严格的阁禁,如烟酒火烛不许上楼,女不登楼……并且规定,违反阁禁,一至三年内不得参加祭祖大典。在那样的社会里,这是最严厉的惩罚。由于阁禁森严,也使许多梦想一登天一阁的人望楼兴叹。

天一阁宝书楼

“宝书楼”是明代隆庆五年（1571）宁波太守王原相为天一阁题的匾额。

天一阁提供

嘉靖年间，宁波知府邱铁卿内侄女钱女嗜书成癖，因有一日听其姑夫邱铁卿说，天一阁藏书不受蠹害，是因为用了芸香防蠹。于是她便手绣芸草数百本，自己也更名为绣芸。她为能亲见天一阁芸草防蠹的真相，就托丘太守为媒，嫁给范氏子弟范邦柱秀才为妻。婚后，钱绣芸满怀登阁希望，有一天对范秀才提出要上天一阁看书时，不料范秀才为难地说：“范家有‘书不出阁，女不上楼’的家规，你想登阁看书，这是万万办不到的事啊！”钱绣芸终于终日抑郁，竟含恨而终。临死前，钱女泣告其夫说：“我之所以来汝家者，为芸草也。芸草既不可见，生亦何为？君如怜妾，死葬阁之左近，妾瞑目矣！”（清谢堃《春草堂集》）当然，钱绣芸为芸草只是一个借口，想找机会登楼一览藏书才是真，只可惜至死未见。还好，她死后被同意葬于阁旁，满足了她的夙愿。

天一阁创建人范钦之铜像

饶国庆摄于天一阁

公元 1585 年，范钦寿终正寝，弥留之际，该交代一下后事了。他把家产分成两份：一份为七万多卷藏书，一份为万两白银。并立下遗嘱，继承者只能选取其一，不能平均分配。长子范大冲自愿继承所有藏书，次媳陆氏欣然接受白银万两（次子范大潜早范钦三月而死），“欲书者受书，欲金者受金。”（全祖望《天一阁藏书记》）白银与藏书，一个意味着享受，一个意味着责任。这种独特的遗产分割方式，无疑是范钦对藏书继承者的一次严峻考验。

范大冲不负父望，制定了“代不分书、书不出阁”、书籍由范氏族中子孙共同管理，阁门和书橱钥匙分房掌管等族规，并拨出部分良田，以田租充当书楼维修及藏书保管的费用，“今金已尽而书留存，其优劣何如也！”（全祖望《天一阁藏书记》）为了更完好地保护藏书，范大冲还编了《天一阁书目》，并在其后作跋

天一阁藏书楼禁牌

天一阁提供

云：

冲先君宦游两京、各藩省几四十载，致政二十余载，享寿八秩。生平孜孜，惟书籍是嗜。远构近集，旦录夕抄，积之岁月，仅盈荚笥，乃勉构天一阁以贮之，惧遗散也。其用心良苦且久矣。冲时过庭，绍闻先君珍藏之训，今遽仙逝，手泽维新，捧览悲恸，无以自存。惧岁久易堙，使先君生平八十年之精神，一旦置之灰土，能不痛哉！能不痛哉！适承闵冲肖翁蔡太公祖面命云："当付之奇厥，以广其传。人之事也，亦人子心也。"冲也敢不敬奉，隧诠次篇目而辛之，庶宇内贤达览者，知先君积累捃拾之勤，而子子孙孙亦因知祖上存蓄不易，将殚力而世守之无坠云尔。刻成，时万历丁亥岁午月午日，不肖孤光禄寺署丞大冲泣血百拜谨书。

盛名扬寰宇

森严的阁禁，使得越来越多的慕名者望楼兴叹。然而有一天范氏后人作出了一个大胆的决定，允许大学者黄宗羲登楼看书！

黄宗羲（1610—1695），字太冲，号南雷，人称梨州先生，浙江余姚人。黄宗羲是明清之际伟大的启蒙主义思想家、史学家、文学家、教育家与自然科学家。康熙十二年（1673），天一阁破例向这位海内名宿敞开了大门。他不仅获准登楼，而且被允许仔细地阅读楼上的全部藏书。返至天一阁，黄宗羲终于忍不住一声感叹，笔走游龙成就了一篇情深意切的《天一阁藏书记》。"尝叹读书难，藏书尤难，藏之久而不散，则难之难矣。自科举之学兴，士人抱兔园寒陋十数册故书，崛起白屋之下，取富贵而有余。读书者一生之精力，埋没敝纸渝墨之中，相寻于寒苦而不足，每见其人有志读书，类有物以败之，故曰读书难。"……"有力者之好，多在狗马声色之间，稍清之而为奇器，再清之而为法书名画至矣。苟非尽捐狗马声色字画奇器之好，则其好书也必不专，好之不专，亦无由知书之有易得有不易得也。强解事者以数百金捆载坊书，便称百城之富，不可谓之好也。故曰藏书尤难。"……"是书者造物之所甚忌也，不特不覆护之，又从而灾害之如此，故曰：藏之久而不散，则难之难矣。"……

然后是万斯同（1638—1702），他是清初经学家、史学家。1679 年他以布衣参史事，不署衔，不受俸，入京修明史，手定《明史稿》500 卷，为今天《明史》的蓝本。

然后是著名史学家全祖望，全祖望 23 岁中进士，选为翰林院庶吉士，因性耿介清正得罪了当时的大学士张廷玉。次年，翰林院散馆，张廷玉故意把他考核为"下等”，列为候选知县补缺。全祖望决心辞官回家，立志著述。全祖望19岁时曾数登天一阁读书抄书，“弱冠时登范氏天一阁”（严可均《全绍衣传》）。归里后他又重登天一阁，搜研金石旧拓，编为《天一阁碑目》，重纂《天一阁藏书记》，并亲自抄录阁中所藏秘本。

清乾隆三十七年（1772），为“昭文治之盛”，诏修《四库全书》，旨谕“各省加意采访遗书，进呈备用”，三十八年（1773）二月，成立“四库全书馆”，开始了大规模征求遗书活动。三月二十八日颁旨，对私家所藏，“无论刻本写本，皆官为借抄，仍将原本给还”。乾隆皇帝特别点名江南藏书家，天一阁是其中瞩目的一家，“……宁波范氏之天一阁，皆其著名者，余亦指不胜屈。并有原藏书目，至今尚为人传录者。”这样，以范钦八世孙范懋柱为代表的范氏后人不得不应诏进书。同时，乾隆帝还制定了对献书多者的奖励办法，如赐书，言凡进献书五百种以上者，奖给《古今图书集成》一部。如“亲为评咏”，以使“收藏之家，益增荣幸”。四月，范钦八世孙生员范懋柱应诏进呈天一阁藏书638种。范氏献书中，乾隆帝在《周易要义》一书中御笔亲题：“四库广搜罗，懋柱出珍藏。”在《意林》一书中，又挥毫题诗：“五卷终于物理论，太玄经下已亡之，设非天一阁珍弃，片羽安能忻见斯？”天一阁由此而名声大著。乾隆三十九年（1774）六月，特颁谕旨，称“浙江宁波府范懋柱家，所进之书最多，因加恩赏给《古今图书集成》一部，以示嘉奖。”四十四年（1779）六月，又赐范家《平定回部得胜图》十六幅。五十二年（1787）二月，再赐《平定两金川战图》十二幅。从此天一阁扬名寰宇。

不仅如此，天一阁的建筑格局也受到乾隆皇帝的青睐。天一阁的建筑格局不仅具有完美的保护功能，而且融合了深厚的中国传统文化内涵。明清以来，单就浙东来说，丰坊的“万卷楼”，全祖望的“双韭山房”等皆不复存在，唯天一阁仅存。乾隆皇帝在修《四库全书》时，于三十九年（1774）六月，特颁谕旨，“闻其家藏书处曰‘天一阁’，纯用砖瓦，不畏火烛。自前明相传至今，并无损坏。其法甚精。著谕寅著(杭州织造)亲往该处看其房间制造之法若何……今办《四库全书》，卷帙浩繁。欲仿其藏书之法，以垂久远。”十月，命建文渊阁于文华殿后，乾隆帝在《御制文渊阁记》中尚称：“阁之制，一如范氏天一阁。”以后分列全国的北京大内文渊阁、圆明园文源阁、承德避暑山庄文津阁、沈阳故宫文溯阁和扬州文汇阁、镇江文宗阁、杭州文澜阁七大阁都按天一阁同样仿造。天一阁因此也成了不朽之阁。

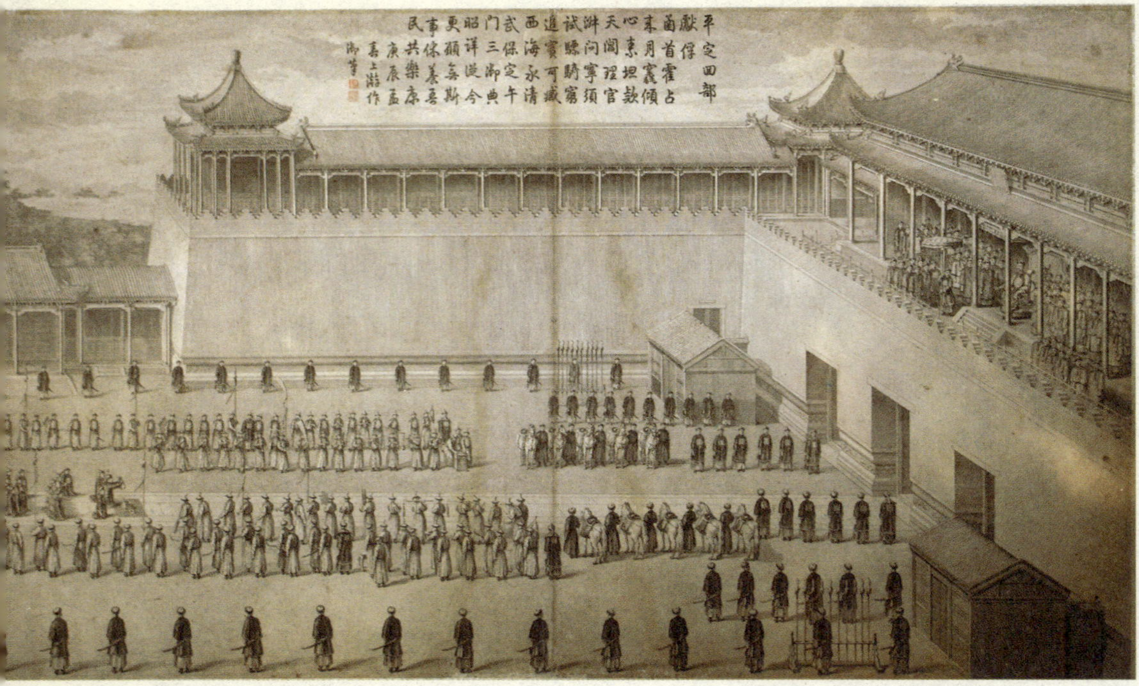

乾隆皇帝御赐给天一阁的《平定回部得胜图》

附：黄宗羲：《天一阁藏书记》

尝叹读书难，藏书尤难，藏之久而不散，则难之难矣!

自科举之学兴，士人抱兔园寒陋十数册故书，崛起白屋之下，取富贵而有余。读书者一生之精力，埋没敝纸渝墨之中。相寻于寒苦而不足。每见其人有志读书，类有物以败之，故曰："读书难。"

藏书，非好之与有力者不能。欧阳公曰："凡物好之而有力，则无不至也。"二者正复难兼。杨东里少时贫不能致书，欲得《史略》、《释文》、《十书直音》，市直不过百钱，无以应，母夫人以所畜牧鸡易之。东里特识此事于书后。此诚好之矣!而于寻常之书犹无力也，况其他乎?有力者之好，多在狗马声色之间，稍清之而为奇器，再清之而为法书名画，至矣。苟非尽捐狗马声色字画奇器之好，则其好书也必不专。好之不专，亦无由知书之有易得有不易得也。强解事者以数百金捆载坊书，便称百城之富，不可谓之好也。故曰："藏书尤难。"

归震川曰："书之所聚，当有如金宝之气，卿云轮囷覆护其上。"余独以为不然。古今书籍之厄，不可胜计。以余所见者言之：越中藏书之家，钮石溪世学楼其著也。余见其小说家目录亦数百种，商氏之《稗海》皆从彼借刻。崇祯庚午间，其书初散，余仅从故书铺得十余部而已。辛巳，余在南中，闻焦氏书欲卖，急往询之，不受奇零之值，二千金方得为售主。时冯邺仙官南纳言，余以为书归邺仙犹归我也，邺仙大喜。及余归而不果，后来闻亦散去。庚寅三月，余访钱牧斋，馆于绛云楼下，因得翻其书籍，凡余之所欲见者无不在焉。牧斋约余为读书伴侣，闭关三年，余喜过望。方欲践约，而绛云一炬，收归东壁矣!歙溪郑氏丛桂堂，亦藏书家也。辛丑，在武林捃拾程雪楼、马石田集数部，其余都不可问。甲辰，馆语溪，槜李高氏以书求售二千余，大略皆钞本也。余劝吴孟举收之。余在语溪三年，阅之殆遍。此书固他乡寒故也。江右陈士业颇好藏书，自言所积不甚寂寞。乙巳，寄吊其家，其子陈澎书来，言兵火之后，故书之存者惟熊勿轩一集而已。语溪吕及父，吴兴潘氏婿也，言昭度欲改《宋史》，曾弗人、徐巨源草创而未就，网罗宋室野史甚富，缄固十余簏在家。约余往观，先以所改历志见示。未几而及父死矣，此愿未遂，不知至今如故否也？祁氏旷园之书，初庋家中，不甚发视，余每借观，惟德公知其首尾，按目录而取之，俄顷即得。乱后迁至化鹿寺，往往散见市肆。丙午，余与书贾入山翻阅三昼夜。余载十捆而出，经学近百种，稗官百十册，而宋元文集已无存者。途中又为书贾窃去卫湜《礼记集说》、《东都事略》。山中所存，唯举业讲章、各省志书，尚二大橱也。丙辰，至海盐，胡孝辕考索精详，意其家必有藏书。访其子令修，慨然发其故箧，亦有宋元集十余种，然皆余所见者。孝辕笔记称引《姚牧庵集》，令修亦言有其书，一时索之不能即得，余书则多残本矣。吾邑孙月峰亦称藏书而无异本，后归硕肤。丙戌之乱，为火所尽。余从邻家得其残缺实录，三分之一

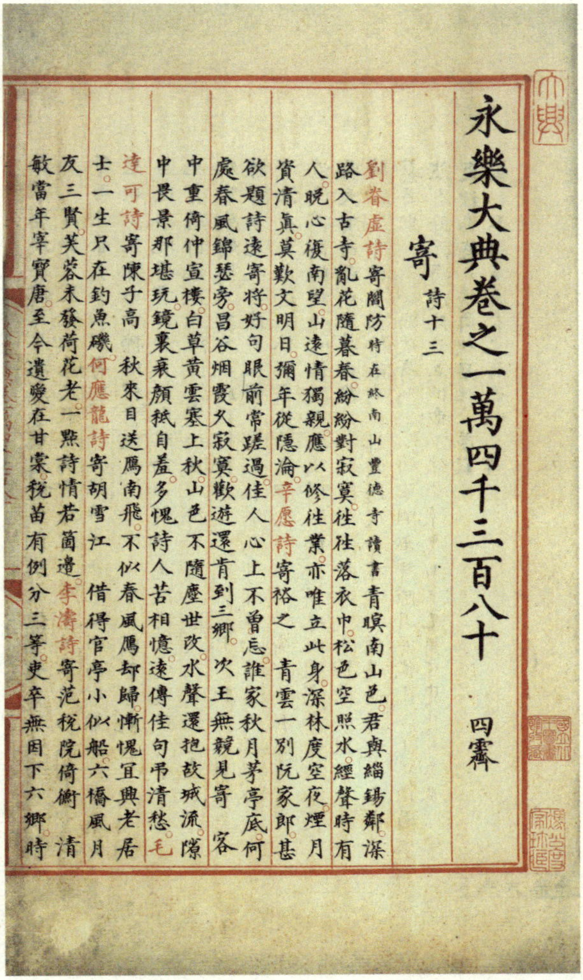
永樂大典卷之一萬四千三百八十　四霽
寄　詩十三
劉眘虛詩寄閻防時在終南山豐德寺讀書青暝南山邑君與緇錫鄰深路入古寺亂花隨暮春紛紛對寂寞往往落衣巾松色空照水經聲時有人晚心復南望山遠情獨親應以修往業亦唯立此身深林度空夜煙月資清真莫歎文明日彌年從隱淪辛愿詩寄裕之　青雲一別阮家郎甚欲題詩遠寄將好句眼前常蹉過佳人心上不曾忘誰家秋月茅亭底何處春風錦瑟旁昌谷烟霞久寂寞歎遊還肯到三鄉　次王無競見寄　容中重倚仲宣樓白草黃雲塞上秋山色不隨塵世改水聲還抱故城流隙中畏景那堪玩鏡裏衰顏秪自羞多愧詩人苦相憶遠傳佳句弔清愁毛達可詩寄陳子高　秋來目送鴈南飛不似春風鴈卻歸慚愧宜興老居士一生只在釣魚磯何應龍詩寄胡雪江　借得官亭小似船六橋風月友三賢芙蓉未發荷花老一點詩情若箇邊李濤詩寄范稅院倚衙　清敏當年宰寶唐至今遺愛在甘棠稅苗有例分三等吏卒無因下六鄉時

《永乐大典》明嘉靖内府写本

《永乐大典》是明永乐元年（1403）至六年（1408）解缙等奉敕编纂的大型类书，全书共 22877 卷，目录 60 卷，是中国古代最大的“百科全书”。它汇集了明初以前的图书七八千种，保存了大量珍贵的古籍文献。嘉靖间，徐阶、高拱、张居正等奉敕校理、摹录《永乐大典》副本一部。之后永乐正本下落不明，副本也几乎散失殆尽，现仅有约 400 册左右的嘉靖副本星散于 8 个国家和地区的 30 个单位。中国国家图书馆藏《永乐大典》21 部，其中的 60 册寄存台北汉学研究中心。

耳。由此观之，是书者造物之所甚忌也，不特不覆护之，又从而灾害之如此。故曰："藏书久而不散，则难之难矣。"

天一阁书，范司马所藏也。从嘉靖至今盖已百五十年矣。司马殁后，封闭甚严。癸丑，余至甬上，范友仲破戒引余登楼，悉发其藏。余取其流通未广者钞为书目，凡经、史、地志、类书坊间易得者及时人之集三式之书，皆不在此列。余之无力，殆与东里少时伯仲，犹冀以暇日握管怀铅，拣卷小书短者钞之。友仲曰诺。在苒七年，未蹈前言。然余之书目，遂为好事流传。昆山徐健庵使其门生謄写去者不知凡几。友仲之子左垣，乃并前所未列者重定一书目，介吾友王文三求为藏书记。近来书籍之厄，不必兵火，无力者既不能聚，聚者亦以无力而散，故所在空虚。屈指大江以南，以藏书名者不过三四家。千顷斋之书，余宗兄比部明立所聚。自庚午讫辛巳，余往南中，未尝不借其书观也。余闻虞稷好事过于其父，无由一见之。曹秋岳倦圃之书，累约观之而未果。据秋岳所数，亦无甚异也。余门人自昆山来者，多言健庵所积之富，亦未寓目。三家之外，即数范氏。韩宣子聘鲁，观书于太史氏，见《易象》与《鲁春秋》，曰："周礼尽在鲁矣!"范氏能世其家，礼不在范氏乎?幸勿等之云烟过眼，世世子孙如护目睛，则震川覆护之言，又未必不然也。

难逃的劫数

阁禁破，换来了天一阁声震寰宇的盛名，接踵而至的便是劫数难逃的厄运。当初范钦取"天一生水"给藏书以庇佑，立阁禁保藏书以完整，分遗产使藏书万世传承。这等苦心，后世人无不敬佩；然而，藏书之最大敌人不是火烧人毁，而是生逢乱世。清嘉庆十三年（1808），阁内的藏书实有 4094 部，共 53000 多卷。清道光庚子之役（1840），英军袭扰宁波，闯进天一阁，掠取《大清一统志》及地理书籍数十种而去。清咸丰十一年（1861），太平军进驻宁波的前后，当地窃贼乘乱，捣毁天一阁后墙，窃运大批藏书，论斤卖给奉化一个制纸作坊的商人。公元 1914 年，惯偷薛继谓受书商指使，潜入书楼，晚间用小舟偷运，至少有一千余种珍贵书籍被偷。据说，被偷书籍被奸商以高价售给洋人。……经历了这许多的劫难，至 1940 年，阁内的藏书仅存 1591 部，共 13038 卷。

传奇的续写

黄宗羲有幸一登天一阁而感叹："读书难，藏书尤难，藏之久而不散，则难之难矣!"三百多年后他的同乡余秋雨先生挽起裤腿，打着赤脚登上了天一阁。之后，余秋雨写下了《风雨天一阁》。他以余氏散文独特的魅力向人们展现了今日的天一阁，引起了人民更多的关注和思考。余氏散文剖析深刻，扩大了天一阁的文化影响力。

天一阁除了因为鸦片战争、太平军时，以及民国时遭小偷偷窃之外，并没有风雨飘摇。尤其是从范钦时代到范懋柱献书，天一阁一直充满着辉煌的色彩。天一阁历来受到官府的支持和呵护。而范钦一开始藏书，是寄希望于嘉靖皇帝对他的关注，他从万历时，就认定自己是一个职业藏书家了。

今天，范钦当年的苦心孤诣得到了继续，新中国成立后，专门为天一阁设置了管理机构，并探访寻得流失在外的3000多卷原藏书，又增入当地收藏家捐赠的古籍，现藏珍版善本达到了8万多卷。

更重要的是，今日的天一阁已不再只是单纯的藏书楼，而是沉淀成了一种象征，一个符号，它让每位探访者惊叹，惊叹他们看见了古老的、魅力的、宝贵的、唯一的、永恒的、中国的、传统的、古典的文化。

七、王世贞与弇山园

王世贞，字元美，号凤洲、弇州山人，江苏太仓人，生于明嘉靖五年（1526），卒于明万历十八年（1590），嘉靖二十六年（1547）进士，历任刑部主事、刑部尚书等职。

为了藏书，王世贞在他居住的庄园（弇山园）内修建了三处藏书楼：小西馆、

国人最早使用的藏书票

创作者不详。这张藏书票是台湾藏书家吴兴文在琉璃厂淘书时，从一部1913年出版的《图解法文百科词典》内发现的。票面上是一位头戴方巾的书生，正在展卷阅读，他的后方是整架的线装书和卷轴，左下方是包好准备远游的物品和一把剑。票主是广西人关祖章。据书中扉页文字可知，此票的使用时间是1914年9月26日。

广东省恩平市圣堂镇歇马举人村祠堂
吴绍华摄

尔雅楼和九友斋。小西馆位于弇山园凉风堂之后，藏书三万多卷，是王世贞数十年集书的主要部分。尔雅楼前有一池水，池畔竖立着米芾所书“墨池”二字。尔雅楼藏书丰富，王世贞所购《周易》、《礼记》、《毛诗》、《左传》、《史记》、《三国志》、《唐书》之类尽藏其中，总数逾三千卷，皆为宋版精绝之书。九友斋则收藏精善难得之秘本。如“以庄园易之”的《两汉书》，堪称秘宝。王世贞称此书为：“诸本之冠。……桑皮纸白洁如玉。四旁宽广，字大者如钱，有欧柳笔法，细书丝发肤致，墨色精纯。”

八、焦竑与澹园

焦竑，字弱侯、从吾，号澹园、漪园，原籍山东日照，祖上在明初以军功封副千户，隶籍南京旗手卫，遂世为南京人。焦竑生于明嘉靖十九年（1540），卒于明万历四十八年（1620），嘉靖四十三年（1564）中举，万历十七年（1589）中状元，任翰林院修撰。

万历二十五年（1597），他任顺天府乡试副主考时，被东阁大学士张位等诬告，遭谪贬为福建福宁州同知，遂愤然弃官归里，从此隐居故里澹园，闭门读书，潜心治学。焦竑藏书之丰富是很有名气的。当时有藏书家亲眼所见："金陵之焦太史弱侯，藏书两楼，五楹俱满"，且"一一皆经校雠探讨，尤人所难"。这说明焦竑藏书不仅丰富，而且都经过他本人亲自校勘过。焦竑是一位藏用结合的学者型藏书家。他一生著述颇丰，主要有《澹园集》、《焦氏类林》、《玉堂丛语》、《老子翼》、《庄子翼》、《禹贡解》、《俗术刊误》、《焦氏笔乘》等。

《焦氏笔乘》是一部影响较大的著作。此书是焦氏读书和讲

毛晋藏书楼汲古阁图

汲古阁在中国藏书史上占有重要的位置。这张《虞山毛氏汲古阁图》由明代王咸绘。

学的笔记，书中有对古史的勘误，有对古文辞章的品评，有对版本目录的研究，有对金陵乡土文献的辑证，以及对儒家经典的注释、名物制度的考证等，反映了作者读书治学的广博和深邃。

九、钱谦益与绛云楼

钱谦益，字受之，号牧斋，晚年自号蒙叟、绛云老人、东涧遗老、虞山先生，江苏常熟人，生于明万历十年（1582），卒于清康熙三年（1664），万历三十八年（1610）进士，任翰林院编修，后因东林党祸削官故里，崇祯初年复被起用，官至礼部侍郎，旋又在党争中失败，被革职，福王南渡建立政权后，出任吏部尚书，后降清，任礼部侍郎，不久便退居返乡。

钱谦益嗜书成癖，笃爱善本珍籍，他收书之勤力、购书之慷慨、惜书之矜啬、聚书之宏富，令人叹为观止。钱谦益藏书自年轻时便开始为了访书、购书终年奔波四方，不惜重金收购。他先后出巨资购买了当时最负盛名的四大藏书家刘凤、钱允治、杨仪和赵用贤的藏书。

钱谦益为饱学之士，对版本目录十分精通。清藏书家曹溶在《绛云楼书目题词》中说他“每及一书，能言旧刻若何，新板若何，中间差别几何，验之纤悉不爽，盖于书无不读，去他人徒好书束高阁者远甚”。与柳如是合婚两年后，钱谦益在虞山北麓修建绛云楼。“绛云楼”匾额为柳如是手书，笔法遒劲，奇气盈然。绛云楼共有五楹三层，楼上两层是藏书之所，钱谦益毕生心血收集的善本尽置于七十三个大椟中；楼下为客厅、卧室及客房，金石古玩，罗列其中。绛云楼建成后，钱、柳二人相偕搬入此楼居住。钱谦益图书校雠、临文执笔，或有疑问，便与柳如是切磋，或请她登楼翻书检阅。绛云楼建成后，其藏书万卷、富甲江南的名声引来无数士子学人。

十、毛晋与汲古阁

毛晋，初名凤苞，字子久，后更名晋，字子晋，号潜在，晚号隐湖，江苏常熟人，生于明万历二十七年（1599），卒于清顺治十六年（1659）。

毛晋“少为诸生，通明好古，博闻强记”。毛晋一生，“性无他嗜，唯书是癖”，以至“于书无所不窥，闻一奇书，旁搜冥求，不限远近，期必得之为快”（王象晋《汲古阁书跋序》），而且“凡人有未见书，百方购访，如缒海凿山以求宝藏”（陈继儒《隐湖题跋叙》)。经过数十年殚精竭虑的搜索,毛晋藏书顶峰达到八万四千册,为了庋藏秘帙,他在隐湖七星桥畔修建了汲古阁藏书楼,后又建目耕楼。

汲古阁所藏之宋元善本,皆钤以“宋本”、“元本”椭圆形印章区别之,又以“甲”字钤于卷首。毛晋汲古阁藏秘籍,不仅为收藏而收藏,而且是“以藏而刊”,刊刻珍本。汲古阁建成后,毛晋即以“汲古阁”的名义大量刊刻典籍。

毛晋刻书四十余年,共刊梓六百种,书板十万九千余片。毛晋刊行的书籍内容包罗万象,“自五经,十七史,以及诗词曲本,唐宋元金别集,稗官小说,靡不发雕”。

毛晋刻书讲求质量。首先,慎选底本,所刻之书多为宋版元刊。其次,精审校勘,毛氏父子亲自参加,并高薪延聘名手校勘书稿和书写板样。汲古阁的刻书除阁内收藏外,还多次印刷,还广销大江南北,“天下购善本者,必望走隐湖毛氏”。一时间,天下书商往返于七星桥,“载籍之盛,近古所没有”。

毛晋刻书对保存和传播文化起了极大的促进作用,汲古阁名声大振,成为明末最富特色的藏书楼。陆世仪云:“高阁藏书拥百城,主人匡坐校雠精。名传海外鸡林识,学重都门虎观惊。”

第二章

当代家庭阅读事件

第一节 家庭阅读活动动态
第二节 家庭阅读促进机构
第三节 家庭阅读倾向
第四节 家庭阅读热点话题

第一节　家庭阅读活动动态

阅读对一个人成长的影响是巨大的，一本好书往往能改变人的一生。人的精神发育史，应该是他本人的阅读史；而一个民族的精神境界，在很大程度上取决于全民族的阅读水平。时代在进步，忙碌过后，越来越多的人开始抱怨自己阅读的时间不多、甚至没有了，更不用说一家人其乐融融地坐在一起阅读了，不阅读似乎只要一个理由就已经足够——没时间！

但是，阅读是成长的基石、是精彩人生的开始、是人们生活中不可或缺的，阅读的重要性是人所共知的——阅读，能够丰富一个人的精神世界，是主动吸收文化营养、在潜移默化中提高个人素质的过程；阅读，能够奠定一座城市的文化根基，是一个城市集聚知识力量的过程；阅读，能够推进一个社会的发展，是保持社会发展所需的生命力和创造力的过程。于是世界各国都开

孩子们在朗读经典美文，以纪念世界读书日。

苏州图书馆提供

始尝试各种各样的方式,以促进阅读:

在美国,有一个"美国阅读计划","计划"发动100万志愿者帮助阅读有困难的学生,并推出"必读书目"。在以色列,孩子们从小就被大人告知:"书本是甜的;知识和智慧是抢不走的;学者是最受尊崇的。"在日本,"每天晨读10分钟"活动在青少年中广泛开展。在中国,更是由教育部颁布《面向21世纪教育振兴行动计划》,要求学生从小学到初中,每个学期要阅读100多万字,最终达到2000万字阅读量的目标。全国政协委员朱永新曾向全国政协第十届三次会议提交提案《关于在全国推进"全民读书活动"的建议》,呼吁在全国积极推进全民读书,建设阅读和学习型社会。

其实,我们有很多开展家庭阅读活动的理由。

一、世界读书日

随着生活节奏的不断加快,人们阅读的时间越来越少,为了鼓励人们多读书,发现阅读的乐趣;纪念为人类的社会和文化进步做出不可替代的贡献的伟大作家们,1995年11月15日联合国教科文组织在全体大会上宣布将每年4月23日定为"世界图书和版权日"(又名"世界图书日"、"世界书香日"、"世界读书日")。"世界读书日"的主旨宣言是:"希望散居在全球各地的人们,无论是年老还是年轻,无论是贫穷还是富有,无论是患病还是健康,都能享受阅读的乐趣,都能尊重和感谢为人类文明作出巨大贡献的文学、文化、科学思想大师们,都能保护知识产权。"

联合国教科文组织选择4月23日的灵感来自于一个美丽的传说。4月23日是西班牙文豪塞万提斯的忌日,也是加泰罗尼亚地区大众节日"圣乔治节"。传说中勇士乔治屠龙救公主,并获得了公主回赠的礼物——一本书,象征着知识与力量。每到这一天,加泰罗尼亚的妇女们就给丈夫或男朋友赠送一本书,男人们则会回赠一枝玫瑰花。这一天也是莎士比亚出生和去世的日子,此外,生日或者忌日跟4月23日有关的作家还有加尔西拉索·德·拉·维加,法国科学院士莫里斯·德吕翁,冰岛诺贝尔奖金获得者K.拉克斯内斯,哥伦比亚人马努埃尔·梅西亚·巴列霍,诺贝尔文学奖获得者、小说《洛丽塔》的作者、俄罗斯人弗拉迪米尔·纳博科夫,以及西班牙人何塞普·普拉等等,4月23日可以说别具纪念意义。联合国教科文组织创意、文化产业与版权部主任兼教科文组织出版社社长米拉格罗斯·德尔·科罗尔女士曾多次强调的一句话："我们必须能够让每一个地方每一个人都获得图书。"

※世界各地共度"世界读书日"

英国：英国的庆祝活动可说是搞得很全面的，英国人更是把阅读日提前到3月6日举行，仅仅是学校、图书馆、书店所举办的故事人物模仿大赛、午间故事时间、各类型的书展等各种主题活动就已经超过了1000项，以庆祝世界读书日。阅读日的官方网站还会在网上举办作家讲座/交流会，播放与阅读有关的节目。英国的孩子们还收到了有关机构发出的面值1英镑的图书日代用券（World Book Day Book Token），他们可以凭借这张券，到图书日成员书店换购一本自己喜欢的书。主办单位还为世界图书日专门出版了6本新书；还公布了好书名单，向孩子们推荐了25本有趣的读物，同时还为教师们提供一系列的教学活动建议。

法国：浪漫的法国人将世界读书日打造成了一项倾全国之力去推动的文化庆典，这在其他国家是少见的。世界读书日的活动设计水准相当高，类似于作家或演员朗诵、静态的文件展示、剧作演出等的活动都是必有的；除此之外，法国人为了庆祝世界读书日，还设计了漫步文学之路，将出版社开放给社会大众参观。在法国，只要在地图上找得到的城市，都会无一例外的有和阅读有关的活动。

瑞典：学者们在图书馆和学校举办与图书相关的竞赛和讲座，孩子们还可以得到一份书籍大礼，那是出版界的长辈们为他们精心挑选的。

西班牙：加泰罗尼亚地区是读书日缘起传说的发祥地。每到4月23日前后的那段时间，当地便会举办各种大大小小的书展，热闹非凡。更有趣的是，人们每买一本书都可以得到一枝玫瑰，在大街小巷穿行的人们手持玫瑰花，其情其景，让人感觉不是情人节，胜似情人节。

墨西哥：1987年开始举办，每年一届的瓜达拉哈拉国际图书博览会是墨西哥与"世界读书日"关系极为密切的活动，瓜达拉哈拉国际图书博览会是以西班牙为母语的国家里最大的图书市场。大量出版商、文学经纪人、阅读公关、翻译家、图书馆员等都会借此机会欢聚一堂，进行各种商业性或者专业性的交流，博览会期间，数以几十万计的人会来到瓜达拉哈拉市参与到这一全拉美最大的文化庆典中。

韩国：为了推动阅读和版权的讯息的宣传，韩国发行"世界读书日"邮票。还专

在台北市图书馆读书的孩子们

杨累摄

门出版故事书向孩子们解释版权问题，以提高人们对版权的认识。4月23日当天，出版社会通过邮寄的方式，向当地学校免费送出35 000册图书。还有艺术家将自己的作品进行慈善拍卖，而其收益将用于青少年阅读的推进。

日本：在日本，东京政府还颁布法令，将4月23日指定为儿童阅读日，把培养儿童包括语言能力、想象能力和敏感度在内的各方面的能力，从而帮助他们更深刻地“体验人生”作为长远目标。

中国香港：香港在世界读书日期间举办了“全城阅读10分钟”活动，全港市民在4月10日至4月30日期间共同参与了这一活动，每个市民在这期间，每天或于任何一天抽出最少10分钟阅读除杂志、报纸、漫画书或娱乐周刊以外的课外书，以庆祝世界读书日。

※中国的“世界读书日”

2004年4月23日，由全国知识工程领导小组和文化部主办，中国图书馆学会和国家图书馆承办的名为“倡导全民阅读，共建书香中国”的大型群众性公益活动在国家图书馆文津广场拉开序幕。在活动的庆祝大会上，联合国教科文组织北京办事处文化官员高桥晓女士代表联合国教科文组织，发表了热情洋溢的讲话，她预期“中国有潜力成为现代世界最强的和最大的知识经济国家之一”。中国图书馆学会常务副理事长，国家图书馆党委书记、副馆长詹福瑞随后宣读了《倡议书》，号召社会各界在4月23日走进图书馆、亲朋好友互赠图书、家家关闭电视一小时，共享阅读快乐，以此为世界读书日造势。此后，每年的4月23日，各地图书市场、图书馆书香四溢，读书热潮不断掀起。

深圳市百名读者畅游图书馆“书香之旅”
陈彦摄

※2007年中国的"世界读书日"

武汉:在湖北省武汉市,人们争先恐后涌向崇文书城。2007年的世界读书日适逢书城4周年店庆,书城为此举办了丰富多彩的主题书展。

"长江出版集团年度优秀图书年度大联展" 展示了湖北长江出版集团的出版成果,联展将曾获得过鲁迅文学奖、茅盾文学奖等奖项的湖北籍作家的获奖作品摆在显著位置,吸引了很多读者。

"百家讲坛"系列图书展、中外名著经典展等展台前也挤满了读者。

同一天,崇文书城总经理王阳还向洪山希望小学和贺站希望小学的学生代表捐赠了书城精心挑选的价值4万多元的图书。

借着世界读书日的东风,读者还有机会同青春偶像派作家郭敬明、田园,财经作家吴晓波有了面对面地交流。

重庆:世界读书日这天适逢第17届全国书市在重庆举办。重庆书城为此专门精心挑选了500种图书,设置推荐专台进行陈列展示。"世界读书日"这一主题还出现在了书城大厅的电子显示屏上,阅读日当天到书城来的读者不仅有机会买到优惠畅销书,获得纪念品,还有机会获得书城赠送的第17届全国书市入场券,能到书市现场感受书市的热闹场面。

深圳:4月22日上午,深圳图书馆、深圳中心书城同时启动了世界读书日系列活动,以图书馆和书城为核心,深圳展开了又一股读书的热潮。

"百名读者畅游图书馆之城"活动吸引了各年龄段的读者参加,图书馆与读者之间的距离越来越近了。

身穿校服的200名少先队员,在中心书城南区大台阶成了欢乐的海洋,在古筝的伴奏下,接力朗读《千家诗》,清脆的童音、悠扬的琴声感染着路过的每一个市民。在《老夫子》签售现场,等待的队伍排成了长龙。

甘肃:由甘肃省委宣传部、省新闻出版局等部门举办的纪念"世界读书日"暨给农村进城务工人员赠书仪式,4月22日在甘肃省建筑总公司的建筑工地上举行,通过这次活动,一方面向200多位农民工朋友赠送图书、杂志;另一方面,表彰了全省"书香人家"农民读书活动中的积极分子。

沈阳:沈阳北方图书城刚刚被国家新闻出版总署授予"全国新华书店系统先进集体"称号,为了回馈广大读者,借"世界读书日"的机会,沈阳北方图书城旗下各店共同开展了一系列的读书及优惠活动，“图书历史知多少”、“世界图书日有奖答题”、“旧书换新书捐书献爱心”、“全民阅读大调查”、“我的读书情征文”等活动拉开帷幕。

上海：为了丰富读者的文化生活，上海书城开展了形式多样的阅读活动。早在“世界读书日”前的一个月，上海书城就针对快节奏的生活举办了主题为“慢生活——我和阅读有个约会”征文活动，吸引了众多读者的积极参与。截至读书日当天，通过电子邮件和书信形式发出的征文已近百篇。阅读日当天下午，为期三周的读书活动拉开了序幕，在上海书城五角场店举办了此次以“名家名作进校园”、“读书进社区、健康在我家”等为主题的读书活动的第一场讲座，主题为“思维股票及股指期货”。同时，上海书城及各连锁分店还邀请著名作家秦文君、郑春华、饶雪漫、程乃珊、火翼等走进校园、街道和社区和读者进行面对面的交流。

二、国际儿童图书节／中国儿童阅读日

1. 国际儿童图书节

4 月 2 日这天是汉斯·克里斯蒂安·安徒生的生日，1967 年，国际儿童读物联盟（IBBY）将这天定为国际儿童图书节，简称 ICBD。从此以后，每年在这天，或这一天前后一段时间里，都要举行活动庆祝国际儿童图书节，以唤起人们对于读书的热爱和对儿童图书的关注。40 年间，国际儿童读物联盟每年都确定一个主题，在世界儿童中开展读书活动。“书之光”、“书籍是通往世界的窗户”、“书籍是和平的太阳”、“书籍是黑暗中的萤火虫”、“书籍是昨天的故事和明天的秘密”、“书籍是我富有魔力的眼睛”等等图书日主题促进了不同国家、不同民族、不同肤色的儿童阅读，影响了一代又一代儿童的成长。

每年由一个国家分会主办国际儿童图书节，该国家分会确定一个主题并邀请本国一位杰出的作家为全世界儿童写一篇短文，一位著名的插图画家设计海报。它们将被以不同的方式用于推广和促进阅读。许多国家分会还通过媒体和在学校及公共图书馆组织活动的方式来宣传国际儿童图书节。通常，国际儿童图书节还与各种儿童图书庆祝活动以及与作家和插图画家见面、作文竞赛或公布图书奖等活动联系在一起。

2006 年国际儿童图书节海报

安徒生奖奖牌

※国际儿童图书节的举办国家及主题（1995—2007 年）

1995 年 书籍——共同分享体验（日本）

1996 年 书籍是通往内心世界的桥梁（丹麦）

1997 年 儿童时代是生命的诗歌/诗歌是世界的童年（斯洛文尼亚）

1998 年 打开书籍，魔法展示（比利时）

1999 年 我的书籍，我的爱（西班牙）

2000 年 秘诀在书籍中，书籍就是秘诀（芬兰）

2001 年 书籍拥有一切（匈牙利）

2002 年 攀登书梯（奥地利）

2003 年 醉人的网络世界（巴西）

2004 年 书之光（希腊）

2005 年 书籍是我的魔眼（印度）

2006 年 书的命运写在星星上（斯洛伐克）

2006 年 故事环绕世界（新西兰）

附：致世界儿童——2007 年第 40 届国际儿童图书节献词

作者玛格丽特·梅喜是新西兰作家、2006 年安徒生文学奖获得者

（崔悠笛译 《中国教育报》2007 年 3 月 29 日第 5 版）

在图书馆阅读的孩子

李军锋摄

我永远忘不了我学习阅读的时候。那时我还很小，文字就像黑色的小甲虫想从我眼前飞快地溜走。但是我很聪明，不管它们跑得有多快，我都努力把它们记住，最后——我能够打开书并知道里面写了什么，我可以自己阅读故事、笑话和诗歌。

留意一下，总会有一些惊喜。阅读给了我征服故事的力量，但是，从某种程度上说，故事也征服了我，我从未离开过它们，这就是阅读的神秘之处。

当你打开书，去理解其中的文字，并把这个美丽的故事深植于心，那些黑色的甲虫在白纸的横格上跑动，先是变作你能懂的文字，之后化为引人入胜的图像和故事。虽然某些故事看上去和现实生活毫无关联……虽然它们最终总会化作各种各样的惊喜或可能，但美丽的故事就像是橡皮筋，最后把我们又带回了自己这边来。它们由文字组成，所有的人都渴望和文字一起冒险。

我们大多数人开始的时候都只是听众。当我们还是个娃娃时，父母陪着我们玩，朗诵诗歌，触摸我们的脚趾头（这只小猪逛市场）或拍打我们的手掌（拍拍蛋糕！拍拍蛋糕！），游戏中的文字念了出来，我们边听边笑。后来，我们学着读那些纸上的黑色印刷体。并且，就算在我们默读时，也仍会有一个声音。是谁的声音呢？可能是你自己的——读者的。更多是故事的声音，是读者的内心在说话。

《长满书的大树：安徒生文学奖获得者与儿童的对话》封面

（德）莱普曼等著，黑马译，湖北少年儿童出版社，2005年

当然，现在可以通过很多种方式讲述故事。电视和电影可以讲故事，但它们使用语言的方式与书是不同的。电视和电影的剧作者经常被迫大量删减文字，专家们说“让画面来讲故事”。我们和别人一起看电视，但当我们阅读时我们通常都是独自一人。

我们生活在一个挤满了书的世界。一遍又一遍地阅读，在书中搜寻成了读者阅读之旅的一部分。读者通过阅读在印刷体的野生丛林中冒险、寻找，一些故事像魔法师一样地跳了出来……有些故事令人兴奋又充满神秘感，使读者为之改变。我认为每位读者都想借助文字的力量让日常生活有所改变，来点新鲜的玩笑、新的思想、新的可能。

“是的，不错！”这是我们内心深处的呼唤。“我认同你的观点！”阅读不正是令人兴奋的事情吗！

2. 中国儿童阅读日——春天的节日

有关部门发布的《中国儿童早期阅读现状与对策研究报告》指出，中国儿童阅读现状令人担忧，西方发达国家儿童在

6—9 个月时就开始阅读，而中国儿童则普遍到 2—3 岁才开始阅读；美国儿童 4 岁后进入独立的、自主的大量阅读阶段，而中国儿童平均到 8 岁（小学二年级）才能达到这个水平；美国孩子的年阅读量是 3 万字，中国孩子的阅读量只有 5000 字，仅为他们的 1/6。

为了纪念国际儿童图书节 40 周年，同时为了推动中国儿童阅读事业，2007 年 3 月 23 日在北京首都图书馆举行的“共同架起儿童与图书的桥梁——纪念国际儿童图书节四十周年暨中国儿童阅读日系列活动”启动仪式上，国际儿童读物联盟中国分会会长、中国儿童读物促进会主席海飞宣布设立中国儿童阅读日。2007 年 4 月 2 日，中国儿童迎来了自己首个中国儿童阅读日。启动仪式上，海飞介绍了中国澳门 IBBY 第 30 届世界大会的情况，同时宣布设立中国儿童阅读日，CBBY 深圳、上海、香港三个地区分会也宣布成立，同时，授予首都图书馆（北京市少年儿童图书馆）为中国促进阅读示范图书馆，授予深圳南山区、山东德州德城区“中国促进阅读示范区”称号，同时向河北太行山地区和山东德州捐赠 10 000 元的图书，建立 CBBY 爱心书屋。国际儿童读物联盟副主席艾利斯·万斯（ELLIS VANCE）带来了来自 IBBY 总部对中国儿童读物促进会（CBBY）及其地区分会、促进阅读示范图书馆、促进阅读示范区的鼓励和祝福，高度赞赏 CBBY 在促进儿童阅读事业上做出的积极努力。启动仪式由中央电视台著名儿童节目主持人鞠萍主持。同时，她还与来自北京史家小学分校的孩子们共同表演了轻松活泼的诗歌朗诵节目，给孩子们讲《长满书的大树——安徒生文学奖获得者与儿童的对话》里的动人故事。

在此次“共同架起儿童与图书的桥梁——纪念国际儿童图书节四十周年暨中国儿童阅读日系列活动” 中，CBBY 上海分会和 CBBY 深圳分会也同时分别在上海和深圳开展了丰富多彩的促进阅读活动。在“纪念国际儿童图书节 40 周年暨中国儿童阅读日系列活动启动仪式”上，教育部基础教育司副司长高洪在讲话中说：“阅读日从根本意义上讲就是推动阅读，使青少年学生天天都是阅读日，因此我们对阅读日系列活动寄予了很大的希望，希望它能实现三个‘推动’。第一个‘推动’，推动青少年学生爱读书、多读书、读好书。……第二个‘推动’，希望这个系列活动能够推动学校，家庭，社会更加重视青少年学生阅读。学校要把增进知识和提高学生的阅读兴趣紧密地结合起来，要通过课堂，通过课外活动，通过校园文化来对学生的阅读进行指导；家庭要把培养孩子的阅读兴趣作为家庭教育的重要组成部分，特别是要营造良好的家庭阅读气氛;社会要发掘各方面的资源,动员各方面的力量来支持推动青少年阅读,要为青少年阅读营造良好的社会环境。第三个‘推动’,推动支持青少年学生阅读机制的建设。……让我们共同努力让青少年天天都是阅读日!”

三、读书月

1. 全民读书月

2000 年,为了响应江泽民总书记大兴勤奋学习之风的号召,营造全民读书、终身学习的良好社会氛围,提高全民族的思想道德素质和科学文化素质,进一步加强社会主义精神文明建设,为国家的全面振兴和现代化建设提供精神动力和智力支持,全国知识工程领导小组把每年的 12 月定为“全民读书月”。几年来,在全国各地都组织举办了丰富多彩的宣传活动。2003 年,全国知识工程领导小组将每年的“全民读书月”活动交由中国图书馆学会负责承办。

※世界各国类似的活动:

日本:“读书协会”、“日本读书周”

法国:“图书节”、“图书与阅读月”

美国:“读者年”、“图书馆周”

2. 深圳:深圳读书月

被北大教授谢冕称为“深圳的文化狂欢节”的深圳读书月,是由深圳市委市政府于 2000 年创立并举办的一项大型综合性群众读书文化活动,时间为每年的 11 月 1 日至 30 日。其宗旨是营造书香社会、实现市民文化权利,着力于提升市民素质,建设学习型城市。

经过七届的读书月活动,“深圳读书论坛”、“藏书与阅读推荐书目”、“经典诗文朗诵”、“中小学生现场作文大赛”、“赠书献爱心”、“学习在社区”等品牌活动已深入人心。曾经作为深圳文化名片和实现市民文化权利重要载体的深圳读书月,已经逐渐融入市民生活,影响遍及全国,成为享誉全国的文化品牌,影响力逐步提升。深圳,在市民眼中,在世界眼中,正在成为爱书的城市和因为阅读而受人尊重的城市。

以 2006 年第七届深圳读书月为例,读书月中有很多适合家庭共同参与的活动,如:

板　块	活动名称	内　　容
（一）聆听在深圳	现代家庭教育论坛	主讲嘉宾：应力、格桑泽仁、郑渊洁、张梅玲、贺淑曼、王开敏
（二）阅读总动员	“相聚书香家庭”系列活动	围绕家庭读书、教子等话题，寻找故事线索并组织专家市民互动探讨
	“深圳书香溢四方·动漫之旅”	以“深圳书香溢四方·动漫之旅”为主题开展系列活动
	“学习在社区”——百万市民讲外语活动	深入社区举办市民一元钱学外语系列活动
	优秀读物巡回展	面向社区、企业、学校等举办读书月优秀读物巡回展
（三）知识大比拼	中小学生现场作文大赛	面向全市中小学生举办现场作文预赛和决赛
	“深图杯”中学生英文短剧大赛	组织中学生举办英文短剧竞赛
	家庭读书知识电视擂台赛	组织各社区以家庭为单位参加读书知识电视擂台赛
	家庭读书竞赛	围绕主题举办第七届家庭读书竞赛
	知荣明耻好少年电视大赛	全区中小学生通过校内海选、街道预赛、决赛、全区决赛、总决赛，评选出在诚信、健康、爱心、智慧、勇气、才艺等方面全面发展的少年
（四）书香满鹏城	藏书与阅读推荐书目宣传、展示	在媒体上宣传、展示、公布
	读书月第三届童话节	以童话为背景进行少儿读书、表演、观赏等竞赛活动
	中华少儿阅读工程	组织学生培养阅读兴趣，提高阅读能力

深圳读书月（深圳图书馆）推介图书书标

规格：65×50mm　质地：透明背胶

深圳读书月使读书进一步成为深圳人的一种风气、一种时尚、一种生活方式，同时，在国内也已产生巨大的辐射力，全国各地近百个单位先后前来取经，20多个省、市借鉴深圳读书月的运作模式开展全民阅读活动。

附：深圳读书月“书香家庭”活动纪实

叶海燕　中国妇女报　中国发展门户网　www.chinagate.com.cn　2007年2月28日

http://www.chinagateway.com.cn/chinese/fn/41624.htm

从小爱读书
温雪芳摄

[2006 年]12 月 6 日晚，由深圳市妇联、深圳市读书月组委会、深圳晚报、深圳电视台、女报杂志社联合主办的“相聚书香家庭”电视晚会开播，王庆国、朱建霞等 10 个家庭当选为“我喜爱的书香家庭（故事）”。至此，持续一个多月、有上百个家庭报名、且通过短信、网络等渠道投出 2 万余张选票的、读书月中最深入家庭的评选活动落下帷幕，气温骤降的深圳因为这些温馨、感人的书香家事顿生暖意。

11 月是深圳的读书月，是深圳人读书的“狂欢节”。一个月来精彩纷呈的第六届读书月活动，让市民尽享“文化盛宴”。从 2000 年始，6 年经营，六届读书月共推出各类读书活动 600 多项，读书月已融入每一位深圳市民的生活，读书正成为深圳人的一种风气、一种时尚、一种生活方式，同时在国内也已产生巨大的影响和辐射力，据悉，全国各地先后有近百个单位前来取经，20 多个省、市借鉴其运作模式开展读书活动。

作为读书月重要活动的“书香家庭”评选活动今年已举办四届。2002 年，深圳市妇联根据第三届读书月组委会的统一部署和深圳家庭文明建设工作的具体实际，以妇女为主体，以家庭为重点，以社区为依托，紧紧围绕“妇女与读书”这一主题，精心而富有成效地策划、组织和开展了“十大优秀书香家庭”评选活动。

为把评选活动办成妇字号读书的精品项目，吸引更多的家庭积极参与，评选活动从方案推出、初评、复评、入户考察，到总结表彰的全过程都请新闻媒体跟踪报道，引起了社会的广泛关注；各级妇女组织积极宣传发动、组织申报，在各街道、社区，系统、行业广泛开展了学习型家庭、优秀书香家庭的评选活动；评审组对推选申报的候选家庭进行复评、入户考察，为增加评选的透明度，保证评选质量，还召集了各单位、系统的代表联合入户考察，进行交叉打分，并报纪委、计生部门组织审查，最终评选产生了“十大优秀书香家庭”。

“书香家庭”评选活动举办过两届后成为深圳读书月的传统品牌项目，2004 年被列入第五届深圳读书月的重大主题活动之一，首次与媒体联合主办，由市妇联、读书月组委会和深圳晚报作为活动主办单位，优势互补，形成合力，对这项品牌精心打造，“十大优秀书香家庭”评选有较大的突破和创新：参与范围更广，在报名的家庭中有中西合璧家庭、外来打工者家庭的感人事迹；在评选标准上，以基本藏书量为底限，更强调在读书、用书、著书和家庭教育上的独到之处；在评审手段上，采取市民投票和专家评审相结合的形式，开辟了报纸、网站、热线三条渠道进行社会公示和投票，还组织政协代表、书香家庭代表、市民代表以及文化、科技界有关专家组成评审团，对候选家庭进行认真细致的入户考察，对“十大优秀书香家庭”采用 FLASH 动画这种现代传媒手段制作事迹简介，突出各自的特色。

“书香家庭”折射多元内涵。年年读书月，岁岁不相同。与前三届相比，本届“相聚书香家庭”活动的最大亮点就在于改变了视角，不求大而全，追求平民化、多元化、个性化，即以平民视角折射“书香家庭”的多元内涵，不设统一标准，取消了要求藏书量的条件，更强调故事性和人文特色，使“书香家庭”日益走向市民，融入百姓生活。活动还邀请市民评选“我喜爱的书香家庭（故事）”，市民通过网络、电话、短信等方式为自己喜爱的书香家庭（故事）投票。

本届活动共有“三最”：一是参与人数、报名家庭最多，除有 116 户直接报名参加外，参与群众突破万人，是历届参与人数最多的一次；二是范围最广，出现了外国家庭、残疾家庭、打工者家庭、个体户家庭，市民的参与热情比以往都高；三是不设门槛，最具平民色彩，此次活动打破了书香家庭的评选门槛，取消户籍限制、不设藏书底线，不评选“十大书香家庭”，而是通过基层组织选拔，再用短信、电话投票的方式，完全由市民选出最喜爱的书香家庭（故事），让书香家庭成为平民化的榜样。

“书香家庭、百味人生”的主题也突出了人文关怀，媒体开辟了“发现书香故事”的专栏，挖掘了许多家庭读书的动人故事，市民汪时健痛悔自己在“文革”时期将父亲的藏书撕碎，后立志要将父亲手稿整理出版等故事，带出了世事沧桑、人生百味，令评选更趋人性化。

媒体的参与和关注也使活动不断升温，书香家庭成为街头巷尾热议的话题；众多市民的参与，使活动更平民化、大众化，也实现了主办活动的初衷、突出了“相聚”的目的：即重在分享，分享读书的快乐；重在互动，在互动中提升。

“在与众多参与活动的家庭零距离的接触中我们发现，这些较为优秀的读书家庭有许多共同之处：书香家庭的情感更融洽，成员间平等和睦，读书之家也是文明家庭；读书成果丰富，多有学术论文和著作发表；家庭教育成功，不少子女出类拔萃。像王淑惠家庭，全家都爱诗写诗，老两口闹别扭了，你写一首道歉诗，我应一首和解诗，这样的家庭氛围多温馨和谐呀！读书使得家庭成员的素质提高了，情感就更融洽了，家庭更民主平等了。”这些“发现”，使主办方市妇联宣教部部长蔡巧玉特别欣喜。

值得注意的是，如今的家庭更注重阅读经验的分享，家庭阅读习惯的养成更多地与培养孩子成才联系在一起。“电子书香家庭”的脱颖而出体现了阅读方式的新变化，一些市民家庭的书藏在了电子文档里，许多市民热衷于网络阅读和写作，热衷于当版主、写博客。

在谈到家庭教育等问题时，此次获奖的市民王庆国表示，书香家庭活动要搭建平台，让书香家庭在这个平台上充分交流，互相借鉴彼此的成功经验，从而也使更多的家庭从中找到适合自己家庭的教育方法。

书香"根须"温馨延伸。从稚气未脱的孩童、英姿勃发的青年，到白发苍苍的老者，浓郁书香"涵养"了心灵，使许多家庭变成了老少皆书迷的现代"书香家庭"，每一个书香家庭都有着许多感人的书香故事。王庆国、朱建霞取舍有道的"育儿经"，使20岁的儿子成为美国斯坦福大学的在读博士；书，让曾经端盘子谋生的王文华成了"笔杆子"……

一直关注这一活动的深圳市委常委、宣传部长王京生说："书香家庭活动办得很好，很有特色，越办越好。"广东省妇联宣传部部长杨建珍在观看了电视晚会后，感慨地告诉记者：书香家庭作为读书月重要活动，品牌做出来了，影响也做出去了！这是切合时代需要的开拓性工作，它体现了深圳倡导家家户户学习、终身学习、不断更新、与时俱进的理念，同时它不是纯精英的文化活动，而是群众广泛关注和参与的，有较强生命力，它将概念化、抽象的东西通过家庭读书这种有形的载体展现出来，贴近了群众的需要，也把握了时代和整个社会经济发展的脉搏！

深圳市妇联胡利群主席感慨地说："读书开始成为深圳家庭生存的基本状态，读书的家庭更和睦，和睦的家庭带动整个社会迈向和谐。"

四、广州："书香羊城——全民阅读系列活动"和"阅读进家庭"

1. "书香羊城——全民阅读系列活动"

从2006年起，广州市委、市政府作出部署，整合各类阅读活动，开展为期10年的大型综合性读书文化活动"书香羊城——全民阅读系列活动"，以期打造持久文化品牌。这是广州市学习贯彻党的十六届六中全会精神，构建社会主义和谐社会在思想文化建设领域的一个重要举措，它对于活跃群众文化生活、打牢城市文化根底、提升城市文化品位、提高市民文明程度和文化素质，促进广州市现代化大都市建设，必将产生积极而深远的影响。

"书香羊城——全民阅读系列活动"以建设学习型城市为目标，以提高市民的文化素质为主题，旨在通过举办"全民阅读月"、"羊城书展"、好书点评推荐、读书征文、演讲和评比等活动，开办阅读网站、读书论坛、读书专题节目栏目、读书服务热线等，突出重点培养青少年和儿童养成良好的阅读习惯，激发市民的阅读兴趣，以适应经济、社会发展趋势，应对知识经济时代的迫切要求，为广州建设现代化大都市提供强大的精神动力、思想保障和智力支持。

广州市委副书记方旋在开幕仪式上表示，希望广大市民特别是青少年朋友广泛参与和支持全民阅读系列活动，使阅读成为一种追求，一种习惯，一种不可或缺的生活方式，形成全民以阅读为荣、以阅读为乐的社会氛围，从而为广州这座历史文化名城增添新的文化内涵和文化魅力，为社会主义现代化建设培育更多的人才，为和谐广州、文化广州的建设营造更加良好的氛围，发挥更加积极的作用。

深圳图书馆少儿开放日——读书的孩子
李军锋摄

广州的全民阅读系列活动做出了长达10年之久的规划，充分彰显了广州市委、市政府从长远着眼、从基础抓起的决心和魄力。

广州的全民阅读系列活动把重点目标人群锁定在青少年和10岁以下的儿童身上，提出要“突出重点培养青少年和儿童养成良好的阅读习惯”，通过10年的潜移默化，使他们成长为爱学习、勤阅读的市民群体，为广州创建学习型城市打下良好的基础。

全民阅读系列活动的范围同时还拓展到了工人、农民、军人、机关干部、社区居民以及外来工等。每年12月举办的“全民阅读月”活动，专门安排开展了“阅读进军营”、“阅读进企业”、“阅读进机关”、“阅读进家庭”、“阅读进社区”和“阅读进农村”等活动项目。目前，各主办单位结合自身行业特点，正在积极开展“自选动作”：市直机关工委开展“汽车图书馆进机关”活动，市教育局开展“中学生读书节”活动，团市委开展“广州出租屋阅读问卷调查活动”，市妇联开展“一家一书橱”活动……各具特色、精彩纷呈。

2. “阅读进家庭”

2007 年 1 月，为了积极响应市委、市政府的全民阅读活动，提高家庭成员的整体素质，提升家庭文明程度，营造家庭学习氛围，推动形成“家家飘书香、处处书声朗”的文化局面，广州市妇联在全市广大家庭中倡议开展阅读进家庭“十个一”活动，即：选读一批好书，多看一份报刊，诵读一篇诗文，充实一次书柜，点阅一组网页，运用一簇科普，交流一次读感，结识一些书友，欣赏一本名著，牢记一生助廉。并计划推出“阅读进家庭”主题网站(www.gzbook.gov.cn)，使全市所有家庭足不出户，便可畅游书城成为可能。

幼儿童话剧表演

苏州图书馆通过幼儿童话剧表演等丰富多彩的形式鼓励家长和孩子走进图书馆，亲近图书。

苏州图书馆提供

第二节　家庭阅读促进机构

一、阅读协（学）会

※国际阅读协会

1956年，当时的国际阅读教学改进协会(ICIRI)与全美补习教育协会（NART）合并、整合成为国际阅读协会（International Reading Association，IRA），其宗旨和目标是要结合全球各界专家之力，提升识字率，使每个人都拥有阅读的能力。

当年（1956年）IRA出版《The Reading Teacher》（原属ICIRI公报），之后于1964年开始发行名为《The Journal of Adolesent & Adult Literacy》的期刊；1965年又增加了《Reading Research Quarterly》；1979年开始发行《Lectura y Vida》；1997年增加名为《Reading Online》的网上期刊；IRA被誉为全球最大的非经营性协助阅读与识字率提升的机构，总部设于德拉瓦州，在美国华盛顿及阿根廷首都布宜诺斯艾利斯各有一个办事处。IRA采用会员制，目前拥有35万会员，广泛分布在99个国家里，会员享有的福利包括获赠《Reading Today》双月通讯及订阅该会出版刊物、期刊书籍等。

IRA在国际舞台上具有很大的影响力，该组织会长威廉斯曾说过："全世界都知道教育的重要性，而要被教育就一定要拥有阅读的能力。"而在实践上，要推广一个理想，需要靠大众的力量。因此，IRA将自己定位为一个资源的集合、组织与协调者。

IRA的成员除了自愿帮忙的会长、副会长、理事、干事之外，还鼓励世界各大洲、国家、地方政府都设立分会，在不同的岗位上各尽心力，分工合作。IRA成员除来自各个国家、社会阶层外，还包括各行各业的人士——教育决策者、教授、老师、家长、学生、图书馆员、书店、出版社、企业团体、新闻媒体等等。不同专业、不同领域人士的参与，让阅读的提倡与推广更为普及、有效。

二、中国的阅读机构

※中国阅读学会（中国写作学会阅读学专业委员会）

成立于1991年。经过15年的发展，从开始十几个成员发展到现在的960万会员，遍布全国20个省市、高等学府、中小学校及各行各业，并于2006年正式加入国际阅读学会。

※中国图书馆学会科普与阅读指导委员会

2006年4月23日是第十一个“世界读书日”，同样是在这一天，中国图书馆学会“科普与阅读指导委员会”在广东东莞成立，该委员会由全国文化界、出版界、图书馆界和媒体人士共同组成，致力于为公众阅读提供有益的指导、深入开展阅读方法的研究、为弱势群体提供有效的阅读帮助。以此为标志，中国图书馆学会在推动全民阅读上有了专门的组织机构和指导原则，必将对全国图书馆界广泛而深入地开展全民阅读产生积极的影响。这一天必将记录在中国图书馆界、中国图书馆学会的历史上。

在2006年4月23日上午召开的成立大会上，中国图书馆学会副理事长、第一届科普与阅读指导委员会主任、北京大学信息管理系主任王余光教授作了主旨报告《让阅读成为我们生活的一部分》。王余光教授从阅读是人的权利谈起，指出阅读有利于提高民族素质，应该让阅读成为每个人生活的一部分，让所有的人都有书读，在中国社会经济转型时期，更应该将中华民族悠久的读书传统发扬光大；并针对我国家庭藏书与读书人比例不断下滑的趋势，希望重建家庭藏书，让书籍走入每个家庭，让“耕读传家”的传统在新时代得以延续，建议将购书经费列入家庭开支，建立家庭必备的基本藏书，给家庭成员营造阅读的环境和氛围，养成阅读习惯；他最后指出图书馆应在开展大众阅读中发挥更重要的作用，图书馆应该主动地采取一定的措施来推动社会阅读，图书馆也应该营造阅读的氛围，让图书馆成为每个读书人的理想居所。王余光教授的主旨报告精彩纷呈、妙语连珠，古今中外精彩论据信手拈来，他的呼吁“让阅读成为我们生活的一部分”得到了与会代表的广泛认可。

狄更斯的藏书票

票面上只不过是简单的纹章，一头狮子抬头蹲伏在成螺旋状的丝带上，右脚举着八角的花环。狮子是威猛的动物，暗喻了狄更斯在英国文坛上的地位。

三、IBBY 和 CBBY

※IBBY——国际儿童读物联盟

International Board On Books For Young People，简称IBBY（国际儿童读物联盟），是由德国记者杰拉·莱普曼发起，并于1953年在瑞士苏黎世创立的一个非营利组织。IBBY是全世界致力于把图书和儿童联系在一起的一个国际网络。其使命是：

★ 通过儿童图书促进国际了解。

★ 使全世界各地儿童都有机会接触到具有高文学水准和高艺术水准的图书。

★ 鼓励并支持尤其是在发展中国家的高品质儿童图书的出版和发行。

★ 为致力于儿童和儿童文学事业的人们提供援助和培训。

★ 推进儿童文学领域的研究和学术事业的发展。

今天的IBBY由全世界七十多个国家的分会组成。它不仅代表了那些在图书出版和扫盲方面都很发达的国家，而且还代表了其他一些只有少部分富有献身精神的专家在积极倡导儿童图书出版和宣传的国家。各国家分会是通过不同的方式组织的，它们在国家、地区和国际层面开展工作。在没有国家分会的国家

深圳图书馆读书的人们
陈彦摄

里，个人也可以加入 IBBY，取得会员资格。

国家分会的会员包括作家、插图作家、出版商、编辑、翻译家、新闻工作者、评论家、教师、大学教授、大学生、图书管理员、书商、社会工作者以及家长等。

IBBY 的各项政策及纲领都是由它的执行委员会决定的。这个执行委员会由来自不同国家的十个人及一个主席组成，每两年一次在 IBBY 大会上由国家分会选举产生。IBBY 日常事务的管理工作都是由其在瑞士巴塞尔的秘书处处理的。

芬兰赫尔辛基某分馆的音像资料外借自助服务

吴绍华摄

各国家分会缴纳的会费是 IBBY 固定收入的唯一来源。IBBY 的各项活动都要单独进行筹款。

作为一个在联合国教科文组织和联合国儿童基金会有正式地位的非政府组织，IBBY 在儿童图书的倡导方面有着决策者的作用。IBBY 恪守联合国 1990 年批准的《儿童权利公约》的各项原则。该公约的一项重要宣言就是儿童有接受普通教育和获得资料信息的权利。由于 IBBY 的不懈努力，公约中写入了要求所有缔约国鼓励儿童读物的著作和普及的条款。

IBBY 还与许多国际组织和全球的儿童读物机构进行合作，并在博洛尼亚国际儿童图书展和其他的国际书展上举办展览。

《书鸟》杂志封面

※IBBY 关键词

★《书鸟》：《书鸟》杂志（季刊）是一份是由 IBBY 出版的国际儿童文学杂志。

★世界大会：IBBY 世界大会每两年由其不同的国家分会举办一次，不仅是其成员以及世界各地致力于儿童图书和阅读发展的人们相互交流、开阔视野的好机会，而且也是举办各种展览和庆典——如汉斯·克里斯蒂安·安徒生奖和 IBBY 荣誉者名册等的舞台。

★1953—2006 年 IBBY 大会主题及举办国

时　间	主　　题	国家、地区
1951 年 11 月 16–18 日	通过儿童读物实现国际间的谅解	慕尼黑
1952 年 10 月 3–4 日		苏黎世
1953 年	当代问题与儿童文学（IBBY 成立大会）	瑞士
1955 年	书与插图	奥地利
1956 年	（主题未列入）	瑞典
1958 年	儿童文学与大众舆论	意大利
1960 年	儿童书籍与学校——特别关注欧洲人道思考	卢森堡
1962 年	儿童文学与发展中国家	德国
1963 年	儿童文学与国家间的了解	奥地利
1964 年	二战后的儿童文学	西班牙
1966 年	儿童书籍的诞生	南斯拉夫
1968 年	大众传媒与青少年	瑞士
1970 年	不断变化的世界中的青少年	意大利
1972 年	在不断变化的社会中，阅读在青少年发展中的角色	法国
1974 年	作为教育工具和儿童与青少年人性培养工具的书籍	巴西
1976 年	如何使儿童文学满足现代儿童的需要——今日童话与诗歌	希腊
1978 年	现代儿童与青少年的现实主义小说	德国
1980 年	书与幼儿——传统、现实与未来	捷克斯洛伐克
1982 年	变化中的儿童世界里的故事	英国
1984 年	发展中国家儿童书籍的生产与发行	塞浦路斯
1986 年	你为何给儿童写作？孩子，你为何阅读？	日本
1988 年	儿童书籍与新媒体	挪威
1990 年	用文学扫盲——儿童书籍与众不同	美国
1992 年	儿童书籍里的儿童世界——儿童世界里的儿童书籍	德国
1994 年	儿童书籍，自由天地	西班牙
1996 年	讲故事	荷兰
1998 年	儿童书籍促进和平	印度
2000 年	新大陆为了一个新世界——新千年的儿童书籍	哥伦比亚

（续表）

时 间	主 题	国家、地区
2002 年	儿童与书籍，世界范围的挑战	瑞士
2004 年	书籍为了非洲	南非
2006 年	儿童文学与社会发展	中国

★朝日阅读促进奖：IBBY 朝日阅读促进奖是为了奖励那些为促进青少年阅读工作做出持久、杰出贡献的团体或机构，于 1986 年在日本东京召开的 IBBY 大会上创立的。奖品包括 10 000 美元的奖金和一份证书，该奖项在 IBBY 两年一次的大会上颁发给获奖者。

★IBBY 朝日阅读促进奖获奖项目（1988—2006 年）

时 间	项 目	国家、地区
1988 年	Banco del Libro	委内瑞拉
1989 年	袖珍图书馆项目	泰国
1990 年	家庭图书馆项目	津巴布韦
1991 年	儿童作家和插图画家协会的儿童图书馆	印度
1992 年	Opération Lecture Publique	马里
1993 年	Grupo de Animación a la	西班牙
1994 年	袖珍图书馆	黎巴嫩
1995 年	Fundalecturea	哥伦比亚
1996 年	小小图书馆	南非
1997 年	Lis avec moil	法国
1998 年	Fureai Bunko Braille 图书馆	日本
1999 年	为了非暴力与和平的流动图书馆	巴勒斯坦
2000 年	Tambograde—Sowing a Reading Field	秘鲁
2001 年	1992—2002 年在 Pechenga 地区的儿童阅读发展计划	俄罗斯
2002 年	争取阅读权	阿根廷
2003 年	姐妹图书馆	玻利维亚
2004 年	第一批印刷文字	南非
2006 年	流动图书馆	蒙古
	“给孩子阅读”项目	波兰

★残障儿童资料中心：成立于 1985 年的 IBBY 残障儿童资料中心，为各种与有特别需要的青少年一起工作的团体、个人以及媒体，提供信息、咨询和文件服务。该中心开展的各国际项目，得到了联合国教科文组织、出版商和 IBBY 联系人的支

持。它已经收集大量面向有语言障碍和阅读困难的青少年和成年人的图书。2002 年,在 IBBY 成立五十周年大会上展出了精选的、来自 18 个国家的“残疾青少年最佳图书”43 种图书。

★汉斯·克里斯蒂安·安徒生奖:IBBY 为了奖励仍然在世,且全部作品为儿童文学事业做出了持久的贡献的作家和插图画家,每两年颁发一次汉斯·克里斯蒂安·安徒生奖。该奖项是为儿童图书作家和插图画家所设立的国际上的最高奖项。丹麦女王玛格丽特二世是该奖项的最高监护人。1956 年,作家奖开始颁发,插图画家奖是从 1966 年开始颁发的。候选人由 IBBY 各国家分会推荐,获奖者是由儿童文学专家组成的著名国际评审团选出的。该奖项包括一枚金质奖章和一份证书,在两年一届的 IBBY 大会上颁发给获奖者。同时,IBBY《书鸟》杂志通过特刊公布所有被推荐者的情况以及评选过程。

★荣誉名册:作为实现 IBBY 通过儿童文学增进国际了解这一宗旨最广泛、最有效的传播方式之一,IBBY 荣誉名册每两年评选一次,从 IBBY 会员国家中选出那些优秀的最新出版的图书,以表彰作者、插图画家和翻译家。入选荣誉名册的书要代

在新西兰某社区图书馆,一个孩子正在利用自助借书机输借书手续。
赵俊玲摄

表推荐国的儿童文学最高水准，书要适合在全球出版发行。荣誉名册入选图书对儿童生活、生长的各种文化、政治和社会背景进行深刻的洞察，对致力于开展教育、培养读写能力项目和出版国际经典文集的人是很有帮助的。

在 IBBY 大会上还会为入围图书颁发荣誉名册证书，并首次公布入选荣誉名册的图书书目、首次展示入选图书。此后，入选的图书还会在世界范围内的会议和书市上巡回展出。最后，入选荣誉名册的图书将被永久保存在慕民黑国际青少年图书馆、苏黎世的瑞士青少年媒体学院、布拉迪斯拉发的比比亚娜研究中心、在日本东京的 JBBY（国际儿童读物联盟日本分会）以及伊利诺斯州埃文斯顿的西北大学图书馆中。

台湾省南投县图书馆儿童阅读推广活动海报
何江涛摄

※CBBY——中国儿童读物促进会

中国儿童读物促进会——国际儿童读物联盟中国分会，由中国 30 多家少年儿童专业出版社组成。1990 年 6 月 6 日，“国际儿童读物联盟中国分会成立大会”在北京图书馆（1998 年更名为国家图书馆）隆重举行，标志着中国儿童读物促进会正式成立了。大会通过了《国际儿童读物联盟中国分会章程》，选举了主任委员、副主任委员，秘书长和副秘书长等。著名儿童文学家严文井当选为主任委员。新闻出版署副署长、中国少儿读物基金会领导小组组长刘杲，宋庆龄基金会副秘书长吴克良当选为副主任委员。新闻出版署外事司司长周洪力当选为秘书长，中国少年儿童出版社社长杨永源和新闻出版署图书司副司长潘国彦当选为副秘书长。

1997 年，新闻出版署决定，将国际儿童读物联盟中国分会事务移交给挂靠在中国少年儿童出版社的中国版协少儿读物出版工作委员会负责，CBBY 秘书处归并少读工委秘书处。1999 年，CBBY 换届并组成新的领导机构，由中国少年儿童出版社社长、中国版协少读工委主任海飞任会长。

中国儿童读物促进会成员：中国少年儿童出版社、少年儿童出版社、明天出版社、新蕾出版社、辽宁少年儿童出版社、未来出版社、接力出版社、四川少年儿童出版社、湖南少年儿童出版社、江苏少年儿童出版社、浙江少年儿童出版社、湖北少年儿童出版社、福建少年儿童出版社、河北少年儿童出版社、21世纪出版社、新世纪出版社、安徽少年儿童出版社、北方妇女少年儿童出版社、黑龙江少年儿童出版社、甘肃少年儿童出版社、希望出版社、海燕出版社、晨光出版社、北京少年儿童出版社、中国和平出版社、朝花少年儿童出版社、海豚出版社、内蒙古少年儿童出版社、新疆青少年出版社、宁夏少年儿童出版社、重庆出版社少儿室、海南出版社少儿室、青海人民出版社少儿室、贵州人民出版社少儿室。

★CBBY 近十年的历程：

1997 年		IBBY 有关事宜由新闻出版署外事司转归中国少年儿童出版社负责
		组团参加意大利博洛尼亚国际儿童书展
1998 年		派团赴印度出席第 26 届 IBBY 大会
		组团参加意大利博洛尼亚国际儿童书展
1999 年		协助少年儿童出版社举办“小松树”儿童图书奖评奖
		组团参加意大利博洛尼亚国际儿童书展
2000 年		派团赴哥伦比亚出席第 27 届 IBBY 大会
		组团参加意大利博洛尼亚国际儿童书展
		推荐儿童文学作家秦文君、张俊以，画家吴带生列入 2000—2002 年度 IBBY 安徒生奖候选名册，接待 IBBY 执委、各国代表等宾客
2002 年		派团赴瑞士巴塞尔参加第 28 届 IBBY 大会
		儿童文学作家秦文君和画家吴带生分别获安徒生奖作家奖和插图画家奖
		CBBY 网站开通
2004 年	4 月	向饱受艾滋病和贫困双重折磨的河南省上蔡县高里庄小学捐赠“CBBY 爱心书屋”
	5 月	接待 IBBY 主席、财务总监、办公室主任来访
	6 月	《中国少儿出版》IBBY 专刊出版
	9 月	CBBY 代表团赴南非参加第 29 届 IBBY 大会
2006 年	9 月	2006 国际儿童读物联盟（IBBY）第 30 届世界大会在中国澳门举行
		在北京成功举办“架起儿童与图书的桥梁——纪念国际儿童图书节 40 周年暨中国儿童阅读日系列活动启动仪式”。
2007 年	3 月	成立国际儿童读物联盟中国分会深圳地区分会、国际儿童读物联盟中国分会上海地区分会、国际儿童读物联盟中国分会香港地区分会等三个地区分会。授予首都图书馆（北京市少年儿童图书馆）为中国促进阅读示范图书馆，授予深圳南山区和山东德州德城区为中国促进阅读示范区。

四、俄罗斯：家庭阅读与图书馆

俄罗斯有句名言：家里没有书籍，就等于房子没有窗户。图书是俄罗斯人的精神食粮，图书馆自然而然地成为俄罗斯人的精神家园。在俄罗斯，图书馆事业比较发达，除了有星罗棋布的图书馆，更有先进的工作理念。近几年，俄罗斯的公共图书馆和少儿图书馆实施了一种为家庭阅读服务的新的工作模式。图书馆成为了促进家庭阅读的重要机构，其经验值得我们借鉴。俄罗斯家庭阅读十分普及，这得益于图书馆制定的阅读大纲。新乌拉尔国家青少年中心图书馆的调查认为，大多数家庭都希望按照大纲来阅读，但家长普遍缺乏指导知识，而图书馆有责任承担这一重任。

1994 年，俄罗斯“全国家庭年”激活了家庭阅读这项活动，使图书馆的服务延伸到家庭，逐步形成图书馆离不开家庭，家庭离不开图书馆的态势，图书馆如何满足家庭阅读需求和指导家庭阅读，成了新的研究课题；1995 年，贝尔米地区部分儿童图书馆历时两年完成的“图书馆与家庭”研究项目，被授予贝尔米地区“文化艺术奖”。

乌德摩尔梯国立图书馆对如何进行家庭阅读指导进行了历时三年的研究，结果表明：图书馆应为家庭建立阅读需求藏书体系，划分家庭成员阅读需求等级。俄罗斯中心图书馆的一项调查显示：“图书馆—家庭—图书馆”体系是今后发展的趋势。“图书馆+家庭”的服务模式成为俄罗斯图书馆工作的新亮点。

俄罗斯家庭阅读活动关键词：

★早期阅读：研究表明，6 岁以前是一个人智能开发的关键时期，儿童的阅读一般是从听读开始。图书馆的任务之一就是为家长提供这方面的咨询和培训，让学前小读者们能从家庭阅读中获得快乐。

★节假日阅读：节假日是俄罗斯图书馆读书的高潮时间，这种时候，俄罗斯的图书馆都会举办各种形式的书展、讲座、竞赛、游戏等活动，为亲子共读营造良好氛围。

随着人们物质文化生活的一步步提高，精神文化需求也进一步提高，我国的图书馆要借鉴俄罗斯的经验，承担起促进家庭阅读的重任，就要从服务理念上进行改革，树立图书馆是公民终身学校的理念，打破传统的借还的框框，发挥主观能动性，将图书馆的服务有目的地延伸到图书馆以外的地方，工作人员也要尽快完成充当书海领航员的角色转换，重视家庭阅读的指导和培训，开展长期、有效的家庭阅读活动。

列宾所作的油画《托尔斯泰肖像》

第三节　家庭阅读倾向

为了全面了解我国国民阅读与购买图书、杂志、音像制品、电子出版物等不同出版物的兴趣、偏好、方式、需求、行为等基本状况和变动情况，分析、总结国民阅读与购买图书、杂志、音像制品、电子出版物等的变化规律和发展趋势，从而为国家新闻出版管理机关制订有关出版政策提供决策参考，为出版单位进行科学的投资决策、有针对性地制订选题计划、组织营销等提供市场参考。经新闻出版总署批准，由中国出版科学研究所组织实施的一项连续性、大规模的基础性国家工程——《全国国民阅读调查》已经分别于1999年、2002年、2004年和2006年开展了四次。这项长期的调查每两年进行一次，分别从时间和空间两方面进行跟踪调查与研究。

苏州藏书家王国栋的书房一角

王国栋以10000册的藏书量荣获"2006年苏州十佳藏书家"称号。

张海萍摄

最近的一次《全国国民阅读调查》于2005年底开始，2006年2月底结束，总共花了三个月的时间，并于5月底完成了调查数据的分析和调查报告的撰写工作，并于2006年6月初全面发布最终成果。这一次的调查采取入户个人问卷调查法，选择了20个人口50万以上的城市和地区的年龄在18—70岁的城乡居民作为调查对象。共走访37 036户，成功回收问卷8312份，其中，有效问卷最终被确定为8078份，有效率为97.2%。

除此之外，全国各地也在积极进行区域性的阅读调查活动，调查结果也十分值得参考。下面我们通过第四次《全国国民阅读调查》的结果和第七届深圳读书月的相关调查，看看我国最近一段时间的家庭阅读倾向。

一、购书倾向

2005—2006 年的第四次《全国国民阅读调查》的结果显示我国国民购书有以下特点：

1. 报纸、杂志和 DVD 的年人均消费额持续增长，图书的人均年消费额与 2003 年相比略有回落。

我国国民 2005 年个人自费购买各类出版物的年平均消费额分别为：

报纸 75 元　　图书 34 元　　杂志 26 元　　DVD 14 元

2. 影响读者购书的主要因素除了内容、价格这两个起主导作用的因素外，还有书名，书名起得好坏对读者来说也很重要。

3. 人们对出版物价格的承受能力也在逐步提升。同样一本 200 页左右的图书，接受将其价格定在 4 元及以下价位的读者比例逐步下降，65%的读者能够接受将价位定在 5—12 元。高达 24%的读者认为“只要喜欢，多贵都买”。

4. 就购书地点来说，我国国民购买图书依然首选新华书店。

5. 相当一批读者已经开始有更高层次上的生活品质追求，一般内容上的仅限于生活知识和情感等方面的诉求已不能满足他们的需要，他们的目光开始投向与国际时尚潮流接轨的生活情趣和格调。这从读者经常购买的杂志的前十名，可以窥见一斑，它们依次是：《读者》、《知音》、《家庭》、《青年文摘》、《家庭医生》、《女友》、《故事会》、《爱人》、《瑞丽》、《时尚》，尤其是《瑞丽》和《时尚》这类时尚消费型杂志的入围，更能说明问题。

深圳人购书基本情况：

1. 深圳读者 2005 全年的购书费用（见图 3-1）：

100 元以下　17.86%　　100—500 元　47.03%

500—1000 元　20.08%　　1000—2000 元　6.47%

2000 元以上　4.34%　　基本没有购书　4.21%

2. 所阅读的书籍的主要来源（见图 3-2）：

自购图书　62.31%　　从图书馆借阅图书　15.77%

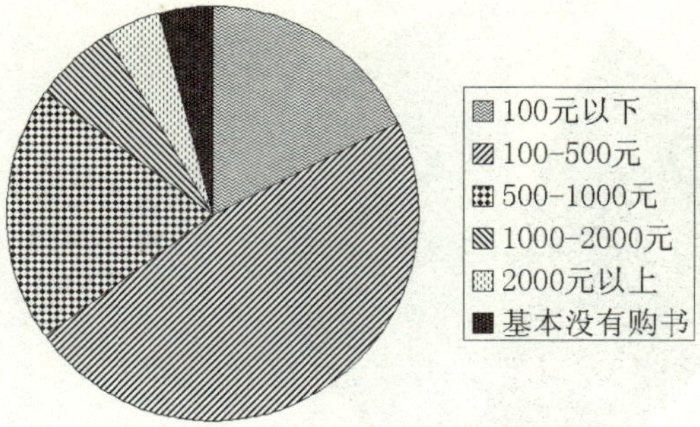

图 3-1　深圳读者 2005 年全年的购书费用

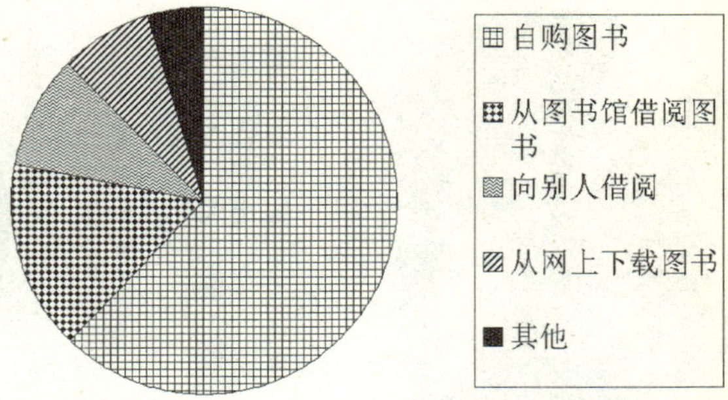

图 3-2　深圳读者 2005 年所阅读书籍的主要来源

向别人借阅　9.45%　　从网上下载图书　7.68%

其他　4.80%

3. 一年内的读书数量（见图 3-3）：

10 本以上　41.27%　　4—10 本　37.61%

1—3 本　17.32%　　一本也没读过　3.80%

4. 关于图书价格（见图 3-4）：

比较合理　47.93%　　太贵　39.70%

无所谓　12.37%

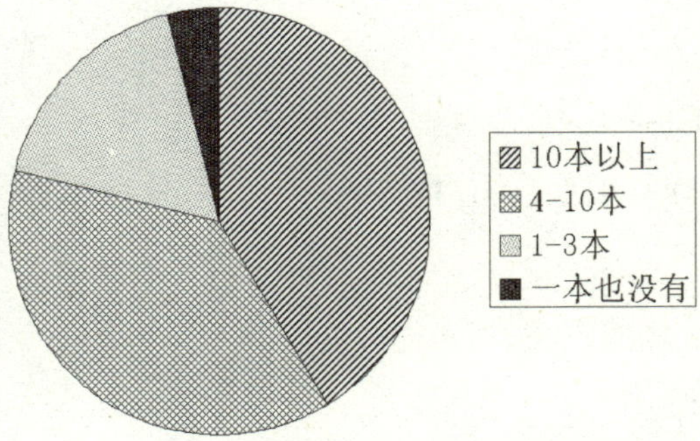

图 3-3　深圳读者 2005 年的读书数量

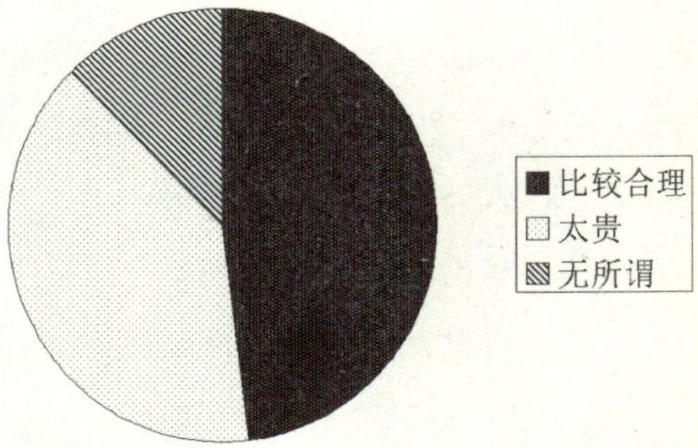

图 3-4　2005 年深圳读者对图书价格的反应

5. 影响购书的主要因素（见图 3-5）：

内容　66.84%　　作者与作品知名度　20.47%

出版社及版本　3.55%　　价格　3.53%

其他　5.61%

由此可见，深圳的读者的图书消费观越来越理性，更加关注的是图书自身的价值。

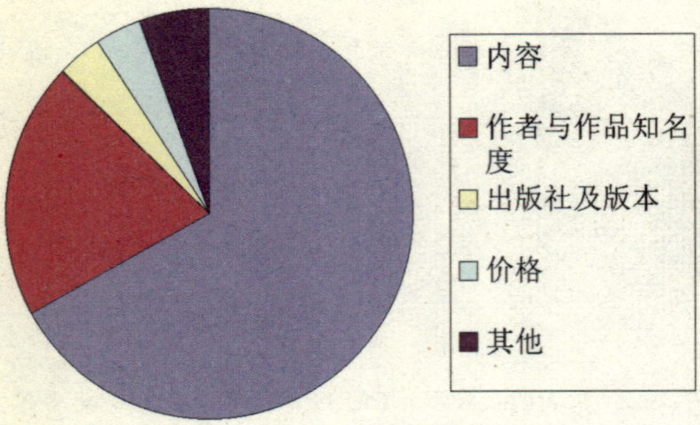

图 3-5　2005 年影响深圳读者购书的主要因素

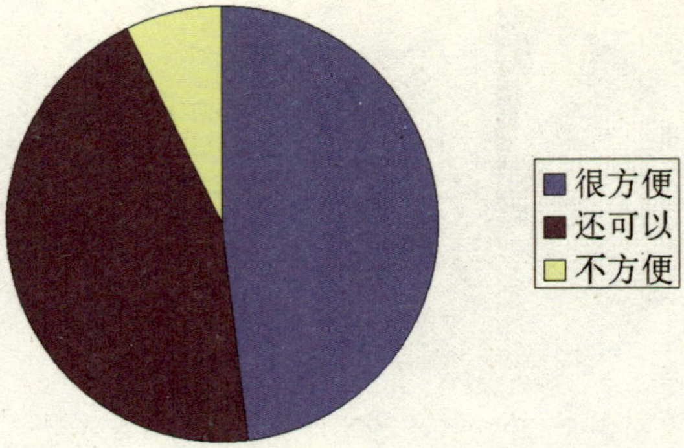

图 3-6　2005 年深圳读者对购书方便性的反应

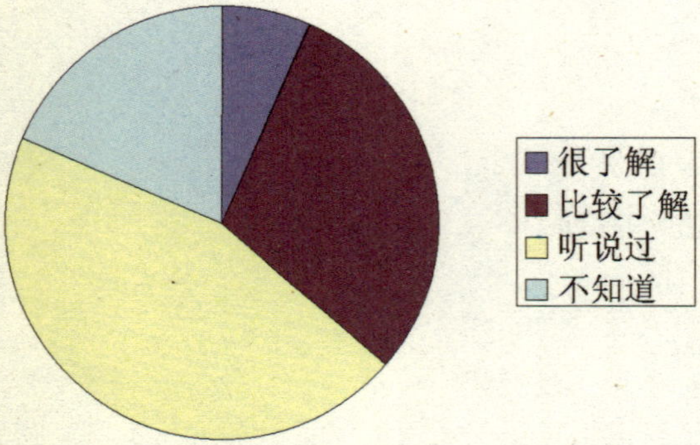

图 3-7　2005 年深圳读者对网上书店的了解程度

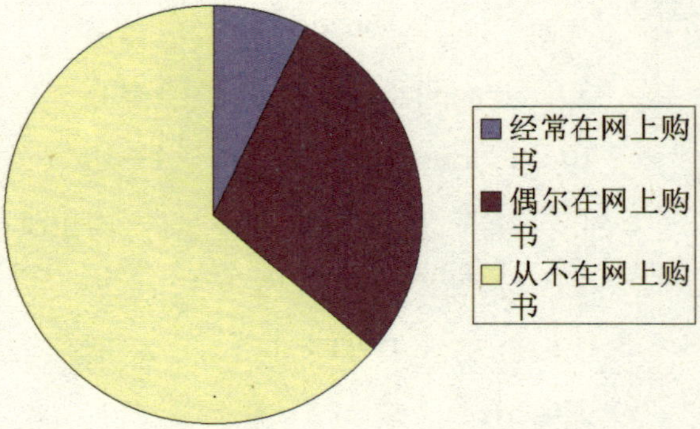

图 3-8　2005 年深圳读者从网上购书的情况

6. 关于在深圳购书的方便性（见图 3-6）：

认为很方便　48.10%　　认为还可以　44.73%

认为不方便　7.18%

可见，市民对深圳的购书环境还是比较满意的。

7. 关于网上书店（见图 3-7，图 3-8）：

很了解网上书店　6.63%

比较了解网上书店　29.74%

听说网上书店　45.14%

不知道网上书店　18.49%

经常在网上购书　7.33%

偶尔在网上购书　28.86%

从不在网上购书　63.81%

可见，作为改革开放前沿的深圳，由于接受新事物的能力强，读者也开始逐渐接受网上书店。虽然从网上购书的读者还很有限，但人们已经开始逐渐了解和接受这种新的购书方式了。

二、藏书倾向

通过第四次《全国国民阅读调查》，我们可以了解到，有藏书的家庭所占的比例（53.6%）略高于没有藏书的家庭所占的比例。进一步的交互分析后，我们发现城镇居民家庭中有藏书的比例为 72.2%，远远高于农业户籍家庭中有藏书的比例（44.7%）。

※深圳人藏书基本情况：

基本情况：深圳人的藏书量并不是很大，但是，大部分家庭多多少少都还是有一定藏书的（见图 3-9，图 3-10）。

基本没藏书	8.85%	100 册以下	36.60%
100—500 册	35.75%	501—1000 册	9.54%
1001—3000 册	6.12%	3000 册以上	3.14%

按照藏书种类来分，不同种类的图书，在家庭藏书中所占比例也不相同，总的来说，除了文学艺术类和生活娱乐类图书的藏书量所占比例和其余种类图书的藏书量区别比较大，其余各种类图书的藏书量之间没有特别显著的区别，而深圳的这次调查所显示的藏书类型的趋势与全国类似调查的情况大致一致，读

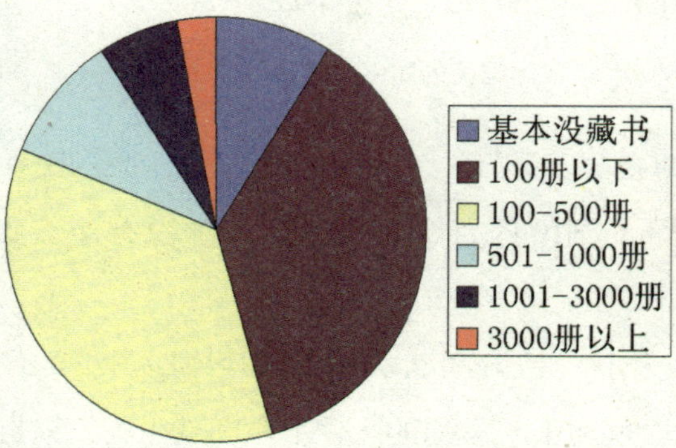

图 3-9　深圳人的藏书量

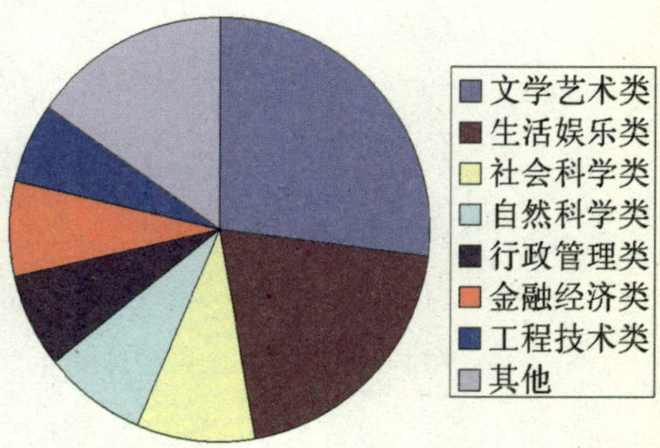

图 3-10　深圳人藏书的种类构成

书的休闲娱乐作用在不断扩大。

文学艺术类	27.00%	生活娱乐类	20.11%
社会科学类	9.30%	自然科学类	7.75%
行政管理类	7.26%	金融经济类	7.11%
工程技术类	6.25%	其他	15.22%

三、读书倾向

结合前几次的全国国民阅读调查结果，第四次《全国国民阅读调查》结果显示我国国民图书阅读率持续走低（见图 3-11）：

1999 年国民阅读率	60.4%
2001 年国民阅读率	54.2%
2003 年国民阅读率	51.7%
2005 年国民阅读率	48.7%（首次低于 50%）

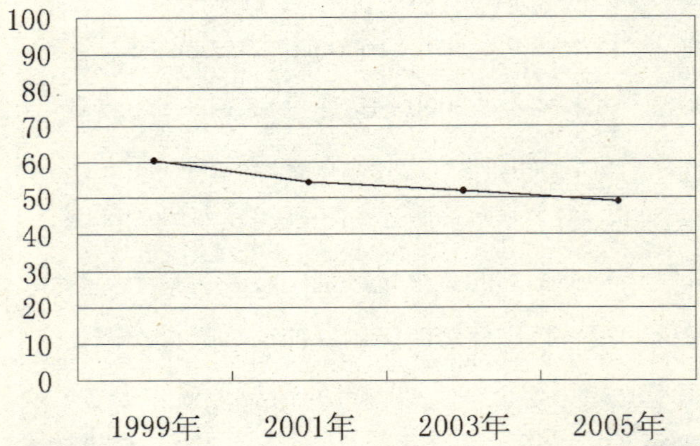

图 3-11　1999-2005 年我国国民的图书阅读率

第四次《全国国民阅读调查》结果还显示，认同“读书越来越重要”的国民在所有接受调查的国民中占八成多，13%的国民认为读书的重要性 “没有什么变化”，还有 3%的人认为读书越来越不重要。

在制约图书阅读率增长的主要因素中，“没时间读书”和“不习惯读书”的倾向值得注意。有 43.7%的人选择 “没时间读书”，25%的人读书时间减少了，只有 18.2%的人最近半年读书时间增加了，而男性强调“没时间”读书的比例要高于女性。值得注意的一点是，青年人成为“没时间”读书的人群的主要构成部分，54.2%的20—29岁年龄段的年轻人选择“没时间”读书。另外，在不读书的人群中，“不习惯”读书的人占总体比例的29.1%，尤其需要警惕的是，本应在校学习的18—19岁的青年人在不习惯读书的排行榜上，以45.9%的高比例排到首位。

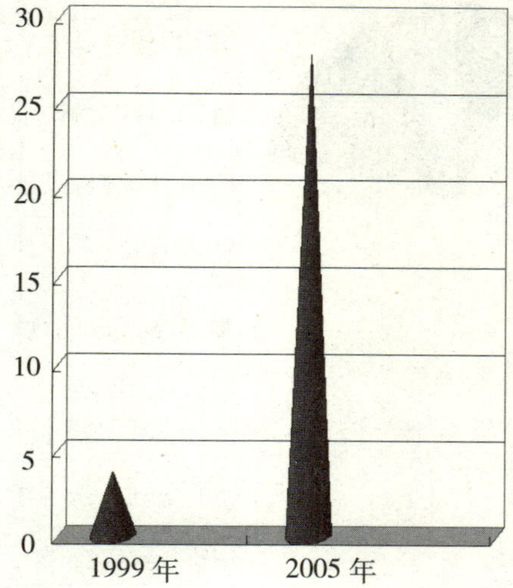

图 3–12　1999 年和 2005 年我国国民网上阅读率比较

与我国国民图书阅读率持续走低的形式相反的是，通过网络阅读的阅读率大幅增长。1999年，相关调查结果显示我国国民网上阅读率为3.7%，到2005年，我国国民网上阅读率增长为27.8%，增长了7.5倍。从网上阅读的年龄分布上看，网上阅读的主体仍然是青年人，而越来越多的中老年人也开始尝试网上阅读。

另外，此次调查还对读者最喜爱的图书类型进行了调查，文学类图书，文化、科学、教育、体育类图书，综合性图书，政治、法律类图书和军事类图书一直处于读者最喜爱的图书排序榜的前几位。文学类图书中，言情小说、文学名著、当代小说、纪实报告和侦探小说一直备受读者青睐，而喜爱武侠小说的读者比例有显著提高。儿童类图书中最受读者喜爱的是童话故事，学前教育和儿童外语类图书也排在前面。外语类图书中读者喜爱的图书排在前三位的依次是工具书、外语学习、外语读物类图书。

2005年我国杂志的阅读率为55.3%，且较多的读者每年读过9—12本杂志。我国读者经常阅读的杂志依次是文化娱乐类、家居生活类和文学艺术类杂志，反映出我国的读者越来越追求生活情趣的阅读趋势。

※　深圳人读书基本情况：

1. 平均每天用于阅读的时间（见图 3–13）：

120 分钟以上	6.53%	61–120 分钟	14.79%
31–60 分钟	41.19%	30 分钟以下	30.09%

基本没时间读书　7.40%

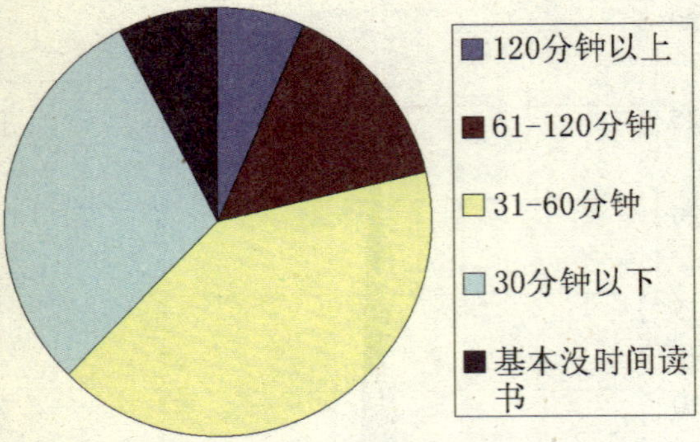

图 3-13　深圳人平均每天用于阅读的时间

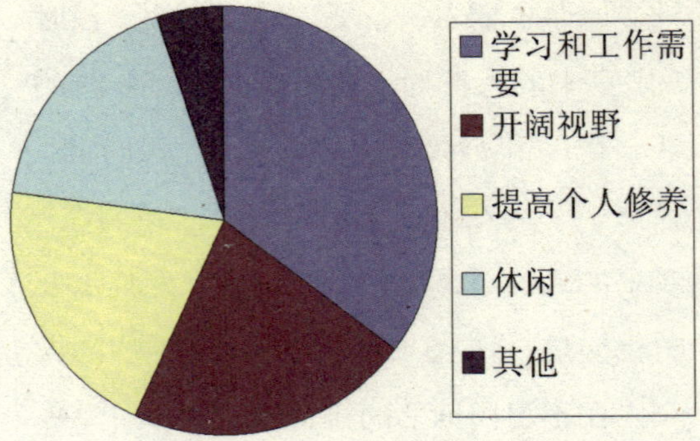

图 3-14　深圳读者读书的主要目的

可见，深圳读者虽然工作压力大、生活节奏快，但仍然不忘阅读，每天还有大部分人能抽出 30 分钟以上的时间阅读。

2. 深圳读者读书的目的（见图 3-14）主要为：

学习和工作的需要	35.24%
开阔视野	21.62%
提高个人修养	20.24%
休闲	17.82%
其他	5.08%

这一结果充分证明深圳是座年轻的城市，为了应对激烈的职场竞争和就业压力，读书成为了一种需要。同时，为开阔视野和提高个人修养而读书的比例也相对较高，说明人们越来越重视通过读书，实现精神品质的提升。

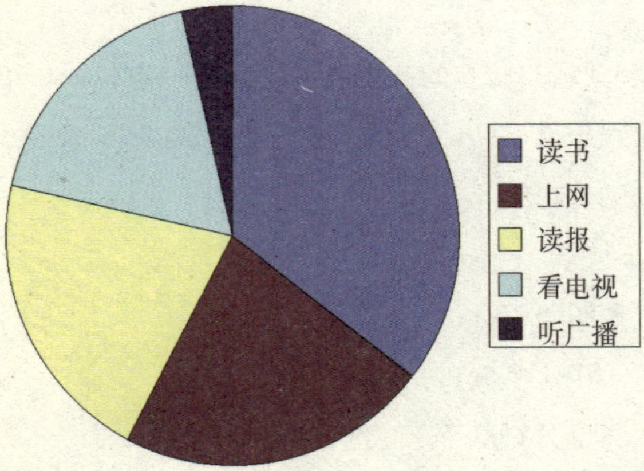

图 3-15　深圳人获取知识信息的最有效方式

3. 获取知识和信息的最有效方式：认为读书是最有效方式的还是占主导地位，同时，深圳人还能通过其他多样化的途径获取知识和信息，尤其是网络在人们获取知识和信息的过程中的重要性不可小视（见图 3-15）。

读书是最有效方式　35.47%
上网是最有效方式　22.23%
读报是最有效方式　20.88%
看电视是最有效方式　17.81%
听广播是最有效方式　3.61%

4. 深圳读者获取图书信息的渠道（见图 3–16）：

从书店及图书销售点　31.66%
从报纸杂志　24.33%
从网络　20.74%
从电视广播　12.31%
亲友推荐　7.46%
其他　3.51%

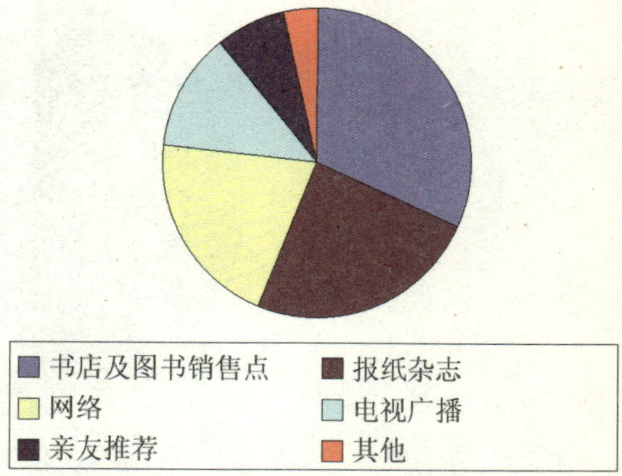

图 3–16　深圳读者获取图书信息的渠道

5. 阅读方式的选择：选择传统纸质阅读的仍占主流，而网络阅读也被不少人接受（见图 3–17）。

纸质阅读　70.57%
网络阅读　22.52%

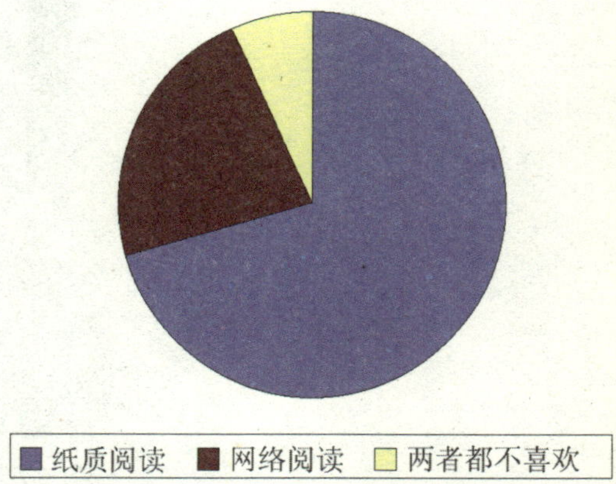

图 3–17　深圳人乐意选择的阅读方式

通过网络获得资讯
魏建华摄

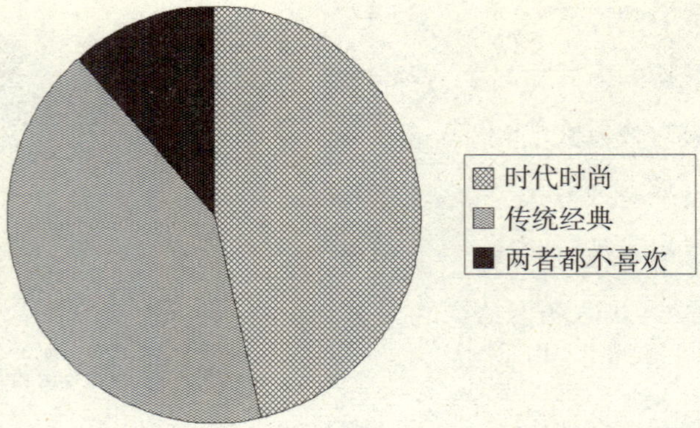

图 3-18　深圳人乐意选择的阅读内容

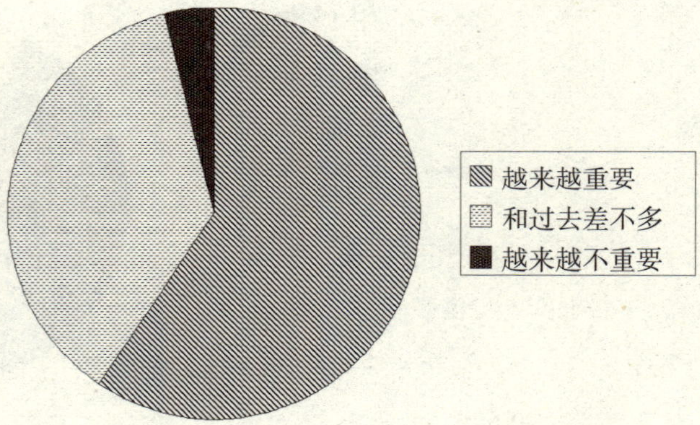

图 3-19　深圳人对读书重要性的认识

两者都不喜欢　　6.91%

6. 阅读内容的选择：选择阅读现代时尚作品的比例略高于阅读传统经典作品的比例（见图 3-18），这体现出深圳的时尚性、开放性、前卫性。

现代时尚　　46.30%

传统经典　　42.30%

两者都不喜欢　　11.40%

7. 对读书重要性的认识：深圳人已越来越意识到读书的重要性（见图 3-19）。

认为读书对自己越来越重要　　59.40%

认为重要性与过去差不多　　36.67%

认为读书越来越不重要　　3.94%

第四节　家庭阅读热点话题

千百年来，人类始终不断地在阅读，而家庭是无数孩子开始学习阅读的地方。对孩子们来说，家庭有可能就是他们开始个性化阅读的最佳场所。对于孩子们来说，只要是和阅读有关的任何行为，不论是视觉的，还是听觉的，甚至是触觉的，都可以算作阅读。对于家长来说，孩子早期阅读教育的首要任务就是“启其蒙而引其趣”。辅导儿童阅读并不是一个简单的工作，必须要经过训练方可胜任。有效的家庭阅读益处良多：可以促进和谐的亲子关系；增强孩子与世界的亲和力；充分发挥孩子们的想象力；提高孩子的观察能力；培养孩子良好的语言表达习惯；帮助孩子正视自身的弱点，改正缺点；让父母在教育子女的过程中，不断完善自我。

一、阅读的障碍

阅读障碍是最常见的一种学习障碍，近年来，统计资料显示，越来越多的孩子有阅读障碍。根据国际阅读障碍症协会的介绍，大约有5%的儿童患有学习障碍，而80%的学习障碍儿童出现阅读方面的困难。要预防孩子阅读障碍，关键是要有效地开发孩子早期阅读能力。

如何有效开发孩子早期阅读能力呢？家长需要注意以下几点：

1. 媒介的多样化会抑制文字阅读能力的发展，使孩子失去阅读兴趣，导致阅读障碍

在电视、电脑高度普及的今天，很多父母为了省心、省事，让自己的孩子天天面对各种屏幕，“电视保姆”应运而生。被“电视保姆”带大的孩子，由于满脑子充斥着丰富的视觉影像，大脑符号阅读区域的发展被抑制，文字阅读能力就会相应被抑制。这样，脑的偏好就会发生变化，在以后的发展中，孩子将对画面性的东西更加敏感。

渴望知识的读者
魏建华摄

小提示：千万不要让孩子在婴幼儿阶段就失去阅读的脑子，脑子里充斥着画面可能不是致命的问题，但却在孩子成长道路上埋下了隐患。我们建议让孩子提前识字，提前阅读，不仅仅是为了阅读识字，还是为了预防阅读障碍，使孩子大脑视觉皮层能够得到全面、和谐的发展，是预防孩子发生阅读障碍所必需的。

2. 学前识字将使孩子受益终身

有人认为让孩子们从小就识字，加重了孩子们的学习负担，因而反对孩子们从小识字。我们现在所使用的方块字是孩子们今后学习的工具，只有多识字，才更有利于孩子们今后的发展。而从小识字之所以被认为是加重了孩子们的学习负担，其根本原因其实并不在“从小识字”本身，而在于让孩子们“从小识字”的教授方法上。以往死记硬背的教授方式，加上略显粗暴的、命令式的教授态度，让年幼的孩子们想爱上识字都难，间接的扼杀了孩子们阅读的兴趣。

孩子早识字有利于开发孩子们的大脑潜能，提高智商。1982

年，英国著名的科学杂志《自然》上发表了一篇短文，公布了一项针对英、美、法、德、日五国儿童进行的智商测查的结果，而就是这一结果震惊了全世界：儿童的平均智商，英美法德四国的都是100，唯独日本儿童的为111；每100名儿童里，智商达到130的，英美法德各国都只有2名，唯独日本有10名。同时，科学家们也对日本儿童的智商作了更为详细的测查，结论是：6岁入小学之前没学过汉字的孩子的平均智商和欧美四国孩子的平均智商一样，也是100；5岁开始学汉字，入小学前学了1年汉字的孩子，平均智商可达110；4岁开始学汉字，入学前学了2年汉字的孩子，平均智商可达120；3岁开始学汉字，入小学前学了3年汉字的孩子，平均智商可达130以上。于是得出一个结论：日本孩子的平均智商之所以高于欧美四国，是因为日本孩子学了汉字。

1992年安子介先生和郭可教先生在香港出版《汉字科学的新发展》一书，书中指出，拼音文字，例如英语、法语等，主要是

最早的阅读是从玩中开始的，宝宝在认字母！

黄卉摄

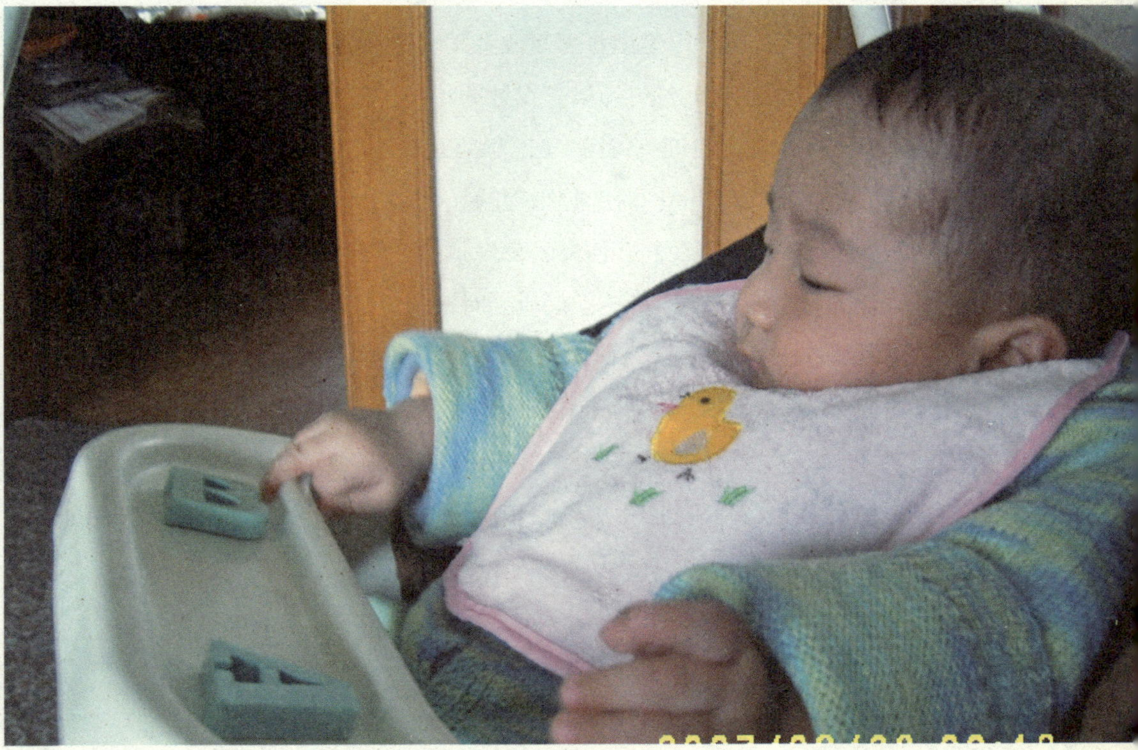

音码在大脑左半球上发生作用,因而被称作“单脑文字”。而汉字是形码、音码、义码在大脑两半球上同时发生作用,所以被称为“复脑文字”。而国内外对汉字认知与大脑两半球的关系有不同看法的甚多,于是,郭可教、杨奇志二位先生以正常人为对象进行了实验,而结果依然是汉字认知具有“复脑效应”。汉字具有表意性和方块性,这正适合幼儿大脑皮层右半球较左半球发展更快的特点,不但有利于右脑的智力开发,还有利于大脑两半球的协调发展。

小提示:孩子学认字是一个循序渐进的过程,如果让孩子到了小学才硬性过渡到学认字的阶段,会错过孩子认字的最好时段——婴幼儿时期,人为造成孩子学习上的困难。

3. 在阅读(甚至是朗读)中识字

学习识字有很多方法,最能避免识字活动变得枯燥无味的方法是在阅读,甚至是在朗读中识字。

家长们可以依照以下步骤引导孩子识字:

第一步,以书为蓝本,给孩子朗读书中的故事、儿歌等,注意一定要声情并茂,让孩子通过听故事和儿歌对所听的内容产生兴趣;

第二步,试着让孩子用手指着画面或者文字跟读,用手指着文字这一点是很重要的,读到哪个字指到哪个字,为第三步做准备;

第三步,通过反复的训练,让孩子能够复述故事,并能将故事里的文字与图书上的文字,从字音到字形一一对应起来理解。

完成这三步以后,家长们会惊奇的发现孩子们自己能够看明白书中的文字了,换句话说就是能读书了,同时,孩子们也会对读书产生浓厚的兴趣。

小提示:随着时间的推移、识字量的增加,孩子能够独立阅读了,但是,阅读的小路不会是一帆风顺的,孩子们经常会遇到一些不认识的字或者读不懂的内容,当孩子拿着书出现在家长面前时,家长们一定要表现出足够的耐心,同时,对孩子们不懂就问的行为进行嘉许,切不可不耐烦应付或拒绝孩子,保护孩子们阅读的积极性是很重要的工作哦!

二、阅读的环境

人,不是天生就会阅读的。

国际阅读学会会长威廉斯博士说过：“孩子学习阅读的背后有老师才叫学校，有父母才叫家庭。”对于父母来说，孩子喜欢阅读的习惯，是需要悉心培养的，而培养良好的阅读习惯是一个循序渐进、不断发展的过程，可以说，从孩子们第一次接触语言、图书、故事就已经开始阅读了。婴幼儿的注意力不易集中，比较容易受外界环境的影响，有专家认为，阅读的培养扎根于家庭环境，而创设良好的阅读环境是婴幼儿早期阅读形成的根本保证。如何营造良好的家庭阅读环境，就成了摆在家长面前的一个热点问题，而好的家庭阅读环境是需要为人父母者精心经营的。

三、阅读的榜样 / 伙伴

孩子的学习来自模仿，要想孩子肯阅读，并以阅读为乐，家里首先要有肯阅读，且以阅读为乐的父母，父母是孩子的第一任老师，是孩子阅读的榜样，父母读不读书、如何读书，直接影响到孩子是否读书、如何读书。所以，父母应带头阅读，父母以身作则地和孩子一起阅读，除了能够充实自己，还能与孩子一起共享阅读的乐趣。“忙”、“累”不能成为家长不阅读的借口，没有什么比培养孩子良好的阅读习惯还重要，自己都不愿意阅读的父母，拿什么来约束自己的孩子，让他们愿意阅读呢？请为人父母者记住一句话——身教重于言传，孩子们以你为例，你以阅读为乐，孩子们才能以阅读为乐。父母是孩子阅读最好的伙伴，阅读不是盲目的活动，阅读的过程中是需要动脑子的，这种思考不是无目的的胡思乱想，是需要引导的，阅读促进思考的最有效方式就是阅读讨论，而父母是孩子们阅读讨论的最佳伙伴。不管是充当孩子阅读时的榜样还是伙伴，最重要的就是为人父母者一定要用心。只有父母全心全意地在孩子面前一遍又一遍地演绎如何快乐地阅读、专心地阅读、享受阅读的过程、运用阅读得来的知识等等，孩子们才能学会快乐地阅读、专心地阅读、享受阅读的过程、运用阅读得来的知识。

四、阅读的空间

一说起阅读，很多人脑海中就浮现出一个画面——书桌前，一个小朋友正襟危坐，手里捧着一本书……

其实，阅读可以不必这么正式，阅读也可以很轻松！阅读时，可以在饭桌旁，客厅的一角，甚至坐在地板上。只要在这个空间里，光线充足，座位舒适，安静而且温

宝宝在床上"看"书
黄卉摄

馨，人的身心能够得到放松，同时，图书触手可及，孩子们随时都可以自由方便地进行阅读，就是一个不错的选择。

五、阅读的内容

要营造良好的家庭阅读环境，选择"合适"的书籍是很重要的，"合适"两个字看起来简单，做起来却不容易，日本的教育理论家木村久一在其著作《早期教育和天才》中也提出过类似的看法："在孩子的乐趣中，最重要的是读书。不过应特别注意书的选择，一个人喜好什么样的书，往往决定于他第一次读的是什么书，而且幼年时期读的书往往能左右这个人的一生。"

那么，如何为孩子选择合适的阅读书籍，让家成为最好的图书室呢？家长在为孩子选书的过程中要注意以下几点：

根据孩子年龄特点选择图书。各年龄阶段的孩子生理和心理的发育水平都不一样，导致他们能看的书也不一样，如果给孩子看相对于他们这个年龄阶段过于艰深的书，很有可能扼杀他们阅读的积极性，如果给孩子看相对于他们这个年龄阶段过于简单的书，他们会逐渐把阅读不当一回事，这对孩子们养成良好的阅读习惯都不利。网名为 yuqingwawa2 的幼儿教师在《婴幼儿早期阅读的指导》一文中指出：6 个月—1 岁时，婴儿视觉发展尚未成熟，无法看清图书上的图像，故应选图像大的硬纸版图书，以吸引其注意。1—2 岁时：孩子正以所有的感官探索世界，应选择页数少、故事简单且装订坚固的书。2—3 岁时：由于两岁的孩子处于命名期，爱问：这是什么？同时这一时期也是为孩子建立阅读兴趣、习惯的关键期，要选择孩子喜欢的故事书，如图画书、童话故事书、儿歌、《小朋友》杂志等，内容可丰富一些，范

杰克·伦敦的藏书票

这款藏书票完成于 1905 年，杰克·伦敦很偏爱狼这种动物。

围可广一些。4—5 岁时：儿童语言发展快速、想象力丰富、开始发展社会关系，喜欢具有节奏、重复的有趣味的儿歌、童谣，故事等书，书的选择要更活泼有趣，如：走迷宫、找错、拼图讲故事，且可增加文字、情节、人物。6—7 岁时：儿童专注时间延长，此时父母可选择文字较深、句子多变化、情节较复杂的长篇故事及关于身体方面的书。路标、店名、广告标语、简单的玩具说明书都可作为孩子的阅读材料，此外还有一些知识类的如《十万个为什么？》、自然科学类《动物小百科》等等。（http://www.xugu.net/fedu/lilun/68748.asp）

根据孩子的兴趣选择图书。孩子从阅读中获得的不光是知识，更重要的是阅读的兴趣，孩子是不会装假的，喜欢就多看，不喜欢就不看，只有掌握了孩子的兴趣，并以此为依据为孩子购书，才能使培养良好的阅读习惯成为可能。选购的图书内容要丰富，涉及面要广，要具有教育意义。这个世界对于孩子们来说是新奇的，只有内容丰富的图书才能让孩子们更全面地了解这个

宝宝通过“啃书”学习
黄卉摄

世界。同时，我们要认识到，内容要丰富，涉及面广，不等于说为孩子提供的图书越多越好。为孩子们提供的图书越多，孩子们看书的时候随意性就越大，越容易分散孩子们的注意力。面对五花八门的书，孩子们会觉得无从下手，不知从哪本开始看好，再加上都是自己的书，今天不看明天可以看，明天不看后天还可以看，反正无从下手，不如随便翻翻，渐渐的就会产生一种无所谓的态度，这将不利于良好阅读习惯的形成。另外，孩子有如一张张白纸，开始时懵懵懂懂，分不清黑白对错，有教育意义的书就像一支支红色彩笔，会在这些纸上留下红色的印记，让孩子们能够少走弯路，不断朝正确的方向迈进。可以给孩子买书的自主权，让孩子自己选购一些自己喜欢的书。很多家长仗着自己比孩子多吃了几十年的盐，连孩子要看的书都一手包办掉，这样是不好的。其实，孩子们虽然小，但是，他们并不像大人认为的那样对自己的需要一无所知，最了解他们需求的还是他们自己。为了孩子们能早日成为独立的人，家长们绝对应该该放手时就放手，要知道，孩子们最需要的不是我们的"包办"，而是"指导"。

六、阅读的时间

很多专家都建议在家里要保留专用的共读的时间，在这段时间内，除了一家人其乐融融地阅读，没有电话，没有电视，没有柴米油盐，没有考试，没有烦恼……要让孩子们知道阅读是一件神圣的事情，没有东西也没有事情能够打断阅读。至于这段时间具体被安排在一天的什么时候，那就随个人喜好了，可以在早上起床后，可以在饭后，可以在洗了澡以后，也可以在睡觉前，有专家建议，无论选择哪个时间段，一定要相对固定。而另一些人也有不同的观点，认为只要孩子那个时候有阅读的欲望，就可以让孩子阅读，并没有必要固定阅读时间。其实这两种观点是不矛盾的，对于还没有养成良好阅读习惯的孩子来说，固定阅读时间，可以让孩子们真的把阅读当成一件正事来做，有助于良好的阅读习惯的形成，使阅读成为孩子的一种需要。而对于早已把阅读当成需要，甚至是一种享受的孩子来说，根本不用拘泥于在固定时间阅读，什么时候想阅读了，顺手拿起一本书就看起来，是何等的超凡洒脱啊！至于这段时间的长短，那是众说纷纭，主张 10 分钟、15 分钟、20 分钟、30 分钟的都有。专家们之所以建议用一定长度的时间进行共读活动，是因为很多家长连这十几二十分钟都保证不了，其实，只要家长能了解孩子注意力集中的时间，在这段时间内安排有效的阅读，到底持续多长时间根本不成其为问题。

※家庭阅读活动和学校阅读活动的关系

家庭是孩子们生活的环境，从出世到之后的大部分时间里，孩子们都生活在父母长辈为自己精心营造的家庭环境中，家庭是孩子们接受教育的摇篮，只要孩子们的长辈们愿意，在家里，孩子们有可能接受到各种各样的，包括文学、艺术在内的熏陶。一般说来，在富有文学修养的家庭环境里成长起来的孩子，由于父母长辈在孩子成长过程中重视阅读氛围的营造，往往比缺乏文学修养的家庭更能培养出爱读书的孩子。

家庭阅读活动主要有以下特点：

1. 带有较强的休闲色彩：孩子们的家庭阅读活动总是伴随着家庭的娱乐、消闲活动进行的。

2. 带有明显的个人性质：孩子们在父母的指导下，读什么、怎么读都可以自主决定。

3. 家庭阅读活动是学校阅读活动的前期准备和辅助训练：在孩子们到学校开始接受正规的阅读训练之前，孩子们的家庭阅读活动就已经让孩子们积累了一定的阅读经验。在孩子们接受了学校正规的阅读训练后，家庭阅读同样可以对学到的阅读技能起到促进作用。

学校是少年儿童受教育的环境，学校阅读活动是和语文学习联系在一起的，除此之外，在不影响教学计划中所规定的课程的学习的前提下，学校还有专门的课外阅读时间，由语文老师担任阅读指导者。

学校阅读活动主要有以下特点：

1. 带有较强的教育色彩：它除了是语文教学的需要，还是学校进行文学和素质教育的途径，和家庭阅读活动比起来，少了轻松的休闲成分，多了严肃的教育色彩。

2. 带有明显的集体性：学校的阅读活动是有组织有计划的阅读活动，学生必须要作为集体的一员，和其他孩子一起，接受老师统一的阅读指导，读什么、怎么读都不能像在家中那样随心所欲。

3. 训练的性质更明显：学校阅读的目的就是要让学生们能够掌握更多的阅读技巧和方法，教师会给学生很多实践的机会，通过朗读、默读、背诵、讨论，以至于写作等方式，提高孩子的相关能力。

附：阅读故事

我的朗读生活

黄卉

不知道生于20世纪70年代末的孩子们的学生生涯是怎么度过的，我只记得那个时候的我，每天的必修课就是朗读。

小学一年级，老师就让我们天天回家朗读她发给我们的汉语拼音字母表，读多少遍，我不记得了，反正读完了要家长签字，目标就是要能达到“一口呼”（一看到这个字母或字母组合，就能读出它的正确发音）的境界。为了这，我可没少挨老爸的打，因为我读得老爸都能“一口呼”了，自己还没能“一口呼”。现在想来，老爸用电脑时既能用五笔又能用汉语拼音输入，估计也有我小时候朗读的一番功劳呢！

语文书是我朗读的最多的一本书，那个时候老师规定课前要预习、课后要复习，而预习和复习的方式也都是朗读。每天5遍，也要家长签字的。于是，每天做完功课，我都会和父母一起分享一段朗读时间，父母也喜欢听我读书，读得好了，还向爷爷奶奶极力推荐，让我在长辈面前表现一番。

再后来，我也渐渐爱上了朗读，上中学那段时间，每天早上起来，吃早饭之前的

爱看书的小朋友
黄卉摄

一个小时的时间我都用来朗读，读语文课文、读英语课文、读物理和化学笔记、读历史书、地理书、生物书，反正能读的都读了个遍，而长辈们则在我的朗读声中忙着做早餐，一连几年，大家都沉浸在早间的欢乐中。

一直到现在，当我有了孩子，我也经常会朗读一些儿歌、小故事给宝宝听，希望他也能像我一样喜爱朗读，想到他以后为我朗读的场景，我就忍不住喜笑颜开！

毕加索设计的藏书票“利西翠坦”

画家以公元前5世纪古希腊喜剧诗人阿里斯托芬（Aristophanes）的喜剧《利西翠坦》（Lysistrata）为题，制作了六款蚀刻铜版画，描绘全希腊的妇女在同名女主人公的号召和组织下，共同抵制男人，迫使他们停止战争。此幅为组画中的第三幅，一个雅典战士终止战争，回国与妻儿拥抱的情景，洋溢着祥和的气氛。

七、阅读的欲望/期待

要培养孩子良好的阅读习惯，很重要的一点就是要帮助孩子燃起阅读的欲望，使阅读成为孩子期待的一件事，如果孩子根本就没有想过要阅读，那就根本不存在培养良好阅读习惯的问题了。那么，怎样才能让孩子产生阅读的欲望和期待呢？要想让孩子们产生阅读的欲望和期待，就要让孩子掌握正确的阅读方法和技能，并能从顺利的阅读中体验到阅读的成就感和乐趣，警惕功利阅读对孩子阅读兴趣的扼杀。

※培养阅读技能

“阅”即是看书的技能，如：看书要一页一页、从前往后看。“读”即是讲读书中内容的技能，对于婴幼儿来说，“读”就是“听父母（或其他成人）读”，对于稍大一点的孩子来说，“读”就是在成人帮助下，把图片与解说串到一起，理解书中的内容。教给孩子正确的阅读方法和技能的有效方法有：①以身作则，做孩子的榜样，孩子愿意模仿父母的一言一行，阅读时，哪些做法是正确的，哪些做法是不可取的，孩子自己心里并没有

可以洗澡的书《玛莉象爱交朋友》　福建少年儿童出版社出版

一个衡量的标准，他们只是简单地认为，父母能使用这样的方法阅读，自己就能使用这样的方法，所以，父母一定要为孩子带好头。从一开始给孩子读书时，就要做到声情并茂。前面说过，孩子们有一个阶段的“读”是“听父母（或其他成人）读”，之后才逐渐能够自己“读”，这个“听父母（或其他成人）读”在孩子的阅读发展中是很重要的，如果这段时间孩子听到的总是一个“平淡无奇”的声音，讲述着一个“平淡无奇”的故事，很容易让孩子失去阅读的欲望，在今后的阅读活动中用“平淡无奇”的态度对待阅读，认为阅读只是枯燥乏味的活动，从而对阅读敬而远之。②为孩子做阅读示范和引导时，要用心。这里我们又一次提到了“用心”两个字，家长在教给孩子正确的阅读方法和技能前，要确定一件事——我是不是在打有准备之仗？对于像阅读这样将影响孩子一生的习惯的培养，切忌随心所欲、掉以轻心。

家长们必须明确什么样的阅读方法和技能是正确的，这其实不是一件容易的事情，因为，很多家长自己习惯的阅读方法和技能就是值得商榷的。我们要想办法怎样把这些正确的方法和技能不着痕迹地通过阅读活动，潜移默化地教给孩子们。光是给孩子订出各种阅读的条条框框，跟孩子说“这样不对”、“那样不行”对于孩子接受正确的阅读方法和技能一点用处也没有。这要求父母为孩子精心设计每一次阅读活动。

家庭阅读设计可以从以下几个方面入手：①确定阅读活动的内容：根据孩子的实际情况，确定孩子现阶段应该读什么样的书；读的过程中，哪个词要专门强调，读到什么地方要停下来，加以说明，什么地方可以加一些象声词、哪些地方可以配合一些动作等。②确定阅读活动的时间和地点：并不是所有的家庭阅读活动都必须于固定的时间、在固定的地点（家里）进行，结合阅读的内容，将阅读活动的时间、地点选择在固定的时间和地点以外的地方，也会有意想不到的效果。③明确阅读活动的目的：阅读完后要提哪些问题，启发孩子思考？通过这次阅读，孩子能学到什么东西，将开发孩子哪方面的能力等。④确定阅读活动的方式：是父母读给孩子听，还是孩子自己读，抑或让孩子和父母一起分角色读，是朗读还是默读等。⑤父母要将精心设计的阅读活动以生动活泼的方式付诸实施。当孩子们开始习惯、甚至渴望参与父母精心设计的阅读活动时，我们预备要教给孩子的正确的阅读方法和技能也伴随着孩子们对阅读的期待，开始在孩子心里生根、发芽了。

※阅读的成就感和乐趣

孩子是需要激励的，孩子们的阅读活动尤其需要激励，成就感是孩子们阅读的催化剂。激励既是一种手段，又是一种思想，它能使孩子阅读的动机从“要我读”转化为“我要读”。家长应学会科学地看待孩子的心路历程，用赏识的眼光看待孩子的阅读活动，配合语言激励、动作激励、物质激励等方法，充分激发孩子阅读的积极性，让孩子在阅读中体验成功的快乐。家长们应该明确一个问题——对于孩子们来说，“书”不仅仅是“书”，是孩子们平面的“玩具”，也是孩子们的“朋友”。只有家长认为书是孩子们的“玩具”了，才不会视孩子们最初的阅读活动为“不务正业”，甚至是“暴殄天物”，才不会因为孩子“破坏”图书而责怪、甚至打骂孩子，把孩子对阅读的兴趣扼杀在萌芽状态。在孩子还很小的时候（一岁以前），他们的阅读活动不是也不可能是我们大人认为的那样，循规蹈矩地抱着本书看。他们把书当成普通玩具，很认真地啃书、撕书、揉书、摔书、破坏书，那架势，让父母们为书感到惋惜、替书感到可怜。但是，正是啃书、撕书、揉书、摔书、破坏书这些最初的阅读活动，让孩子们在清脆的撕书声中、在书与各种物品的撞击声中、在不经意间瞟过一眼的图片中学到了最初的知识——翻书会有哗哗的响声；书页被撕开会发出嘶嘶的声响；纸张有一股悠悠的清香；书和地板碰撞发出的声音同书与小脑瓜碰撞发出的声音是不一样的；书打到脑袋会疼；书撕破了以后，书上的图案没有以前好看了……于是，孩子们与书更加亲近了。所以，即使啃书不卫生，即使撕书、揉书、摔书、破坏书不值得鼓励，家长们在面对孩子们的这些阅读活动时，也千万不能大呼小叫地责怪孩子、打孩子的小手，甚至把书收起来，不让孩子接触自己的书，毕竟孩子啃书、撕书、揉书、摔书、破坏书的这些行为和他们的发育程度有关，是自己不能控制的。家长应该鼓励孩子们这些最初的阅读活动，孩子想怎么翻、怎么看、怎么玩，都随他，家长们可以为孩子们准备一些容易清洁的撕不破的圆圆片、布书、洗澡书，鼓励孩子们“玩书”，或者给孩子们提供一些外面散发的宣传单、宣传册，鼓励孩子们“撕书”，让孩子们通过“玩书”、“撕书”对书产生最初的兴趣，让孩子喜欢书。同时，在孩子“玩书”、“撕书”的时候，家长应该经常微笑着在一边用欣赏的语气鼓励孩子说：“我们家宝宝真是有本事，会看（翻）书了！”还可以配合一些肢体语言，表达家长对孩子这种行为的嘉许，比如抱一下、亲一个、刮一下小鼻子等等，这样，孩子就会知道怎样做妈妈会亲亲，怎样做爸爸会抱抱……

接下来就是要让孩子们真正把书当成自己的朋友，家长要先把书当成孩子们的朋友，好好地爱护，这种爱护，一定要是发自内心的，绝对不能是仅仅出于怕孩子把书撕坏了又要花钱买等原因。在孩子面前，家长要当爱护图书的模范，看书前要洗手，看书时不折页，使用书签，看完以后要把书放回书架等等。当孩子稍大一点（一岁左右），家长就可以开始着力于鼓励孩子用正确的方法进行阅读。在孩子每次“玩书”、“撕书”的时候，家长可以告诉孩子：“书是你的好朋友，你把他撕破了，他会疼的。”或者“你把书撕破了，书就不跟你玩了。”然后，把撕破的书藏起来一段时间，让孩子尝尝思念他的好朋友的滋味。一段时间后再当着宝宝的面把书补好，并告诉他，书上留下了“伤痕”，希望他好好对待自己的书。当发现孩子一旦有爱护图书的行为、动作时，一定要第一时间表示赞扬：“乖乖真听话，知道爱护图书了！”孩子会翻书了，要告诉孩子他很棒；孩子认出书中的字了，要告诉孩子他很了不起；孩子会讲书里的故事了，要告诉孩子他真的很不简单……

总之，在孩子的阅读尝试过程中，家长一定不要吝惜自己的溢美之词，孩子阅读的成就感和乐趣就来源于阅读成功的体验，

双胞胎姐妹同读《小王子》
李艳萍摄

深圳图书馆晚景
魏建华摄

来源于家长真情的流露和不失时机的赞扬和夸奖，得到表扬越多的孩子，更希望能经常通过阅读得到父母的重视，更希望通过阅读与父母交流情感，对阅读怀有更多期待。

※功利阅读和非功利阅读

据江西省儿童少年活动中心邓兵华进行的“家庭阅读问题的调查研究”结果显示，功利性阅读、强制性阅读开始成为孩子的一种负担。孩子的时间是有限的，随着年龄的增大，需要学习的科目越来越多，为了应付沉重的课业负担和各种各样的考试，越来越多的家长不得不采取“精简”措施，针对考试来安排孩子的学习时间和学习内容，只准孩子看教科书、辅导材料及其他与考试有关的书，几乎没有时间进行课外阅读，而即便就是这样，也都还觉得时间不够用。很多家长反映，其实在考试分数、名次被看得无比重要的今天，自己对孩子的课外书下禁令也是情势所逼，迫不得已。而专家认为，如果孩子的阅读带有功利性，阅读就成了家长强加给孩子的任务和负担，孩子们将不再享受阅读，在阅读过程中将不愿意发挥想象力，阅读兴趣将在无形中被扼杀。“非功利性的阅读应该是接触真正的文学和科学，认识自己，也认识这个世界，从而对事物有比较理性的看法。”阅读本来应该很轻松，每个人根据自己的喜好，选择自己想看的书，静下心来慢慢品评、玩味，那是多么美好的享受啊！

八、阅读开始的时间

教育家马卡连柯说过：“教育的主要基础是五岁前奠定的，它占整个教育过程的 90%。”那么到底应该什么时候开始让孩子们阅读呢？很多专家建议从 9—12 个月开始培养孩子的早期阅读能力，其实，更早期的阅读培养应该是从孩子还没有出生时的胎教就已经开始了。胎教的形式有很多，其中一种就是语言胎教，据医学专家的研究表明：父母经常与胎儿对话，能促进宝宝出生以后的语言及智力方面的良好发育。还未出生的宝宝在周围一片漆黑的子宫里，并不是全然无知的，他们用来感知这个陌生世界的器官中，用得最多的就是他的小耳朵了，他能听见母亲肚子里的“咕噜”声，听见母亲和别人的对话，以及外面世界的其他一些声音。父母说话的声音，就是一种天籁，高尔基把语言称为一切事物和思想的衣衫，这衣衫应该比自己给小宝宝准备的花裙和童装更美，更有价值。

语言胎教的目的就是要通过父母与胎儿之间的“对话”，增进亲子感情，同时，胎儿通过“听读”可以积累一定的语音及语言素材。语言胎教的题材很多，并没有严格的限制，日常生活中，碰到什么事都可以讲给宝宝听，比如，早上起床的时候，先给宝宝打个招呼：“宝宝，早上好！”开水龙头时，告诉宝宝：“这哗哗的声音是水流的声音。”散步的时候跟宝宝说：“宝宝有没有闻到香香的味道？前面有一棵桂花树，桂花开了！”吃东西的时候告诉宝宝：“现在妈妈在吃猕猴桃，过一会，宝宝就能尝到猕猴桃的味道了。”相对于母亲的声音，父亲低沉、浑厚的声音可能更为胎儿所喜爱，所以，父亲也应积极参与到语言胎教的过程中去。比如，睡觉前，父亲可以对宝宝说：“宝宝，爸爸来给你说晚安了，睡个好觉！”上班前，父亲可以对宝宝说：“亲爱的宝宝，爸爸要去上班了，晚上见！”以上都是日常生活的题材。除此之外，还应该安排一个固定的时间段，“反复”地给宝宝念同一首儿歌，或者讲同一个简单故事，念儿歌和讲故事的过程就是，宝宝最初的阅读活动，之所以强调“反复”两个字是因为，简单的儿歌、短小的故事的不断重复，能加深宝宝对自己“听读”的内容的印象，对宝宝最初的阅读能力的培养起到积极的促进作用。另外，语言胎教的同时，我们还应该注意配合行为胎教，民间流传一种关于怀孕的说法“妈妈做什么，肚子里的宝宝就在做什么”，我们暂且不去探究其科学与否，但放在阅读上，是有一定的道理的。妈妈有阅读的习惯，并能从阅读活动中感受到乐趣，身心得到放松，美妙的感受直接影响到大脑有关物质的合成与分泌，从而进一步影响宝宝。

可以说，孩子什么时候开始阅读，取决于父母潜移默化的影响，在父母开始着手计划让孩子们阅读以前，孩子们事实的阅读活动其实已经进行了很久了，孩子的阅读是从父母的阅读中承袭、延续下来的，没有开始，也没有结束。

※早期教育的八大关键期

1）0—6个月：学习咀嚼、喂干食。可不要小看这看似与学习无关的举动哦，简单地说，宝宝又多了一项感知周围世界的技能。

2）9个月—1岁：孩子们可以开始分辨多少，大小。

3）2—3岁：学习口头语言的第一个关键期，这期间及之前的很长一段时间，家长一定要经常与宝宝交流，帮助孩子通过听觉，积累一定的语言素材。同时，这一时期也是计数发展的关键年龄。

4）2.5—3.5岁：学规矩的关键年龄段，也是形成良好学习习惯和作息制度的关键时期。

5）4岁：形象视觉发展的年龄，孩子的学习过程，尤其是学习语言的过程，需要通过听和看两方面共同促成，视觉灵敏度较高的孩子能敏锐地察觉出成人在说话时口型的差别，哪怕只是极细微的差别，再加上大人的语势、手势等，天生模仿能力强的孩子就能很快掌握学习的内容。

6）4—5岁：学习书面语言的关键期，在这段时期，孩子们有可能通过学习，认

深圳大学城图书馆
阅览区一角
温雪芳摄

识简单的汉字，看懂简单的幼儿读物。

7）5岁左右：是儿童口头语言发展的第二个关键期，千万要抓紧这段时间和孩子们交流哦！同时，这个时间段也是孩子们掌握数学概念的关键年龄，美国哈佛大学的心理学曾经公布了一个令人震惊的研究结果，他们的研究表明5岁的儿童没有一个不是天生的数学家，即便是在没有进行过任何正规的教育或在没有被传授过相关知识的情况下，5岁的孩子们也能自己掌握数字抽象概念和算术法则。

8）5—6岁：掌握语言词汇能力的关键时期，这一阶段的孩子逐渐建立起成人式的语言能力。值得注意的是，5岁是语言发展的一个分水岭，5岁以后，语言的发展将发生根本性变化，句子将趋向复杂化，且其含义和语言的用途会向高级发展，更显著的变化是，孩子们能够用语言学习阅读和写作。

九、阅读的方法

要促进孩子的阅读兴趣，提高孩子的阅读能力，父母就要学会根据孩子的年龄特点，灵活运用各种阅读方法。

★父母读给孩子听。阅读活动应该至少能够满足孩子“听

《圣母子》
意大利画家乔尔乔涅作

读”的需要，父母要把书的内容用生动的语言读给孩子听。读给孩子听其实也是一个阅读示范的过程，父母在读的过程中的每一个细小的动作都将影响到孩子今后的阅读。

★父母参与孩子阅读。父母参与孩子阅读，孩子是阅读活动的主角，但是，由于孩子认识的字少，生活经验有限，凭借自己独立的阅读，能力得不到大幅度的提高，需要父母的帮助。而父母的任务就是配合孩子的阅读讲解孩子理解不了的字、词、句，通过讲读，扩大孩子的词汇量、知识面，开发孩子包括观察力、想象力、创造力在内的各项能力，帮助孩子顺利阅读。同时，父母参与孩子阅读，也是交流亲子感情的有效方法。

★孩子与音像制品一起阅读。现在有很多以儿歌、童谣为内容的音像制品，极大地丰富了孩子们阅读的方式、手段，看着色彩明快、造型生动的动画，听着甜美、抑扬顿挫的同龄人的声音，模仿着动画人物的动作，孩子们的阅读兴趣很容易被调动起来，阅读效果事半功倍。

★孩子独立阅读。很多时候，孩子根据自己的兴趣，选择了“我要读”的书看，家长可放心大胆地让孩子独立阅读，因为“我要读”是一种自主阅读的内动力，有了这股动力，父母根本不用担心孩子们不好好阅读，或者没有收获。

★孩子与小伙伴一同阅读。孩子与同龄的孩子应该有相互交流的机会，孩子们能够在相互交流中互通有无，共同享受阅读的快乐。家长应该鼓励孩子与小伙伴一同阅读，这对于激发孩子的阅读兴趣，提高阅读能力是有百利而无一害的。另外，孩子们在与同龄的孩子的阅读交往过程中，需要在记忆的基础上组织语言，并表达出来，其语言表达能力得到了提高，思维也变得活跃，想象力也变得丰富了。

附：“布衣暖，菜羹香，诗书滋味长”作者考证

邓咏秋

我得知这句话，最初传作“布衣暖，菜根香，读书滋味长”。后来，布衣书局在网上征集广告语，有一位网友转引了这句话，说是朱熹的原话，在此基础上，稍作改动，成为“布衣暖，菜根香，淘书滋味长”，从而一举夺魁。这句“朱子”名言说得非常妙，我于是收集到我和李天英合编的《爱上阅读》（武汉大学出版社 2007 年 4 月版）的“关于阅读的妙语疯言”一篇中。

2007 年 4 月，我去三峡一带游览，在白帝城无意中看到墙上的石刻，写作“布衣暖，菜根香，诗书滋味长”，落款署“刘贞安”，旁边的说明文字介绍说这句话是苏东坡的名句。这时，我对这句名言的原始作者和原始说法产生了怀疑。这句名言到底是谁说的，原文到底是“读书”还是“诗书”呢？

回家后，我立马在搜索引擎上搜索了一番，没想到，越搜越糊涂，说法不一。有说是朱子说的，也有说是苏东坡说的，还有说是文天祥说的，也有人因为郑板桥留下过这句话的墨迹而认为是郑板桥说的，更有说是"三味书屋"塾师寿镜吾之祖训。甚至还有一种说法，干脆说这是一句谚语。那么，这句话到底有没有原始作者呢？

鉴于搜索引擎不可能帮我找到答案，我只好另想办法。与历史系出身的师兄讨论了一下，他认为，古人说话不应该像今人这么直白，听起来"读书"这个词放在这句中显得太现代，可能作"诗书"更像古人原话。至于原始作者，他说要查《四库全书》，好在现在《四库全书》有了电子版，我便找清华大学图书馆的师妹王媛帮忙来查。

果然，《四库全书》帮助我找到了答案，上面提到的作者都不是，而是宋末元初诗人、画家——郑思肖作的。这三句虽短，却是他所作的《隐居谣》这首诗的全文。原来大家所传的名言，错了两个字，不仅"读书"应作"诗书"，而且"菜根"应作"菜羹"。

《四库全书》集部中的《宋诗纪事》（[清]厉鹗辑）和《全闽诗话》（[清]郑方坤辑）都记载了这首诗歌。现在我把自己查找这句名言的作者的经历记载下来，作为我的勘误，也希望这句名言的作者能被大家记住。

附：《宋诗纪事》（卷八十）和《全闽诗话》（卷五）上所载的诗文：

隐居谣

郑思肖

布衣暖，菜羹香，诗书滋味长。

《宋诗纪事》所载作者介绍：

郑思肖：思肖，字忆翁，号所南，福州连江人。太学上舍应博学宏词科，元兵南下叩阍，上太后幼主疏，辞切直忤当路，不报。遂客吴下，寄食城南报国寺以终。有《锦钱集》、《一百二十四图诗集》、《咸淳集》、《中兴集》。

第三章 家庭阅读的理论探讨

探讨家庭阅读这一问题，首先要对其涉及的概念作一界定和解说，这既是研究的起点，亦是立论的前提。就语法结构而言，“家庭阅读”既可以理解为并列式短语，也可以理解为偏正式短语。在前者，就是“家庭+阅读”；而在后者，即为“家庭的阅读”。语法上认识的不同，直接影响我们对这一问题的判断。

布面油画《阅读》
[法] 贝尔特·莫里索创作，现藏美国华盛顿国家美术馆。

在本书中，我们将“家庭阅读”理解为“家庭的阅读”，它不是简单的、机械的二者相加，而是特指各种阅读形式中的一种，即以家庭为集合单位的阅读，它是一种集体性阅读。当然，作为精神领域活动的阅读终究要落实在作为个体的人身上才具有现实性，但是这并不妨碍我们对家庭阅读展开讨论，关键在于，在家庭阅读中个体化的阅读行为是如何加总为集体性的活动的。正如经济学中的阿罗不可能定理所揭示的那样，在大多数情况下，个人选择是不可能加总形成集体决策的。那么，在家庭这样一个单位里，个人的阅读是如何形成集体的阅读，家庭成员是如何互相影响的，他们各自的位置（position）和功能（function）又是如何，这就涉及我们对“家庭”和“阅读”的理解。

第一节　家庭与家庭关系

在中国古代文献中有不少关于家庭的论述，先秦时代的《诗经》即为一例，雅典人的演说和荷马的史诗均对家庭作过描绘，罗马历史学家塔西特斯在其著作中也谈论过野蛮人的家庭，但是把家庭作为一门学科来研究则是发生在19世纪的事。19世纪初，随着资本主义社会工业化、都市化的加速，家庭的功能、结构和观念都发生了不同程度的变化，引起了所谓“家庭危机”，促使人们探讨家庭消费、家庭管理，创建家政学。19世纪40年代，有关家政学的著作在美国问世，阐述了有关家庭预算、子女教育方面的知识，随后在学校中家政学课程开设，家政学会成立。19世纪中叶，社会学学科形成，进一步促进了对家庭研究的学科化，家庭社会学很快就成为社会学的一个分支。

根据日本社会学家森冈清美的看法，家庭可以被定义为“由夫妇、亲子、兄弟姐妹等少数近亲成员构成的，成员之间由深厚的感情联系相互结合而成的，追求初级社会福利的社会集团”。而家庭关系，就是构成家庭这种社会集团的各个成员之间的相互关系。家庭中最为基础的形态是核心家庭（nuclear family）。核心家庭的概念是由美国人类学者马多克（1897）提出来的，它是指由父母及其子女组成的家庭。核心家庭中具有夫妇关系、亲子关系等最为基本的家庭关系，其中亲子关系包括母子关系和父子关系，而在子女数量为复数的情况下还会出现兄弟姊妹之间的关系。对于其他形态的家庭，都可以看做是核心家庭不同形式的组合。

一般而言，家庭关系可以分为具有生物学基础的基本型关系和以这些基本型关系为前提派生出来的派生型关系。所谓的基本型关系，是指夫妇关系与母子关系，这两种关系都是以生物学为基础出现的家庭关系。夫妇关系是得到社会认可的两性结合。在人类社会中，两性的结合不是完全凭借个人意愿的，只有得到社会承认的男女间的社会性两性关系才被认为是正当的两性结合。这种夫妇关系是家庭中最为基本的关系。通过妊娠和分娩这些生物学关系而形成的母子关系是家庭中另一个基本的关系。与之相对应的，父子关系是在处于夫妇关系中的妻子和处于母子关系中的母亲为同一个人的时候，在妻子的丈夫与妻子的孩子之间产生的派生型关系。在一个家庭中，更为重要的不是生物学意义上的父亲，而是在家庭生活中提供生活资料，使孩子的社会化以及获得相应的社会地位方面发挥重要作用的父亲。英国社会人类学家马林诺夫斯基将这种意义上的父亲称之为社会学性父亲（sociological father）。兄弟姊妹关系也是派生型的家庭关系。

在夫妇关系中，存在着四个要素。①为社会所承认的性关系。存在性关系的男女并不一定都是夫妇，他们之间的关系是必须得到社会承认的。②持续性的关系。夫妇不是一种暂时的关系，这种关系要求有一定的持续性。人类的孩子从出生到可以凭借自己的力量生存下去需要相当长的一段时间，必须由成年人保护他（她）的成长。为了保证孩子的成长，夫妇关系必须是一种具有持续性的关系。③权利和义务关系。夫妇关系是得到制度承认的社会关系，存在有一定责任的权利和义务关系。④完全人格关系。作为一种社会性的存在，人是不可能不与其他人发生任何关系而生存下去的。在夫妇关系中也同样存在这样的人际关系的因素，而且结合本身就具有非常重要的意义。夫妇双方都将对方选定为自己的无法由他人代替的对象，夫妇关系是一种互相在对方的人格中发现价值、以与对方在一起为乐趣的关系。

亲子关系与社会化。作为动物出生的人类子女，在成年人的保护和援助下，学习其所属社会的行为方式与生活习惯，一直到成为这个社会的正式成员的过程，在社会学上被称为“社会化”（socialization）。社会化是以学习的能力为基础进行的。社会化是以进行社会规范和价值教育的主体——父母亲和接受这些知识并将其吸收的客体——子女之间相互作用的形式进行的。社会化的顺利进行需要爱护与训练这两个必不可少的因素。爱护的基本内容是对孩子的一切都进行保护，使孩子和父母一体化的“母性原理”。训练则是教给孩子如何区别是非善恶，教导孩子能够与父母分离而自立发展的“父性原理”。家庭在个人社会化过程中居于重要的基础性地位。美国社会学家帕森斯指出，家庭是“生产个性的工厂”，就是从这个意义上说的。家庭对于子女实现社会化主要是通过教育实现的，它包含两方面含义：一方面是指父母为子女的发展确定一个标准，对其离开标准的行动进行控制，使其能够

国家图书馆古籍馆
崔璐摄

按照社会规范来行动的一种社会化形式。另一方面是指父母有意识地教导子女掌握某种技能，而子女同时有意识地学习、采取积极的姿态时才得以成立的社会化过程。

第二节　关于阅读

藏书票

票主是詹姆斯·默里（James A. H. Murray, 1837–1915）虽然仅受过有限的教育，但不妨碍他刻苦自学、博览群书，主编了《牛津英语大词典》初版，并且亲自编写了二分之一多的内容。这款藏书票是1899年由约翰·温尼康博（John Vinycomb）为他设计的，画面表现的则是：在他家花园里的苹果树荫下，有位妇女站在井边，正在转动辘辘把水桶拉上来，鸽子停在井棚上边休息。有两个学者跪在她的前方，端着碗钵。票主的姓氏出现在苹果树上。四周围绕的卷饰上面，有票主引自杜埃版《圣经》中《使西拉智训》的格言："知识的累积必须靠理解力来完成。"

什么是阅读？这个问题似乎不言自明，在生活中素为人们习焉不察。从构词法的角度来说，它包括了"阅"与"读"两个要素，这两个要素之间的关系是什么——并列、修饰抑或是因果？仍有考察的必要。就字面言之，"阅"的同义词是"看"，它是指人们通过眼睛对特定的图案或者信号做出反应的过程，而"读"在《新华字典》中的解释则是"依照文字念"。因此，将这两要素的关系理解为并列关系可能较为恰当。但是，仅仅将这两个字的意思简单相加，却也很难得出我们所要讨论的阅读的概念，而必须有所综合。美国心理学家、教育学家约翰·卡罗是这样描述阅读的："当一个成熟的读者坐下读一本书的时候，其首要任务是获取文字的意思。他的眼睛在书页上从左至右、来来回回地掠过、停顿。当他的眼睛停下来，读者是在接受和识别文字。一个成熟的读者能够自动理解文字，这在于他大量的实践。他利用上下文的意思、语法知识和整体感觉作出对文字瞬间的识别以及对文本的把握。通过一系列眼睛的移动和停顿，读者就从文字中获得了对文章的理解。而训练有素的读者基于其丰富的经验更是可以对这些信息作出结论、引出推论。"卡罗所描述的阅读景象是一种"经典"意义上的阅读，它是最接近我们对阅读的第一印象的。人类社会发展至今日，许多事物的内涵和外延都发生了不同程度的变化，它迫使我们更新既有观念、跟上时代的步伐。

作为诸多人类行为的一种，阅读无疑是人区别于动物的一个重要特征。就构成阅读行为的三个要素而言,其主体是人,其客体是信息。阅读行为的关键不在于人通过眼睛对文字这种信号能够发生反应, 而在于这种反应能够使其理解发出这种信号之人的意思,它是人与人交换信息的一种手段。在人类社会出现文字以前,人与人的交流先是依靠肢体动作,后来又出现了语言,大大便利了沟通。肢体交流和语言交流的共同特点是瞬时性和不确定性,它们所承载的信息同样具有这两个特点。随着生产力的发展,生产关系的递进,人类社会的结构日趋复杂,人们对于信息的保存与传递产生了迫切的要求。文字的出现适应了这一趋势,也只有在这一前提下,阅读行为才能够产生。从阅读的作用机制来看,它实质上是一种信息的解密过程:发出信息的人将信息加密为文字,接受信息的人则将文字解密为信息。文字只是载体,它与信息的关系是手段与目的、形式与内容的关系。因此,从表面上看,阅读涉及的是人与物的关系,而在这种关系背后隐藏的仍然是人与人之间的关系。

从心理学的角度研究阅读,是一条重要的途径,它使人对阅读的本质有了更为深切的了解,其中又以认知心理学为基础形成的阅读认知理论最具有代表性。认知是指人类认识客观事物、获得知识的过程,包括知觉、记忆、言语、思维和问题解决等心理过程。认知心理学的一个基本假设是,人是以思维重现周围世界的。由此观之,人的阅读、写作、听说等行为方式,其本身就是一种思维加工过程,它使人原有的思维结构产生变化,进而形成高一级的思维结构,从而实现不断与外部世界相适应。

根据瑞士心理学家、发生认识论的创立者皮亚杰对人的认识心理机制的研究结果,人们对外部客观对象的认识过程存在着两个相互对立又相互依存的机制。一种机制是:当某一外部客体作用于人的思维时,它与主体的概念范畴库存中现存的语词直接吻合,从而能够顺利地被主体认知结构予以吸收,进而直接转换为主体认知结构内部的语词指称。主体无需对自己原有的认知结构本身予以内部调整和改变,就能够在思维中吸收、同化和包容这一外部刺激,完成对外部刺激物即客体对象予以认知的功能。这种机制被称为同化(assimilation)机制。另一种机制是:当某一种新事物刺激人的感觉和思维时, 主体在自己原有的概念库存中又找不到适当的语词来准确地表述这一外部对象, 也就是说外部事物不能与人的认知结构中原有的任何概念直接吻合和匹配,为了克服这一困难,主体必须对自身的认知结构进行内部调节、补充甚至改组，以最终适应对该客体在自己认知结构中予以吸收的功能要求。这种机制被称为顺化（accommodation）机制。

阅读理解一直是阅读活动的核心问题。阅读认知理论正是试图解释并解决人究竟是怎样理解读物的，包括何谓理解、理解是怎样产生的、怎样进行更为有效的理解等等一系列问题。现代认知心理学认为理解实际上就是一个学习者以信息的接收、编码为基础，根据已有信息建构内部的心理表征进而获取心理意义的过程。表征是认知心理学中的一个重要的概念，指的是知识在学习者头脑中的呈现和表达方式。人的阅读理解是以表征的形式出现的，字、词、句等只是信息的载体，而人的观念、认识和思想是在此基础之上的内心表征形成的结果，这是阅读认知理论研究的基本范畴。阅读不是被动的吸收过程，而是积极主动的构造过程。读者原来的知识与推断能力并不是并列的，读者的推断能力基于原来的知识之上，而且，读者进行推断的目的在于完成一个构造过程。这样，阅读认知理论的基本思想就可以概括为：对读者原来知识的研究、对读者推断能力的研究和对阅读作为一种构造过程的研究。

第三节 家庭阅读的内部互动

要经营稳定的家庭生活，必须形成一种和谐的家庭关系。要形成和谐的家庭关系，家庭成员间的充分了解是非常重要的。

家庭内部的交流大致可以分为信息交流、解决问题、感情慰藉这三种类型。

信息交流是指家庭成员将各自在其生活领域中体验到的事情或自己所思所感的东西相互告诉对方的交流形式。家庭成员

亲子阅读
东莞图书馆提供

广东省开平市关族图书馆正门
吴绍华摄

相互进行信息的交换不仅可以增进相互理解，而且对各自所面临的问题可能会由于交流而得到妥善的处理方法。如果只是希望自己去处理的话，在解决问题的过程中可能会产生更大的麻烦。在信息交流中，一般而言，妻子向丈夫提供的信息量相对较多，而丈夫对妻子进行的交流则相对较少。在父母与子女之间，子女小时候同父母的交流较多，而随着他们的成长，这种交流就逐渐减少了。

解决问题是指为了解决家庭生活中所出现的各种各样的问题而在家庭成员之间进行的交流，也可以说是家庭中决定意志的交流。在这种交流过程中，家庭成员将各自的想法和意见明确地表达出来，同时认真听取其他家庭成员的意见，并通过对各种意见的比较和讨论得出一个综合性的结论是非常重要的。

感情慰藉是指为了得到精神安定，通过家庭成员之间互相理解内在的、情绪性的内心世界，互相包容而进行的交流。这种交流是在现代家庭中新出现的、重要的交流方式。在现代社会的科层化、合理化发展过程中，被纳入巨大组织体系中的人们受到异化，成为一种类似于机械部件的存在方式，导致生活压力逐渐增大。在这种社会中，人们希望得到精神上、情绪上的安宁，其最后的堡垒就是家庭了。

家庭阅读的内部互动可以分为以下这四种类型。

<table>
<tr><td colspan="2" rowspan="2"></td><td colspan="2">父　母</td></tr>
<tr><td>无意识</td><td>有意识</td></tr>
<tr><td rowspan="2">子　女</td><td>无意识</td><td>熏陶</td><td>感化</td></tr>
<tr><td>有意识</td><td>模仿</td><td>学习</td></tr>
</table>

家庭阅读的内部互动具有重要的积极意义。

促进和谐均衡的家庭交流关系。在家庭阅读活动中，父母以及其他家庭成员和孩子在家庭阅读中的角色位置是平等的，每一个家庭成员都可以在阅读活动中充分地表现自己，提出自己的意见，参与平等的讨论和交流。在得到尊重和信任下，孩子会主动地把自己的想法和事情说给父母听，父母就容易对孩子有真正、充分的了解，从而清楚地认识孩子的特点；反过来，孩子也可以更好地理解父母，从而促进了家庭关系的和谐发展。这种和谐的家庭关系为家庭阅读的深入开展提供了坚实的保证。

充分发展孩子的想象力。想象是人类飞翔的翅膀，是开发人类创造力的原动力，世界上一切美好的事物都来自于人类最初的想象。阅读故事正是开发孩子想象力的有效手段。提高孩子的观察能力。现代心理学研究表明，儿童对颜色的敏感度是最早发育的后天能力之一。如果一件物体先以鲜艳的色彩和较大的面积闯入儿童的视野之中，他就会对这个事物产生明显而持久的兴趣。孩子在阅读故事时不仅得到了知识的学习和美的感受，而且形成了敏锐的观察力和感受力，这种观察力和感受力非常有利于孩子的智力发展和潜力开发。培养孩子用完整规范的语言表达的习惯。在家庭阅读中，孩子通过反复的听读模仿，可以学习掌握完整规范的语言，而熟练使用完整规范的语言正是个体日后培养写作和思辨能力的重要基础。

帮助父母在培育孩子的同时注重自身的完善。要想通过家庭阅读对孩子进行有效的教育，父母不仅要掌握合适的阅读技巧，更要创造性地运用所学知识和技巧，在家庭阅读实践中不断探索和学习培养孩子的经验与方法。在家庭阅读实践中，孩子丰富的想象力会改变父母在日常生活中形成的片面和狭隘的见识，促使父母重新审视世界和人生，在积极回应孩子的每一个问题时不断提升自己的思考能力。

附:《曲园课孙草》——邓云乡

俞平伯夫子寄来一张照片:老夫子是侧面背影,正在仔细观看手里捧着的一本书,书的扉页上五个隶书大字,清晰可见,“曲园课孙草”。照片后面题了几个字“此照联接寒舍四代人”。老夫子欢乐之情,从照片中和题字中是可以想见的。

怎么说一张照片连接四代人呢?这就要做一点细致的解说了。“曲园课孙草”是一本书,是曲园老人特地为孙子编写的一本学习八股文的教材,如今拿在平伯先生手中拍了张照片,平伯先生是曲园老人的曾孙,曾祖父写的书,曾孙拿着拍照,不正好是“四代人”吗?

这两本书是我在上海旧书店偶然买到的。因为好多年前,我在章式之先生的一篇文章中记住这个书名。偶然遇到,便以八角钱的代价买下了。买了后写信给平伯师。他老先生听了非常高兴,来信告诉我回京时带回去给他看看,同时还说《春在堂全集》中未收此书。后来我就把书送给先生了。这就是他特地给我寄照片的原因。

社会上往往误解俞平伯先生是曲园老人的孙子,这是有原因的,因为曲园老人俞樾的儿子去世早,未及得中功名就去世了,社会上都不晓得,家中亦很少提起。曲园老人把孙儿当儿子,从小就着意培养,那就是俞平伯先生的父亲俞陛云,字阶青。俞家起名字是按五行金木水火土相生排行的。如金生水、水生木、木生火、火生土、土生金等。曲园老人名樾,是木字边的字,他的下一代起名字便取“火”字边的字,火字边的下一代便取“土”字边的字,所以曲园老人给孙子取名“陛云”,有一“土”在内,土生金,俞平伯先生学名“铭衡”,铭字有“金”字边。又根据“礼记·曲礼”中“大夫衡视”一句的注:“衡,平也。”取字曰“平伯”,伯是“伯、仲、叔、季”的“伯”,就是第一个男孩子。这就是从命名和表字中,都可以看出俞平伯先生是曲园老人俞樾的长曾孙。三十年代初期,林语堂办的《人间世》杂志,每期扉页,都用米色道林纸印一大张学人的照片,印过徐志摩、朱湘、黄庐隐、周作人,丰子恺等位的照片,也印过一张曲园老人拄着龙头杖、拉着曾孙拍的照片。俞平伯先生早在此照刊出前,就曾把这张照片放大印了送人,在《鲁迅日记》中清楚地记载着这件事,照片的背景是有方格子窗棂的老屋,这就是苏州马医科巷的春在堂老屋。也就是李鸿章题匾的“德清俞太史著书之庐”,后面便是海内外闻名的“曲园”。曲园虽小,但在八九十年前,其名气远远超过什么网师园、怡园等等。所谓“诸子群经评议两、吴门浙水寓庐三”,当时中国与日本,两国的学术界,谁不知道身兼苏州“紫阳”、杭州“诂经”两处书院山长(相当院长兼主讲教授)的大学者俞樾——曲园老人呢?直到今天,他写的“枫桥夜泊”碑的拓片,还常常被游人买了带到海外,作为最高雅的投赠礼品。

曲园老人当年有三个住处,即苏州马医科巷曲园春在堂,杭州西泠桥下俞楼,栖霞岭下右台仙馆,这三处哪里是基本寓所呢?主要是曲园,因而老人培养孙儿、培养曾孙,都是在苏州,所以陛云先生的青年时代、平伯先生的童年时代、少年时代都是在苏州度过的。

戊戌那一年(即光绪二十四年、公元一八九八年),俞陛云先生晋京会试,以一甲三名进士及第,即人们俗话常说的“状元、榜眼、探花郎”的探花。中了探花之后,即入翰林院,授编修,从此陛云先生就住在北京,后来在东城老君堂胡同买了房子,院中有老槐树,这就是俞平伯先生在二、三十年代中写文章时,常常说的“古槐书屋”。俞陛云先生在翰林院作编修,是冷官,但这在清代是重要的晋身之阶,几年中放两次主考,到外省取中一批举子作门生,就在官场中有了势力。编修如外放,一般是道员,弄得好,很快升臬台、藩台,署抚台,就是封疆大吏了。陛云先生一九零二年放了一任四川副主考,写了一本《入蜀驿程记》,是仿宋人行纪的写法,记由京入蜀的行程的。放主考之后,没有几年,清代就结束了。陛云先生未能再做清代的大官。后来一直住在北京,直到进入五十年代才去世,享寿八十三岁。

陛云先生是著名的词人,他的词集名《乐静词》,叶遐庵编《箧中词》亦收有他许多首词,他的词的格调

用现代印刷技术复制出版的线装书，带给我们一种回到古代书香之家的感觉。
北京图书馆出版社提供

是花间正宗，不沾豪迈蹊径。下面举一首无题《浣溪沙》可见一斑：

风皱柔怀水不如，碧城消息近来疏，嫩凉人意倦妆梳。　锦幄明灯鸳鸯梦，文梁斜日燕窥书，瞢腾浑不信当初。

可以看出，从字句到意境，都是婉约一派的。陛云先生少年时，曲园老人特地为他编了《曲园课孙草》一书来教他制艺。到了陛云先生老年，又因为教孙儿、孙女学旧诗，编写了《诗境浅说》甲编、乙编两种，甲编讲五七言律诗，乙编讲五七言绝句。章式之老先生在序言中说，读到"诗境浅说"，很自然地想到当年的《曲园课孙草》，真是斯文一脉，累代相传，不但未坠家风，更重要的是几代人都在学术上有不同贡献，都为继承和发扬民族的文化作出贡献，这是很不容易的了。《诗境浅说》甲、乙编是开明书局出版的，是两本极为精简扼要的学诗入门书，可惜绝版多年，有哪家书局重印一下才好。由曲园老人到平伯夫子，四代人中，竟有三代学人，真可谓书香门第啊！

引自《文化古城旧事》，中华书局2004年版

第四节　家庭阅读的环境

一、家庭环境

家庭环境因素可以分为两大类：家庭成员的个体因素和家庭的因素。前者又可以分为生理因素、心理因素（人生观、价值观）和文化因素（受教育水平、专业和职业）。后者又可以分为家庭生活方式（经济结构、消费结构、闲暇时间）、家庭结构、家庭人际关系、家庭生命周期和家庭共同目标。

※父母自身因素

1. 父母对子女阅读成就动机发展的影响。成就动机是一种稳定的、追求优异操作的倾向，它具有提高中等程度的儿童阅读效率的作用。一个儿童对阅读的成就动机是由他过去在阅读方

深圳读书月“家庭诵读比赛”

崔璐摄

面的成就行为的经验所决定的。如果一个儿童在阅读方面经常体验到成功，并且经常体验到由于这种成功所带来的巨大的愉快，那么他就有可能形成一种很强和很稳固的阅读成就动机。因此，父母保持对儿童在阅读方面较高的成就期望，细心地评价和奖励他的成就，或对这些活动感兴趣，都会有力地促进其子女阅读成就动机的发展。

2. 父母的社会经济地位和压力。有研究表明，父母的社会经济地位影响着学前儿童的早期文学能力，在某种程度上甚至是儿童后期学习成绩和读写能力的一个重要预测指标，因为社会经济地位较低的父母提供的教育资源较少，对孩子教育问题关注较少，很少与孩子进行分享阅读，不利于儿童后期读写能力的发展。父母体验到的压力对子女往往有消极影响。卡若斯等人的研究表明，父母压力越大，对子女教育关注越低，也就越少与孩子进行分享阅读，特别是当母亲感到家庭压力或夫妻争吵压力时。

3. 父母受教育水平。研究显示，父母受教育水平对分享阅读影响较大，与儿童语言能力发展呈正相关。这是因为父母受教育程度越高，对子女教育越关注，也越喜欢给孩子讲故事，进行分享阅读的次数与时间也都更多。

4. 父母的抱负、期望和价值观。父母的抱负、期望和价值观对子女的阅读有重大影响。研究表明，对孩子的能力有信心、对孩子的成就有较高期望的父母对其孩子的教育抱负也很高。他们认为教育是很重要的，儿童应该积极地与教师以及其他的孩子交往。父母的这些观点很容易影响孩子与教师以及同伴形成一种积极、和谐的关系，他们的孩子也更容易适应学校的环境，更容易在阅读方面取得成功。

在家庭阅读中，一般把成人的阅读风格分成描述者、理解者和任务定向者三种。描述者风格的父母关注对故事人物与情节的描述和说明；理解者风格的父母关注对故事的理解，会经常打断儿童并进行提问；任务定向者风格的父母更多注重对故事的评论和判断，在阅读开始之前和之后都会与儿童进行探讨。伊兰妮等人考察了这三种不同的父母阅读风格对学前儿童语言能力的影响，发现：描述者风格更有利于儿童词汇的获得和书写技能的提高，理解者风格更有利于儿童对故事理解水平的提高，而任务定向者风格更有利于儿童故事审美能力的发展。大多数研究还表明在分享阅读中父母孩子双方的情感交流方式尤为重要。柏金等人在对幼儿园和一年级儿童与其父母的分享阅读进行录像观察评估后，发现父母与孩子的情感关系越好，儿童挫折感越小，越愿意参与阅读，在随后测试中朗读的字词也越多。可见，父母与孩子情感交流的质量能在很大程度上预测儿童的阅读动机和阅读兴趣。

※子女自身因素

1. 性别。女孩早期的语言能力往往好于男孩。有研究表明，从小学到中学女孩比男孩更愿意接受阅读方面的教育，她们的口语能力和读写能力也明显好于男孩。父母往往希望女孩更文静些，给她们买的玩具多是娃娃、书籍等，同时也更喜欢与女孩进行分享阅读。德兰等人的研究表明男孩更喜欢非叙述性文章，而女孩喜欢叙述性文章。安德森等人发现，母亲在对男孩进行叙述性文章阅读时通常要比女孩多读两遍，而父亲在此方面没有多大差别，通常父亲对分享阅读的态度比母亲更积极和活跃些。

2. 年龄。研究者普遍认为父母与孩子开始分享阅读的时间越早，儿童语言能力发展越好。现今普遍认为年龄越早越好，如 9 个月左右的婴儿就可以开始进行亲子分享阅读了，因为这个时期的婴儿已经开始学习说话，能够经常模仿和学习语言了。随着儿童年龄的增长，其知识与语言能力在不断增长，亲子阅读的方式应有所改变。爱德华等人的研究表明，父母在与 9、17、27 个月的婴儿进行分享阅读时，所采取的提问方式、反馈次数及对单词意义的解释等都会随儿童年龄的变化而有所调整。

3. 气质特征。有研究指出，婴儿的气质特征会决定父母是否对他们的孩子进行分享阅读。对注意力持久、对阅读表现出兴趣的孩子，父母更愿意与之进行分享阅读。儿童的气质特征还有可能影响父母改变自己的阅读方式等。

※家庭生活方式

家庭生活方式是指人们在家庭中各种生活活动的典型形式，包括家庭生活条件、家庭生活观念和家庭生活活动。家庭生活条件是指家庭生活活动赖以进行的对象和手段，家庭经济状况是其中的基本要素和首要因素。家庭生活观念是家庭成员对从事家庭生活活动的主观动机和价值观。家庭生活活动是指家庭成员在家庭生活观念的指导下所表现出来的种种行为。

1. 家庭经济状况。它是指家庭经济的来源和数量，以及对收入的支配使用情况和由此决定的家庭生活水平。家庭的经济状况直接与家庭能为其成员提供的物质生活、学习环境和健康条件相联系。家庭经济状况直接影响家庭所能为其成员提

一家三口在图书馆借阅图书和 CD

赵俊玲摄于新西兰

供的教育物质保障。对于极端贫困的家庭而言，家庭首先要维持其成员的生存，甚至所有家庭成员都有可能为谋生而奔波，因此很难为其成员提供阅读所必需的物质保障。对于能够满足家庭成员基本的教育条件的家庭而言，家庭经济状况的差异将影响家庭能为其成员提供的教育和阅读资源的数量和质量，而阅读资源是影响阅读质量的重要因素。阅读的时间以及全家人共同阅读的时间是非常重要的，家庭经济状况会通过影响家庭成员用于阅读的时间的多寡影响家庭的建构，并反过来影响阅读的水平和质量。经济状况较差的家庭更容易因经济问题而发生矛盾和冲突，这会影响到家庭成员的心理健康，进而对家庭阅读产生消极作用。

2. 家庭消费结构。家庭的消费可以分为三部分：用于日常基本生活需要的开支，用于改善家庭物质生活的开支，用于改善家庭精神生活的开支。对于已经解决了温饱问题的家庭而言，主观的消费观对家庭的消费结构起着更大的影响。显然地，用于精神生活开支的比例越高，则越有利于家庭阅读的开展。

3. 家庭闲暇时间。它是指家庭成员在工作时间以外可以自由支配的时间。家庭闲暇时间的长短受其经济状况、成员职业特点等多种因素影响，闲暇时间中进行的活动则受成员年龄、兴趣以及可利用资源的多寡等因素影响。闲暇时间长、闲暇活动文明的家庭更有利于形成家庭阅读的氛围，而闲暇时间短或没有、闲暇活动庸俗的家庭则很困难。

※家庭结构

家庭结构作为微观环境中一个重要的因素，会通过影响家庭成员的人际关系以及家庭成员的心理状态进而影响家庭阅读的效果。家庭规模的大小会直接影响家庭成员在家庭生活中的地位以及家庭人际关系的疏密。在核心家庭中，人际关系非常简单，与祖辈的离居以及没有兄弟姊妹这些因素使得独生子女成为家庭的中心，由于子女没有直接的独立作用，故而在三合体中很难建立起严格的等级观念，成员互动的直接性使家庭的决策过程更趋民主，子女同辈玩伴的减少使得父母不得不改变传统

让我也看看
邓咏秋摄

的角色充当孩子的玩伴，从而使亲子关系更加平等。这对于促进家庭阅读都是有利的因素。从家庭的完整性来看，非常态家庭对于家庭阅读则有很大的阻碍。在这种家庭中，父母特殊的婚姻关系会影响到他们对子女教养的感情投入，在教育态度上也容易采取极端的方式。

※家庭人际关系

不同的夫妻关系使夫妻对待生活的外在目标和夫妻间的情感关系各不相同，同时还影响到在子女身上的感情投入。家庭的共同目标和家庭成员之间的情感联系都是凝聚家庭阅读的重要因素，夫妻关系的特点会直接影响夫妻开展家庭阅读的共同意愿、强烈动机以及感情投入。总体而言，以爱情关系结合在一起的夫妻，在生活中能平等合作的夫妻，在生活发展趋势上是一体型的夫妻，他们所在的家庭更容易开展家庭阅读。

家庭成员间平等、民主和相互尊重的人际关系，畅通无阻的沟通，创新精神，这些都是促进家庭阅读的重要动力。改变家庭成员间的人际关系，建立民主型的家庭气氛，本身就是开展家庭阅读的内在要求。真正的对话和聆听以及交流是以平等对待对方为前提的。不同的亲子关系会影响到家庭成员的发展，尤其是对子女情绪、情感以及个性的健康发展产生重大的影响。一个拒绝向孩子学习的家长不是一个具有正确学习观的家长，也就不可能成功地进行家庭阅读。

※家庭生命周期

一对青年男女缔结了婚姻关系就意味着一个新家庭的诞生，之后家庭会增加新的成员，随着家庭成员年龄的增长，家庭的发展变化如同个人的发展一样，中间可以分为几个不同的发展阶段，直至最终解体，这就是家庭生命周期。在生命周期的每一个阶段，处于不同年龄阶段的家庭成员都有各自要完成的重要任务。每个阶段的不同任务决定了家庭成员在生命周期的各个阶段都有不同的需要，从而形成不同的动机和态度。真正的动力总是来自于主体某种特定的需要，不同生命周期的家庭有不同的阅读需要，选择合乎特定需要的阅读内容和适宜的阅读手段，才可能激发家庭成员的阅读热情。

※家庭共同目标

家庭的共同目标一般指家庭成员之间的相互承诺，对彼此生涯愿望的相互支持，改善生活质量的共同期望和决心，它是一种为家庭成员认同和接受的对于个人以及家庭未来生活的一种希望和信念。这种共同目标的有无，会影响到开展家庭阅读的动力。

二、社会环境

社会环境因素包括社会发展水平和相关机构指导。

※社会发展水平

从原始社会、农业社会、工业社会至今，人类已踏入信息社会，以科技革命为先导的变革在各领域都以空前的高速度和快节奏迅猛前进。回顾历史，在社会发展的各个阶段，阅读分别呈现出鲜明的时代特征。

中国在历史上经历过漫长的封建社会时期，小农经济、儒家伦理和专制皇权这三位一体的结合使得中国的封建社会呈现出一种超稳定结构，绵延两千余年，直到鸦片战争爆发、国门洞开，这种社会结构才开始逐渐瓦解，中国走上了被动的现代化之路。在儒家伦理支配下的中国人，其阅读面貌如何，这里兹举一例。

李慈铭，生于清道光九年（1830），卒于光绪二十年（1894），其最有名的著作为一部《越缦堂日记》，而后人从中辑录出的《越缦堂读书记》则可以大概反映出那个时代士人的阅读范围和思想世界。《清史稿·文苑传》说他“日有课记，每读一书，必求其所蓄之深浅，致力之先后，而评骘之，务得其当，后进翕然大服”。《越缦堂读书记》共涉及经、史、子、集、丛五部之书，计有：经部——易类 8 种、书类 18 种、诗类 29 种、礼类 29 种、春秋类 27 种、孝经类 1 种、四书类 25 种、五经总义类 16 种、小学类 62 种；史部——正史类 41 种、编年类 14 种、纪事本末类 4 种、别史类 11 种、杂史类 36 种、诏令奏议类 1 种、传记类 39 种、载记类 10 种、时令类 2 种、地理类 41 种、职官类 4 种、政书类 11 种、目录类 25 种、史评类 12 种；子部——儒家类 11 种、兵家类 3 种、法家类 2 种、农家类 2 种、医家类 6 种、艺术类 40 种、谱录类 6 种、杂家类 98 种、类书类 10 种、小说家类 51 种、释家类 8 种、道家类 6 种；集部——总集类 38 种、别集类 209 种、诗文评类 18 种、词曲类 19 种；丛书——汇编 23 种、类编 12 种。

仅从种类而言，其阅读广度和深度应该说达到了中国传统文化下士人所能及的相当高的水平。然而从结构分析，我们会发现其书大多集中于人文社会科学类，甚少涉及自然科学，在人文社会科学中又以哲学、伦理学、历史学和文学为主。这样

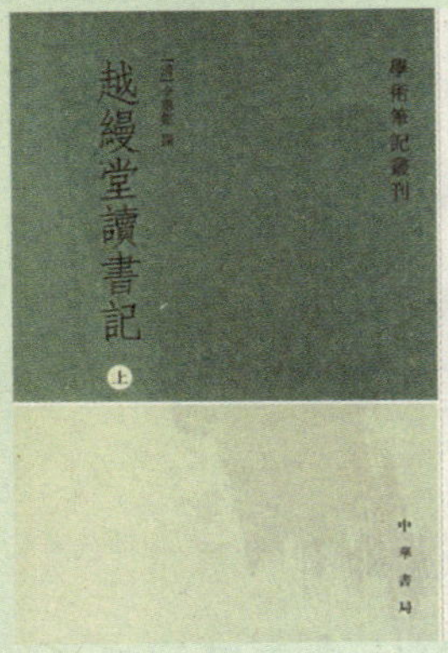

上：亚马逊电子阅读器

崔璐供稿

下：《越缦堂读书记》封面

（清）李慈铭著，中华书局，2006 年

一种阅读结构和中国传统社会的发展水平是密切相关的。在漫长的小农经济为基础的自然经济条件下形成的上层建筑必然处处体现出其经济基础的鲜明特征：在中国人的传统思维中，形象思维始终占据主导地位。就儒家学说而言，它的伦理意味要远大于哲学意味，它在本体论上缺乏清楚明晰的判断，或者说，它根本没有兴趣去探讨世界的本体这一问题。后来经程朱理学的发展（引入佛教的一些概念），儒家学说开始隐隐然带有了本体论的意味，但是由于缺少自然科学实证材料的注入与支撑，它仍然不能很好地解释世界的本体究竟是什么，而只能在概念上打转。这突出反映了中国传统社会的早熟这一特点：生产力水平过早地达到了一定高度，人们的兴趣更多地集中在处理人与人的关系上，而不是处理人与自然的关系上——儒家倡导的内圣外王之道本质上就是一种处理人与人的关系的方法，内圣是处理个体内心世界的问题，外王则是处理个体与其他个体的问题。因此，中国历史上的生产技术长期没有得到跨越式的发展，呈现出一种低水平的均衡。这反映在士人的阅读中就是鲜有自然科学方面的书籍。自然科学水平的低下会对人文社会科学的发展起到消极的阻碍作用，人们不能在改造自然中获得对自然新的认识，也就很难产生改造社会的愿望，进而获得对社会新的认识。

学习的人们

崔璐摄

深圳图书馆外观
崔璐摄

※相关机构指导

如果说社会的发展水平为家庭阅读提供了宏观环境，那么，相关机构的指导则在一定程度上为家庭阅读提供了实现的可能性。家庭阅读是开放的，它不局限于家庭物质环境之中，亦不局限于家庭成员之间的封闭式阅读。现代教育倡导学校教育、家庭教育和社会教育的协同作用，而这三者的关系在事实上也越来越密切。从实践的层面来看，学校、社区以及相关机构的指导能对家庭阅读起到很大的促进作用。

以学校为例。在学校中，教师与学生的交往方式对学生的阅读效果和他们的成就动机有显著影响。当教师和学生相处一段时间以后，教师就会用所获得的有关学生的信息去构建对学生的期望。教师的期望对学生的阅读成绩有很大影响。教师的期望常常转化为具体的行为。教师对待期望高和期望低的学生的方式是不同的。通常，期望高的学生会得到更多的奖励，被提问的机会也更多，而且学生自己也能够意识到这种差异。这些期望高的学生对阅读具有更为积极的态度，更容易在阅读方面获得成功，而这种成功的经验对他们成就动机的发展有很大的促进作用。在某种意义上来说，学校的重要特征之一就是有大量的同伴。儿童一进入学校就开始通过与同伴进行比较来评价自己的行为和态度。在对待阅读的态度上更是如此，他们会尽量去符合同伴的标准。儿童在同伴集体中的地位也有作用。在同伴集体中，聪明的孩子受欢迎，较迟钝的孩子不太受欢迎，低成就的孩子更是如此。由此而造成的结果是，这些孩子会形成他们自己的群体，这些群体的特征之一就是对包括阅读在内的各方面所取得的成就不赞赏。总的来说，老师和儿童的相互作用是影响儿童阅读成就行为的重要社会因素，他们介入儿童阅读活动的程度以及他们对儿童在阅读方面获得成功的价值的看法，都将影响儿童阅读动机和阅读机能的发展。一个人对自身成就的判断，有赖于一个人所体验的成功或失败的一致性。因此在阅读中让孩子有尽可能多的成功经验是非常重要的。

西方发达国家的经验。①政府提供足够的政策资源和公共服务来促进儿童早期阅读的发展，这一领域是政府教育工作的重头戏，在美、英等国家，儿童早期阅读促进活动都是不折不扣的“国家工程”，对国家的教育资源配置（如图书馆的建设）和社会氛围的创造都起到极大的推动作用。②重视对学校教育资源的整合利用，重视对教师的培训和再教育，在经费安排上有所侧重，在活动的组织上强调学校的参与。③依托于社会化、产业化的服务向家庭提供早期阅读教育服务，像跨国性的教育服务集团（如 McGraw-hill, Pearson Learning 等）都成系列地大量出版针对性强的儿童读物。④非常重视儿童早期阅读的研究，美国成立了很多学术组织和社会机构进行专业研究（如阅读协会等），确保研究的持续、高水平进行。⑤以社区和家庭的参与为依托，重视家庭读书环境的建设和社区读书生活的组织。在美国大多数中产阶级家庭，父母每天和孩子一起读书已经成为一种习惯，其国内实施的“家庭伙伴关系计划”更是将学校、社区和家庭紧密的结合在一起，多方共同开展儿童早期阅读活动。

第五节　家庭阅读的新概念

一、亲子阅读

所谓亲子阅读，是指父母和孩子围绕图书展开讨论、交流的一种分享性的、个性化的阅读活动。父母和孩子共同参与的亲子阅读，是帮助幼儿成为自主阅读者的重要途径。幼儿阅读是需要指导的，他们需要成人，尤其是父母的温暖陪伴。幼儿在未能完全认字读书之前，看懂图画书并享受其中的乐趣，是他们一项需要学习的艰巨任务，同时也是他们自主阅读能力成长的重要组成部分。作为培养幼儿基本阅读能力重要途径的亲子阅读，不仅可以开拓其视野，增长其知识，培养其丰富的想象力、创造力等，更可以促进亲子之间的情感交流。在亲子共同阅读图画书时，成人用自己的语言描述画面及讲述对故事的理解，幼儿从听觉途径接受关于图画书的信息，一边听成人的讲述，一边看图画书，慢慢理解图画和文字所传达的信息。可以说幼儿阅读图画书是眼耳并用的，他们从画面上得到了视觉上的享受，同时借助成人的讲述印证画面的内容，并且慢慢地感知口头语言和书面语言的对应关系。

※亲子阅读的形式

平行式的亲子阅读。在这种阅读中，父母与孩子一起阅读时，基本不谈论或者很少谈论图书的内容。

偏离式的亲子阅读。在这种阅读中，家长和孩子无视或者忽略书中文字的作用，误读画面内容，过度地注意细枝末节，随意地、过多地无意联想，表面上是围绕图书在交流，实际上已经游离于故事情景之外。

合作式的亲子阅读。在阅读图画故事书前，家长或幼儿会把图画书拿出来放到桌面上，双方指着图画书的封面就书名、作者及画面稍做谈论，接着打开图书，家长

纽约市立公共图书馆
张嵩摄

与幼儿一起看书。在阅读过程中，家长会根据幼儿的反应，如表情或肢体动作来判断幼儿对故事的理解，并及时调整讲故事的语气和语调或改变讲故事的方式。当相同的语言反复出现时，家长通常会尝试让孩子预测即将发生的事。在阅读过程中，家长偶尔会提问以了解孩子对故事的理解。在看完图书后，家长一般会通过提问方式，帮助幼儿回忆故事内容、角色、情境、问题、解决办法等，并鼓励幼儿表达自己对故事的感受及想法，让孩子将故事所讲述的事件与自己的生活联系起来。无疑，这种亲子阅读是最为理想的状态。

※亲子阅读的独特价值

情感价值。亲子阅读对于孩子来说，首先是得到爱与快乐的途径，当父母给儿童阅读时，会尽量营造一种温馨亲切的环境，他们大声朗读时，常将幼儿抱坐到膝头或紧靠着他们坐在一起，他们的注意力全部集中在儿童的反应上。阅读是家长和儿童相互作用的结果，是一个令人满意的人际关系经历的必然结果。中国阅读协会副主席伍新春认为：“幼儿阅读的过程就像是一个与家长、教师共同游戏的过程，既让幼儿享受到阅读的乐趣，也让幼儿享受到父母、老师的爱，而且这种享受是由父母和幼儿、教师和幼儿一起阅读共同创造的。在这种阅读活动中，幼儿带着听有趣故事的平常心态和父母或老师一起阅读，阅读活动中的视觉、听觉、触觉的信息都由大脑诠释为安详、惬意、深切的亲情。由此，阅读自然就成为幼儿的一种甜蜜享受。”

发展价值。许多教育学家和人类学家强调给幼儿阅读的重要性，可以促进其早期读写能力的发展。几乎所有的学者都证实儿童在早期有机会接触书籍并能和家长分享阅读，对他们语言理解能力、读写能力的发展至关重要。可以将亲子阅读的独特价值归纳为一种亲子间传递情感和知识的活动，对于幼儿而言，他更是借助阅读享受与家长在一起的时光。

※　亲子阅读的影响因素

亲子阅读是一种强调亲子间互动的早期阅读方式，同时它

《可爱的鼠小弟》封面
［日］中江嘉男／文，［日］上野纪子／绘，南海出版公司，2005 年

也要受到外界其他因素的影响。这些影响可分为内部因素和外部因素。

内部因素。幼儿和父母在亲子阅读中的行为特质与家长的学历存在显著相关，即高学历的家长给孩子购买的图书较多，在亲子阅读中表现出更多的支持性与坚持性。家长的自身素质也影响亲子阅读的效果，学历偏低的家长由于知识水平的制约，难以选择适宜孩子的阅读材料，再加上缺乏有效的指导方法及榜样作用，孩子的阅读水平难以提高。还有一些家长把自己的事情放在第一位，对孩子的教育漠然置之，致使孩子的早期阅读能力得不到提高。

外部因素——阅读材料和阅读环境。阅读材料是开展亲子阅读的物质基础和前提条件。儿童读物应该是最浅显易懂的，用大号字印刷，有许多插图。甚至当孩子还不能阅读它们的时候，它们仍然能够激发孩子阅读的兴趣和克服识字困难的愿望。相关研究显示，家庭中儿童读物以图文并茂和以图画为主的图书居多，家长在购买儿童读物时，考虑最多的还是孩子的道德品质培养和科学知识的掌握。同时，阅读水平的高低与儿童的年龄和认知水平有密切的关系，应根据儿童的年龄层次和认知水平来选择和提供不同的阅读作品，阅读材料应体现年龄差异与特色。创设良好的亲子阅读环境——丰富的物质环境、和谐的心理环境——有助于儿童形成持久的阅读行为与习惯。国外的研究显示，在中产阶级家庭中，往往有大量的书籍和报纸杂志等，文字教育的载体对于儿童来讲触手可及。从孩子出生那天起，父母就送书给他们作为礼物，渐渐地孩子就拥有了自己的“图书馆”。父母在阅读过程中，总是以积极、开放的心态和孩子共读、共游戏，父母的角色是多变的，他们是助手、指导者、欣赏者，他们鼓励孩子并常常和孩子一起参与各种的阅读、书写游戏，比如虚构戏剧、扮演角色、语言游戏和比赛等，这意味着儿童在早期阅读能力的培养过程中会得到不同的信息来源、不同种类和不同程度支持。

附：亲子阅读案例

一、设计意图

通过专家的介绍，知道《想吃苹果的鼠小弟》这本书是一本不错的儿童读物，有幸收藏了一本，拿来首先和我的女儿一起阅读，让孩子在亲子阅读中体会读书的乐趣。

二、活动目标

1.通过和孩子一起读书，让孩子感受读书是一件快乐的事情。

2.能够复述故事，可自主阅读。

三、活动准备

物质准备（故事书）

心理准备（读书的气氛）

四、活动过程

（一）观察活动

A.提问：

1.今天妈妈和你一起看这本书，看看封面上都有什么？（小老鼠，苹果树）

2.小老鼠想干什么？（吃苹果）

3.它怎样才能吃到苹果？（爬树，用根长木棍）

B.然后一页一页看书，让孩子注意观察书上的每一页图画，先不给孩子讲，让孩子说一说：看到了什么？小老鼠在想什么？猜猜下面谁会来呀？从角色的表情、动作、语言、神态、所处方位等角度，细致地观察，鼓励孩子把"看到的、想到的"说出来。

C.例：第三页，我问她："看看谁来了？它在干什么？"（小鸟，摘了一个苹果）

小老鼠在想什么？（也想吃苹果）

小老鼠在干什么？（想飞）让孩子观察小老鼠的表情和动作，并模仿一下，这时候孩子觉得很有趣，很开心。

D.在结尾的时候，小海狮来了，让孩子猜猜结局会怎样？小老鼠吃到苹果了吗？怎么吃到的？

（二）成人讲述活动

由成人来讲故事，孩子听。在成人讲故事的时候，孩子看着书，成人把每一个环节，尤其是有悬念的地方，还有小老鼠夸张的动作表现出来，让孩子在理解作品的同时，体会读书的快乐。

（三）幼儿复述活动

在幼儿复述的时候，成人做一个很好的听众，并给予孩子鼓励。

（四）游戏表演活动

其中一人当小老鼠，另一人扮演其他的小动物，表演这个故事，并且配合那些夸张的动作。

五、效果及反思

在这个愉快的故事中，在一页一页翻书的同时，孩子和许多动物交了朋友。通过对下一个故事情节的猜测，训练了孩子的想象力和思维能力。在孩子看到小老鼠因为想吃苹果而做出那么多夸张的动作的时候，孩子发出了笑声，体会到读书也是一件快乐的事。但这本书对于五岁的孩子来讲，有一些简单，当我讲完第一遍的时候，她就可以复述并自主阅读。

引自"河北教师教育网博客"http://blog.hbte.com.cn/userl/4856/archives/2007/20220.html　作者：星愿

二、分享阅读

分享阅读（shared-book reading）是20世纪70年代末80年代初由新西兰教育家赫德威等人首创的一种成人儿童互动式早期阅读法。它是指在轻松愉快的亲密气氛中，成人和儿童并非以学习为主要目的地共同阅读一本书，这是一种类似游戏的活动。起初以成年人为儿童逐字朗读为主，多次重复之后，随着对故事情节和语言的

深圳图书馆“阅读分享”活动

崔璐摄

熟悉程度提高，逐步提高儿童对阅读活动的参与水平，使其在整个阅读中发挥越来越大的作用，并最终过渡到儿童自己独立阅读。

赫德威在系统研究了口语能力和读写能力的区别和联系以后认为，儿童学会说话的过程是一种发展性的学习，它发生在儿童出生后一直到上学前以及儿童的学校生活之外，是儿童日常生活的自然组成部分。发展性学习具有以下特征：高度个体化，不具备竞争性；教的时间短，学的时间长；自我监控；与真实生活中的具体目标密切联系；对自然环境中成人行为方式的观察和模仿。而儿童进入学校之后所接受的读写教育往往脱离现实情景，缺

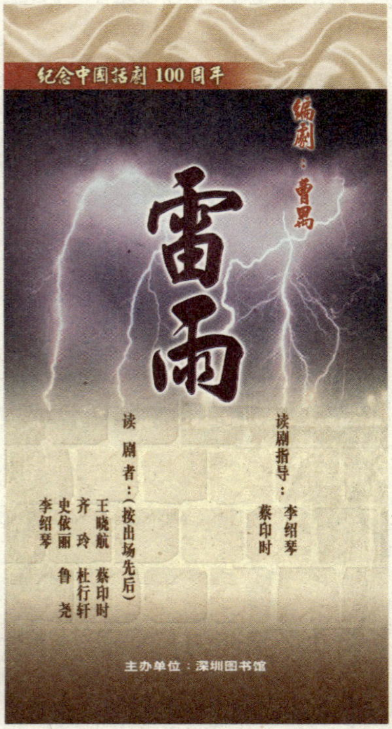

深圳图书馆“读剧”活动海报《家》、《雷雨》

乏真实的目标，完全由教师监控和管理，强调竞争，注重机械联系和训练，造成儿童对于学习阅读和写作缺乏价值和意义感，没有内在的学习动机。与口语的学习过程相比，儿童在学习阅读时面临着两个难题：缺少对书面文字的接触经验和缺乏学习的动机。作为一种复杂的人类行为，阅读不仅需要必要的知识准备，还要求学习者具备一定的技能，如正确地取放图书、准确地逐页翻书等动作和技巧。对于图文并茂的书籍而言，还需要儿童具备观察画面的技巧，包括逐渐掌握将图画中的事物与实物进行对比并能分辨二者之间关系的能力，判断书中整体与部分关系的能力，熟悉并掌握从上到下、从左到右以及画面排列顺序规律的阅读规则。

深圳大学科技图书馆外观

崔璐摄

在西方国家的中产阶级家庭中，儿童入学前其家长习惯在孩子临睡时朗读一段配有插图的小故事，这种不以学习为目的的愉快阅读经验会对儿童入学以后读写能力的发展带来良好的促进。这种阅读为儿童提供了一个进行发展性学习阅读的机会。家长在儿童面前的阅读行为为儿童提供了一种真实、自然的阅读活动示范，这种不以具体学习任务为目的的愉快阅读经验，没有参与竞争和完成一定任务的外在压力，注重让儿童充分享受阅读带来的乐趣，由儿童自己掌握阅读的速度和进程，没有他人的监控，儿童能够怀着听一个有趣小故事的愉快心情，真实地参加阅读活动。

为了能够在教室中尽可能地创设家庭中亲子阅读的氛围，保证师生之间也拥有亲子之间共同阅读的亲密感和分享感，赫德威将分享阅读所使用的图文并茂的书籍进行了放大，使全体儿童都能够在倾听教师及同伴介绍、朗读和讨论故事的同时看到相应的图画和文字。正因为如此，分享阅读也被称为“大书阅读”（big-book reading）。

在分享阅读过程中，教师在引进一个新的分享阅读故事时，先对故事的题目进行简单介绍，再向全班展示故事的插图，以激发儿童的兴趣并引起相关的讨论，激活儿童的已有知识，让他们能够把将要阅读的故事和自己个人的生活经验联系起来。然后教师用自然语速向全班朗读故事的内容，并不时停下来向儿童作必要的解释，以确定儿童能够真正理解故事中的语言。当儿童对故事的语言比较熟悉之后，他们也可以参与到阅读中来，和教师一起朗读。在延伸活动中，教师可以根据儿童的具体情况和故事的类型采用各种各样的形式，比如根据故事进行表演、再次学习故事中的某些词汇和语言、自己创作图画并命名等。以后，教师还可以再次朗读故事，让更多的儿童参与到阅读活动中，让儿童集体朗读或配对朗读，甚至可以让儿童自己尝试用自己的语言改编故事。对于儿童特别感兴趣的故事，可以多次在课堂中使用，直到几乎所有的儿童都能够独立朗读。

用苏联心理学家维果茨基的社会发展理论来看分享阅读，虽然教师所呈现的阅读任务超前于儿童现有的发展水平，但是教师的示范和协助作用为儿童提供了一个适当的支架，帮助他们参与阅读并理解书面文字，其任务难度虽高于儿童的已有水平，却也并非完全不能达到，而是刚好位于儿童的最近发展区之内，故而能收到良好的教学效果。在分享阅读中，成人和儿童可以针对故事内容及语言进行提问、讨论和协商，形成一种持续的互动。随着儿童对故事语言和情节越来越熟悉，对阅读活动的参与水平也越来越高，与此同时，教师逐步退出阅读活动，让儿童在阅读活动中发挥更大的作用，在随后进行的与故事内容相关的重复阅读以及其他活动中，对阅读活动的控制权逐步转移到儿童身上，最终实现儿童的独立阅读。

不论是描述性研究还是实验研究都表明，分享阅读对儿童语言能力、早期读写能力和后期学业成绩都有重要的影响。研究者认为分享阅读由于强调轻松愉快的学习，注重让儿童充分享受阅读带来的快乐，有助于提高儿童对阅读的兴趣，而这种阅读兴趣对儿童今后读写能力的发展和学业成绩起着关键作用。如儿童对阅读活动越有兴趣，就越愿意参加阅读或与文学相关的活动。儿童阅读兴趣的有无也会影响父母对他们进行阅读活动的次数及时间，进而影响儿童阅读和语言能力的发展。

附:分享阅读案例

★《小船》第一课时

目标:

1.从分析书的构成做起,引导幼儿充分观察各页中船的特点。

2.让幼儿知道船的基本构成以及船帆的作用。

3.引导幼儿认识书的构成。

准备:大书

过程:

1.老师直接出示大书封面,然后和幼儿一起来看。让幼儿说说:封面上有什么东西?有什么相同的地方和不同的地方?书名叫什么?为什么这么叫呢?那你们觉得书里会讲些什么呢?

2.展示画面,和幼儿讨论每页中船的样子,构成、主要的功能、是由什么材料做成的、你们在什么地方见过这样的船?坐这样的船会有什么感觉?

3.展示最后一页时,让幼儿看看这上面的船和后面的船有什么不同的地方?你能找出前面见过的船吗?你们觉得这一页讲的是什么意思?帮助幼儿认识到这一页是前面各页内容的一个综合。

4.教师和幼儿一起朗读故事:教师把遮盖的文字露出来,并开始朗读。在最后一页时,要在出现文字后再借助图画来让幼儿理解什么是"美丽"。

5.教师带领幼儿一起读几遍,再让幼儿以分组等形式读几遍。

反思:上午的研习活动是分享阅读《小船》第一课时。教师一出示大书,幼儿就兴奋起来,都说好多船呀!幼儿开始自己讨论,有的幼儿说:"在大海里看过船。"有的孩子说:"在公园的湖里看见过船。"有的幼儿说:"在小河里见过船。"有幼儿说:"坐在船上,会有很大的风吹过来。"有的幼儿说:"坐在船上和坐汽车一样会摇摇摆摆的,有时候还会想吐。"幼儿讨论完了后就看大书,幼儿看得很认真,也很喜欢这些船,在观看书的时候,老师告诉幼儿船帆的作用以及坐船时应注意的安全事项。因图书中的船都是有连贯性的,所以有很多小朋友看了前两页后,都能猜出下页船和帆的颜色。

★《小船》第二课时

目标:

1.练习句型,学习用固定的句型说话。

2.通过一些游戏来使幼儿用颜色自由造句。

准备:大书、小书,卡纸做成的小船。

过程:

1.教师提问,让幼儿回忆在《小船》这本书中提到过哪些船?有哪些颜色?然后再和幼儿一起读一遍书。

2.教师可以准备一些不同的纸,裁剪成船身和船帆的样子,让幼儿来玩:

(1)让幼儿自由选择一种颜色的船身和船帆,再自由地和别的小朋友的船身或船帆搭配成小船的样子,然后让小朋友用书中的句式讲讲他们的船身和船帆的颜色。

(2)让幼儿自由选择一种颜色的船帆或船身,教师说出一个句子来,然后让符合条件的两个幼儿站在一起。如教师说:"红色的小船,白色的帆",说完后,拿着红色船身和白色船帆的幼儿就要站在一起。

反思:大部分的幼儿能用完整的句子来表达什么颜色的小船和什么颜色的帆,而且能较大胆地把自己想到的说出来。小书阅读时幼儿能较好地手口一致地指着字读,接着是一个小小的拓展活动,让幼儿自由选择船身和船帆自由搭配成小船,孩子感兴趣,而且他们能大胆地把自己搭配成的船身和船帆用书面句子完整地说出来。

★《小船》第三课时

目标：拓展幼儿相关的知识，用多种方式表现自己的经验。

准备：各种颜色的彩笔、画画用的纸。

过程：

1.老师和孩子们一起回忆我们所学过的有关小船的知识。

2.教师以“美丽的小船”为主题，让能力强的幼儿在纸上自由地画出他们的船来。能力相对弱的幼儿在老师提供的小船上涂上自己喜欢的颜色。

3.孩子们一起互相欣赏别人做的小船。

4.教幼儿折小船。

反思：在今天的研习活动中，老师和孩子们进行了《小船》第三课时，孩子们对颜色有了更深刻一层的认识，之前已经认识了三原色，现在又认识了绿色、白色、紫色。用多种方式表达自己的经验。

引自“光宇幼教资料”——http://www.gd61.com/user1/79

《蕉荫读书图》
清代吕彤绘

三、快乐阅读

所谓快乐阅读，其要义在于培养读者的个性阅读，也就是说，要通过读者与文本的多方位碰撞，使读者在综合性的情感体验中获得快感和享受，实现人本主义心理学意义上的“高峰体验”。在人本主义心理学看来，作为自我实现者的心理特征，“高峰体验”具有如下三个特点：从主观感受上说，它是一个人生命中最快乐、最心醉神迷的时刻；它同时也是一种“自我体验”、“终极体验”或“存在体验”；从持续的时间看，这一体验往往是短时间存在的，虽然其影响和作用可能长期存在，但是体验出现的一刹那却是短暂的。读者通过主观阅读兴趣的提升与相对轻松的情感释放，逐步达到快乐、享受的精神境界，达到内心情感与文本的契合，实现自我与文本（外界）的认

藏书票

设计者为凯特·格林韦（Kate Greenway 1846-1901）出生于伦敦，是世界著名的儿童读物插画画家，一生设计过十款藏书票。该票是英国传统田园风格的代表 她描绘她姐姐带着两个妹妹和一个弟弟，漫步于田野之间，可以说是英国传统田园风格的理想画面。而且，画中人物可爱的服装竟带动了当时童装的流行趋向，因此，更可以欣赏到她独具一格的画风是多么的富有魅力。

同，并形成真实、深刻的阅读见解。瞬间出现的阅读高峰体验，能让读者领会独特的阅读境界，从而激发潜能，逐渐形成自己的阅读方式和个性化的文本理解。

心理学家皮亚杰曾说："一切有效的活动必须以某种兴趣为先决条件。"阅读亦如是。接受美学告诉我们，阅读主体对文本的欣赏，绝不仅仅为一种简单的刺激反应，也就是说，当文本呈现在读者面前，读者必需充分调动自己的感性和理性经验，感悟并发挥主观能动性进行再创造，唯有如此才能理解文本的真正意义。因此，作为一个对书面符号产生共鸣的复杂的情感活动的过程，就要在兴趣两字上先做文章。不难想象，如果阅读主体对文本产生不了阅读欲望，效果自然难如人意。所谓"感人心者，莫先乎情"，唯有读者先有真情激情，才能真正走进作品、走近作者，实现阅读层次的飞跃。

实现真正有效的个性化文本阅读，进而引领读者达到阅读的高峰体验，关键在于教、学双方的合理定位。在传统的阅读教学中，教师往往根据对文本的规范化理解或自我的主观阅读感受强制性地向学生传达文本的意义，而学生自己对文本的心理感受则在相当程度上被忽略，这无疑会阻碍学生阅读高峰体验的生成。要使学生真正实现个性化阅读，就必须使教师的主导角色隐形，建立师生、生生平等的阅读氛围。教师主导角色的隐形化。在教学过程中，教与学始终是相辅相成的。突出学生的主体作用，绝不意味着否认教师的引领与指导作用，而是对教师如何发挥自己的作用提出了更高的要求。教师的指导作用应趋向艺术化和无形化，教师不仅是一个文本的阅读者，更要成为一个有技巧的传达者，要将自己独特的主观感受隐藏起来，在与学生的讨论、对话中潜移默化地影响学生。建立师生、生生平等的阅读氛围。对于学生来说，描绘自己独特的内心感受，表达自己富有个性的思想和情感体验，从而形成并巩固自己所特有的语感风格是非常重要的。语感作为一种能力不是靠灌输生成的，而是学生在言语活动的实践中经过长期、反复的亲身实践，有意识、不断地亲身体察，及时总结进而反馈、纠正、巩固、加强而形成的。同时，语感也不是孤立存在的，它是和综合语言实践紧密地融合在一起的。因此，教师要鼓励学生通过体验、实践、讨论、合作和探究等方式，发展听、说、读、写的综合语言技能，教师在教学中应以听、说、读、写等语言实践活动为主体，以语感能力培养为落脚点，有计划、有目的地加强学生英语语感能力的培养和训练。教师通过大量语言实践培养学生的语感，这既是基本方法，也是根本途径。学生最需要的是别人的关怀、喜爱和肯定。为此，教师要着力构建师生平等、生生平等的阅读氛围。在这种氛围中，学生袒露自己的想法，形成属于自己的独特的体验或理解，少数获得阅读高峰体验的学生还可以成为其他学生的老师，通过生生的交流、对话，使更多的学生获得既准确又有自己个性的阅读体验。

四、阅读治疗

阅读疗法（bibliotherpy）一词源于希腊语，由“图书”和“治疗”组成，也可称“图书治疗”，顾名思义，是指利用阅读图书达到治疗疾病的一种方法。《韦氏新国际英语词典》第三版对该词释义为：指导患者阅读精选的阅读材料，作为内科学和精神病学上的一种辅助疗法，亦指通过有指导的阅读帮助解决个人问题。治疗时，首先根据医生、教师、监护人等观察和患者自述，确定引起精神障碍或行为偏差的原因，然后按照“在适当的时间，给适当的读者，提供适当的图书”的原则，开列所需阅读的图书，嘱患者依一定的要求阅读。

阅读疗法在西方已有几百年的历史。早期的阅读疗法带有明显的宗教色彩，如中世纪开罗的 Mansur 医院在治病时，有阿訇日夜为病人诵读古兰经。18—19 世纪，英国、法国、德国的内科医生在处方中常开出有利于康复的书籍。许多诊所、医院都有一定数量的藏书。美国的B.拉什被认为是已知的第一位有意识利用书单治病的内科医生，他于1810年呼吁精神病院不仅要能提供医疗设备，而且要提供有益精神健康的读物，通过阅读减轻病人的压力，矫正病理性情绪状态。1848年，J.M.高尔特在美国精神病学年会上宣读了论文《论精神病患者的阅读、娱乐和消遣》，提出了图书治疗的功能，分析了患者类型及相应的阅读处方。进入20世纪，学者对阅读治疗的研究日趋活跃，bibliotherapy一词出现在医学词典、大型语文词典和医学索引的主题词中。上世纪60年代以后，阅读治疗的应用对象已不再限于精神疾病患者，而是跨出医院，走入社会，扩大到一切需要帮助的人，包括儿童、老人、残疾人、犯人和由于各种原因困居家中者。关于阅读治疗的研究成果在国际上也受到了普遍重视，引起了各学科尤其是教育学、心理学、社会学的关注和参与。

一般认为，阅读不仅仅是对文字符号的理解，而且是心理体验的过程，能够产生感觉、知觉、记忆、思维、语言、情感、意志、兴趣等心理现象。阅读的过程就是读者与作品的感情内涵引起程度不同的共鸣的过程，从而或产生美的享受，或激起某种崇高的理想，或改进处世的态度，这就是书籍摄人灵魂的魔力和魅力。M.莫迪把阅读疗法的作用归结为娱乐、信息、益智和领悟。娱乐，即志愿的、无须付出任何努力的享受性阅读，在悠闲、愉快、平静的心境中怡情养性、松弛情绪、排解忧郁。渴望获得信息是人类的基本需要之一，所有病人和健康人一样希望沟通、表达愿望、被人理解和接受，信息对他们来说同治疗一样重要，尤其是禁锢在孤独、陌生和威胁性的气氛中（如病房），以书为伴有助于缓解与现实的冲突。阅读的信息作用还表现在患者对书的选择反映了他们寻求自我的途径，从中透漏出的人格特征、潜意识中的矛盾冲突和尚未被医护人员知晓的信息，都可以作为明确诊断提供依据。阅读在治疗中的领悟作用就是使病人了解症状的真实意义。

国内学者则以我国古代“情志相胜”观点来解释阅读治疗的作用机制。情志相胜的基本原理是：人体可归纳为五个体系，即肝木、心火、脾土、肺金、肾水，它们是依次相生的关系，同时以金、木、水、火、土的顺序依次相胜，即依次制约。这五个系统也包括情志心理因素在内，悲属肺金、怒属肝木、思属脾土、恐属肾水、喜属心火，情志相胜的依据就是五行制约关系。当一种情志过盛导致疾病时，用另一种对它有相克作用的情志来冲淡、抵消、纠正之，从而达到治疗的目的。和五行、五脏相类似，

弗拉戈纳尔的名画《读书的少女》

以图书为代表的读物也可以根据主题内容为怒、喜、思、忧、恐五种类型，正好和情志相胜理论的要素一一对应。如清朝学者张潮在《幽梦影》中认为："《水浒传》是一部怒书，《西游记》是一部悟书，《金瓶梅》是一部哀书。"每一部图书不管它的内容多么丰富，表现形式如何复杂，但都有一种占主流的思想感情贯穿其中。图书之所以能够治病，就在于它传达给读者的情感恰好减弱或抵消了郁藏于读者心中的不利身心健康的情感，从而缓解、减轻了读者的病情，这也就是阅读疗法的作用机制（如下表）。

正常状态			得病状态		纠正原则	阅读治疗的具体方法
五脏	五行	主情	对身体的损害	声音表现		
肝	木	怒	怒伤肝	呼	悲胜怒	以凄怆苦楚之书感之
心	火	喜	喜伤心	笑	恐胜喜	以阴森恐惧之书怖之
脾	土	思	思伤脾	歌	怒胜思	以冤屈悲仇之书触之
肺	金	忧	忧伤肺	哭	喜胜忧	以诙谐幽默之书娱之
肾	水	恐	恐伤肾	呻	思胜恐	以志趣相投之书夺之

以情志相胜理论解释图书疗法，符合人们的日常经验。上表所开列的阅读治疗作用机制，为心理健康教育中开列"对抗性阅读书目"提供了指导，即通过选择与致病情绪相反或相近的读物，以消除或转化某种消极情绪，或改变某种认知观念，确立某种期望的价值、态度与行为，达成心理保健的目的。

据相关资料介绍，阅读疗法可以用于精神和情绪引发的疾病，如抑郁、焦虑、恐慌、偏执以及心理失调、机能失调、心动过速、夜尿症、阅读障碍、手术应激反应等，也包括对部分生理疾病的辅助治疗，还可以用于生理残疾、慢性疾病、情绪问题、人格障碍等的辅助治疗。随着社会问题与家庭问题的不断出现，许多研究者开始注意用"图书"这种不需吞服的"药丸"来救助有心理隐疾的人们。这些"心"病如果能用这些没有副作用的"药"来治疗并痊愈，对于今天的人们来说无疑是时代的福音。

阅读并不一定意味着治疗，但是当读者能持续地阅读时，例如连续一年有一个固定的阅读速度在进行时，我们就可以假设它有一些治疗的效果，因为阅读会创造出一种想象的空间，它介于内在和外在的世界之间，在这里面我们都是主角，可以将自身投射进去。阅读治疗强调的是图书与读者之间的交互过程，而治疗计划也往往事先经过精心的设计，也具有一定的针对性，例如针对抑郁症、单亲家庭等，除了阅读行为之外也往往安排交谈、心理辅导等活动，有意识地引导治疗者的认识，这些都超出了日常的阅读范畴。而阅读治疗中对采用的读物也往往经过精心的选择与安排，这与普通的阅读行为就存在着根本的区别了。

美国国会图书馆门口的雕塑：飞腾
Jason Morgan 摄

阅读治疗是否具有疗效，需要在实践中加以检验。在很多案例中，出现情绪问题与行为障碍的儿童通过阅读指定的书面材料得到了缓解与矫正。在中国台湾地区阅读治疗开展得比较深入，并且相当有成效，尤其是在师范、幼儿教育领域中有很多积极的探索和经验积累，具有很强的现实指导意义。

阅读治疗作为心理治疗的辅助方式之一，存在着不可取代的优势，最显著的优势在于它不借助于药品或家长、教师乃至社会的权威来进行强制，容易被受治疗者接受。从广泛的意义上来看，几乎所有的图书类型都可以用于阅读治疗，不过在相关研究中，文艺作品被认为是最有利的治疗工具。阅读小说的目的是“娱乐、消磨时间、活跃头脑、驱赶无聊、忘掉痛苦和烦恼以及减轻失眠痛苦”，而非虚构类书可以使读者“集中精力、勤于思考、保持头脑敏捷、引起回忆、激起兴趣”。相当一部分人是为了不失去记忆力和思考力而阅读的。教师、图书馆员，还是精神病专家来进行阅读治疗，必须要经过精心的考虑与选择。需要指出的是，不同的治疗过程、不同的治疗对象也往往需要不同的治疗者。共同的准则是，进行指导阅读治疗的人（有时不一定是阅读治疗师）必须有着坚强的个人性格、真正乐于为他人服务的品质、拥有影响他人的人格魅力，在治疗过程中能够准确地传递信息、情感，发挥治疗中的移情作用，并且遵守治疗的伦理守则，没有企图威胁、控制他人的行为。而且在条件许可的情况下，可以组成治疗团队，团队可以由不同知识结构的人们共同参与。

附 1：书本草

清代文人张潮著有《书本草》。阅读疗法研究者王波认为此文用不足一尺之幅，把中国几乎所有的典籍的药性，适应性、疗效，副作用，服用方法揭示殆尽，大气磅礴，堪称中国阅读疗法第一书目。《书本草》全文如下：

“四书”有四种，曰《大学》，曰《中庸》，曰《论语》，曰《孟子》。俱性平，味甘，无毒，服之清心益智，寡嗜欲。久服之醉面盎背，心宽体胖。

“五经”有五种，曰《易》，曰《诗》，曰《书》，曰《春秋》，曰《礼记》，俱性平，味甘，无毒，服之与四书同功。

“诸史”种类不一，其性大抵相同。内唯《史记》、《汉书》两种，味甘，余俱带苦。服之增长见识，有时令人怒不可解，或泣下不止，当暂停，复缓缓服之。但此药价昂，无力之家往往不能得。即服，亦不易，须先服四书、五经，再服此药方妙。必穷年累月方可服尽，非旦夕所能奏功也。官料为上，野者多伪，不堪用。服时得酒为佳。

“诸子”性寒，带燥，味有甘者、辛者、淡者。有大毒，服之令人狂易。

“诸集”性味不一，有微毒，服之助气，亦能增长见识，须择其佳者方可用，否且杀人。

“释藏、道藏”性大寒，味淡，有毒，不可服，服之令人身心俱冷。唯热中者宜用，胸有磊块者服之，亦能消导，忌酒，与茶相宜。

“小说、传奇”味甘，性燥，有大毒，不可服，服之令人狂易。唯暑月神气疲倦，或饱闷后风雨作恶，即由外感者服之，能解烦消郁，释滞宽胸，然不宜久服也。

费此度日，药已顾所用何如耳，用之而当，虽蛇蝎亦足以奏功。韩信之背水阵，岳飞之不学古兵法是也。用之而不当，即茯苓亦足以殒命，赵括之徒读父书，王安石之信用周礼是也，此又用药所当知。

例 2：明清阅读疗法医案

整理摘录自王波《明清时期的阅读疗法思想和医案》[《中国图书馆学报》2004(4)]

古代最典型的阅读疗法医案发生在清代学者焦循身上。焦循是清代大儒，明经学，通天算，曾著《孟子正义》、《天元一释》、《雕菰楼集》等。他认为读书尤其是读道家的书有代医、代药之功。有一年他患病吐血，诊治后精神欠佳，于是便找来道家的书又读又抄，结果收效不错，恢复了元气。

对于这段经历，焦循如此自述："余庚戌岁至冬患吐血病，虽愈而精气不足。或劝服丸药。余谓以药不若以书，乃留心于道家者流。日诵《老子》、《庄》、《列》及黄帝《素问》凡二年，不知病之何所失也。壬子、癸丑间馆于郭舍人家，与黄解元居相近，时时相过论诗。黄所藏崇德书院所刻诸子书，有余未之见者。无能、天隐尤为当时所好，乃借出写之，得六种。越十年癸亥正月八日，风雪之下，不能出户，取之诵之，憧憧之心，颇为之平，乃知却无病之病，更良于却吐血之病也。灯下书此。"焦循对阅读疗法作用的认识相当准确，他指出通过阅读治疗"无病之病"更胜于单纯治疗"吐血之病"，也就是说对阅读疗法主治的是心理疾病，对生理疾病的治疗只起辅助作用，这跟当代医学对阅读疗法的认识是一致的。

焦循病时手抄的六种道家著作后来被生于晚清、卒于当代的藏书家周越然所收藏。周越然有一次生病，偶然想起焦循关于读书疗病的那段话，于是将这六种书翻出来来重读，结果"不觉心平气和，而头疼全停，咳嗽亦几乎止矣"。阅读在周越然身上产生的疗效使他服膺了焦循的观点，他把自己的感受和焦循的体验加以综合，进一步总结道："据此可知书籍可疗头痛、治咳嗽，即吐血及'心病'等重症，亦有治之至能力。"周越然根据表面现象扩大了阅读疗法的适应症，但没有认真分析阅读疗法治病的原因，识见实际上不及焦循精神。

明清时期小说开始盛行，有的读者在阅读小说时情感投入，心理变化复杂，身患的杂症竟不意自愈。如清代的秦子忱本来是一位军人，有一次因为阅读《红楼梦》，不但治好了疮疾，还激起了创作兴趣，竟立志写出了《秦续红楼梦》一书。他在《秦续红楼梦》一书中的"弁言"中回顾了自己的这段经历："《红楼梦》一书，脍炙人口者数十年。予以孤陋寡闻，固未曾见也，丁巳春，余偶染疮疾，乞假调养，伏枕呻吟，不胜苦楚。闻同寅中有此，即为借观，以解烦闷。匝月读竣，而疾亦赖是渐瘳矣。"

第四章

社会发展与家庭阅读

第一节　新媒介与新兴阅读
第二节　家庭阅读相关网站
第三节　社会变迁与家庭阅读
第四节　书房与家庭阅读

第一节　新媒介与新兴阅读

阅读，从本质上说，是人们认知世界的途径。在文字出现以前，人们通过图像、肢体表达、音乐、语言认识世界；之后，以结绳、象形、拼音而发展出文字。追溯到纸张发明以后的全部阅读史，以纸张为载体、文字为中心的阅读文化经历了漫长的发展过程，其独特而主导的地位延续至今。纸张的质感、白纸黑字间的宁静，构筑了一代又一代人的阅读情结和意境。

科技和媒介的每一次变革，都对阅读产生重大影响。从一百多年前开始，电影、电话、无线电、电视，相继进入人们的生活，这些新的媒介，以影像、声音等多维的方式影响了传统的以文字为主的阅读；如今，随着新媒介和数字技术的高度发展，一个后现代传播的时代正在到来。发达的影视传媒、无处不在的互联网络

奥斯陆公共图书馆大厅俯视图

邱冠华摄

和手机、PDA、个人电脑等个人终端，图像、影音、多媒体等媒介传播的大量信息，“乱花渐欲迷人眼”，对传统的书本式阅读产生了重大冲击。阅读，正进入一个和过去截然不同的时代。

有人对近十年来阅读方式的改变做了如下概括：从文字阅读走向视觉阅读，从纸媒阅读走向网络阅读，从知识阅读走向娱乐阅读……这样的划分虽然失之过简，由于社会、读者、媒介和阅读目的都是分层的，各个层次和类别的读者既有一些相同的阅读习惯，也有非常不同甚至决然对立的阅读方式。但毋庸置疑的是，传统文体阅读的空间已被分割得不再完整，阅读景观呈现日益多样性、全观和多层次。就家庭阅读而言，其影响和变化主要体现在以下几个方面。

一、电视等大众传媒对家庭阅读的影响

进入 20 世纪 90 年代以来，广播、电视等大众媒体迅速进入千家万户，成为大众生活的完整组成部分。据调查显示，目前我国国民接触媒体的时间，不论是在平日还是休息日，电视均高居媒体接触率榜首，远高于报纸、图书；在现代家庭，每人每天呆在电视机前的平均时间达 3 小时之多。

电视，作为有史以来最为完美的声像传播方式，它是社会价值的传播者，获取信息和知识的重要来源，社会教育的导师和消遣娱乐的工具，开阔了最大多数人的眼界。然而，电视所传达的图像世界对阅读文化的冲击同样不容忽视。尤其对缺乏自我约束力和辨别能力的少年儿童，更是影响巨大。电视不仅挤占了阅读的时间，而且对孩童来说，影响了阅读能力的提高和阅读习惯的培养。有专家指出，电视的直观画面、强烈的声像效果，对孩童语言、阅读、分析能力的发展有害无益；另外，年幼的孩子经常看电视，会破坏视觉系统的学习，看电视的时候，眼球很少运动，眼睛只要盯着电视荧光幕，既不用扩大瞳孔，也很少、甚至不用来回移动，而且缺乏一般的浏览活动。这使得培养阅读习惯所需要的搜寻、浏览、对焦的能力受损。由此造成的后果是“看电视的眼睛懒得看书”，伤害了儿童的阅读能力，而且影响到儿童未来的阅读习惯和行为。

无怪乎几十年来，学术界以及民间对电视的批判和抵制一浪接一浪，有学者斥之为“插头接上的毒品”，早在 1984 年，波兹曼的《娱乐至死》对电视做了深度的挞伐。《娱乐至死》的封面设计颇能说明他的立场。图片中一家四口人坐在沙发上，

面对电视机,可四个人都没有脑袋。这是他令人震撼的控告：电视把人的脑子掏空了,人人都成了傻瓜。他批评人们心甘情愿成为娱乐的附庸,心甘情愿成为娱乐至死的一个物种。与此同时,在民间,主张少看电视、定时停机、无电视周、限制儿童看电视、安装电视锁的呼声此起彼伏。

也有技术乐观者持积极态度,看到电视的娱乐性质,也不否认其教育功能。当然,面对新媒体,任何失之偏颇的观点都不可取。电视、广播和网络,任何一种电子媒介都是双刃剑,如何利用其教育和娱乐功能,全靠使用者的态度和策略。

附:《娱乐至死》

《娱乐至死》,[美]尼尔·波兹曼著,章艳译,广西师范大学出版社,2004年版。

《娱乐至死》是对20世纪后半叶美国文化中最重大变化的探究和哀悼：印刷术时代步入没落,而电视时代蒸蒸日上；电视改变了公众话语的内容和意义；政治、宗教、教育和任何其他公共事务领域的内容,都不可避免地被电视的表达方式重新定义。电视的一般表达方式是娱乐。一切公众话语都日渐以娱乐的方式出现,并成为一种文化精神。一切文化内容都心甘情愿地成为娱乐的附庸,而且毫无怨言,甚至无声无息,其结果是"我们成了一个娱乐至死的物种"。

二、网络与阅读

互联网的出现,被称为人类进化史上自"钻木取火"以来最大的进步。网络走进家庭,走进每个人的生活之后,阅读这件事更是发生了难以形容的变化。

美国网络出版商协会(Online Publishers Association)于2002年公布了一项调查结果,在18岁到54岁的人群中有45.6%将互联网作为家庭娱乐的首选,从数量上超过了选择电视的用户。该项调查中有这样一个问题:如果让你的生活中仅剩下两种媒体,你会选择哪两个？结果大多数人将互联网作为首选,而将电视作为第二选择。

随着我国家庭电脑的进一步普及、小区宽带的铺设推广以及互联网使用成本的降低，越来越多的家庭接入了网络，家里已经成为网民上网最主要的地点。将CNNIC(中国互联网络信息中心)最近几次的调查数据进行比较可以看出,我国1.3亿网民中，在家里上网的网民比例2006年为70.5%,2007年增长到76.0%；2007年网民平均每周上网16.9小时,与2006年同期相比增加1小时,达到了新的

《娱乐至死》封面
［美］尼尔·波兹曼著，章艳译，广西师范大学出版社，2004年

历史高度，甚至已经超过了世界上许多互联网发达国家和地区的网民平均上网时长。由此可见，人们对互联网的使用越来越频繁，互联网对家庭生活的影响力也逐步显现。在数字化生存时代，我们的阅读，乃至生存都与网络蒂结下不解之缘。

在网络与生活如此结合的时代，如何看待网络与阅读，如何更好地使用网络与书，是人们经常要思考的问题。

一个明显的影响是：网络分流了传统图书的阅读人群，分流了传统阅读时间。如果说电视症培养了众多"沙发上的土豆"，网络走进家庭，则培养了众多的屏幕守护者。人们读书的时间少了，坐在电脑前读"屏"的时间多了。网络集文字、图像、动画、声音、电视影视等表现形式于一体，以巨大的包容性，海量信息，以及即时互动等特征，拥有传统媒体所不可比拟的优势。"没时间读书"和"不习惯读书"的年青一代，在成为"网络一族"之后，更无暇读书了。

其次，网络阅读的影响力逐渐提高。据中国出版科学研究所第四次"全国国民阅读调查"显示，我国国民图书阅读率连续6年持续走低，国民阅读率首次低于50%；与此同时，网络阅读率

深圳图书馆电子阅览区
陈彦摄

中山大学图书馆多媒体阅览室

吴绍华摄

大幅增长，上网阅读率从1999年的3.7%增加到2005年的27.8%，每年平均增长率为107%。

虽然传统阅读与网络阅读存在着“此消彼长”关系，但我们对网络阅读应该有一个客观的认识。不能因为传统图书阅读率的下降，就对网络阅读持消极甚至否定的态度。

政府已经和正在设计我们国家的数字出版发展战略，正在研发有关数字出版的重点项目工程，我们将借用数字化手段实现我国出版业的现代化，这将是实现中华民族文化复兴的伟大的历史任务。从这个意义上看，网络阅读，连同它所依赖的网络出版是一种先进生产力的标志，是人类进入知识经济社会阶段的重要特征之一，尽管它并非数字出版的全部，而只是其中的一个方面而已。

2007年4月，据书生读吧等机构联合发布《2006年中国电子图书发展趋势报告》统计，截至2006年底，中国电子图书总量为53万种，中国电子图书网站总数为1417个，其中转载网站为1356个，原创站点61个。全国电子图书读者达到4300万人，其中31岁以下年龄段人群总和达到读者总量的74%，成为电子阅读的中坚力量。

另据2007年3月27日,中国出版科学研究所发布《2005—2006中国数字出版产业年度报告》预测,到2010年,新出版的图书中50%将是通过电脑、手机、手持阅读器进行阅读的电子图书。《报告》综合各方面专家分析和研究报告预测,2008年,80%的网民可以买到电子图书。

网络所拥有的巨大存储量和强大的检索能力,正是读者和出版社梦寐以求的传统图书的拓展功能。成本低、传播广、存量大、形式多及趣味性强等,都是网络出版的突出特点。互动性也是互联网出版和信息服务的极大卖点。网络对于那些在数字时代成长起来的年轻人来说,最大的吸引力在于突破了传统的阅读习惯,同时能够满足人们交流沟通的需求。无怪乎有人预言:未来,网络阅读不论是否完全淘汰书籍,起码都会成为阅读的主流。

三、手机阅读

摩托罗拉公司2004年的一项关于手机的调查中,其中一个问题"如果你只能随身带三件东西,你会带什么?"用户回答是钥匙、钱包和手机。这是一个很有意思的答案。短短几年,手机的发展已经超出了通讯的范畴,早已不是一种单纯的个人语音通讯工具,手机与互联网的结合已经使其成为一个重要的大众传播媒体。人们通过手机不仅可以通话,还可以上网,收发邮件,浏览新闻,阅读小说,读报,甚至看电视、电影等。由于手机的携带比电脑方便得多,手机媒体一经问世,即受到了年青一代的青睐。

从眼下在日本蔚然成风的手机阅读和手机小说,我们或许可以一窥手机阅读的未来。

善用技术的日本人已经把手机作为不可或缺的阅读工具。在日本报纸发行量饱和、走下坡路之时,《朝日新闻》、《日本经济新闻》等各大报社纷纷通过手机媒体传送新闻,手机用户能以菜单方式选择网络信息服务。许多日本的出版社也将纸质出版物通过手机媒体同步出版,以扩大其市场份额。

目前日本有数家网站提供数以百计的小说,包括古典类、畅销书和专为手机读者创作的小说。使用者可根据作者、书名和类别在网上搜索下载小说;读者也可写评论、寄电子邮件给喜爱的作者、登记他们喜欢看的小说,而所有这一切皆通过移动电话进行。最新版的手机小说以短篇连载形式下载，用Java应用程式阅读。使用者可随时随地浏览书摘，不管是在家里，还是办公室，抑或乘车路上。

被称为“日本手机小说之父”的Yoshi（吉江）所创作的手机小说《努力生存》于2005年初推出短短数月时间，手机点击率即达到7000万；随后出版的印刷本销量更是达到“具震撼力的记录”，3个月内再版5次，销量120万册。对于手机小说的成功，他曾笑言：“对于现在日本的年轻人而言，不看书无关紧要，但没有手机，他们很可能失去生存的信心。”

手机阅读的体验有别于纸书，比如用手机阅读恐怖小说有加倍惊悚的效果。另外，因为手机有背景灯，即便处于黑暗环境也可照常阅读，这点对喜欢一边陪伴熟睡幼儿一边阅读的父母来说是一大便利。

日本Bandai网络公司2005年的一项市场调查表明，手机阅读一半以上的读者是女性，令人惊奇的是，许多人并不是在等车或者排队的时候看手机小说，而是在家里看。人们还经常用手机“恶补”以前自己不曾读完的古典文学作品，有些人则会下载不便到书店购买的书籍。而大多数人都选择在手机里保留以备不时之需的电子字典。这就像一个可折叠进手机里的图书馆，不管走到哪都可以随身携带。

中国是手机大国，是世界上使用手机人数最多的国家之一。据统计，2007年中国的移动电话用户数已达到4亿以上。到2010年时，中国的移动电话用户数将达十亿。如此庞大的“拇指一族”数量，将给手机媒体的发展带来巨大潜力。

自2004年7月《中国妇女报》率先推出全国第一家彩信版手机报之后，几年来，手机报在全国各地纷纷问世。据不完全统计，目前已推出手机报业务的媒体已有30多家，包括《中国日报》、《中国青年报》、《中国证券报》、《新华每日电讯》、《参考消息》等国家级媒体以及浙江日报报业集团、广州日报报业集团、重庆日报报业集团等地方报业媒体，以及《瑞丽》、《中国国家地理》等刊物。据《2007方正数字出版产业峰会报告》预测，未来5年，将有超过30%的手机用户通过手机阅读电子书和数字报。

随着3G在中国正式发放牌照的临近，3G技术的运用指日可待，手机媒体将从彩信版、WAP版走向基于3G技术的多媒体版，带来更高的信息传播速度，更大规模的传输容量。日本的手机媒体如此发达，一个重要原因在于它流行的手机制式I-mode，拥有先进的网络接入技术，用户可以随时连接互联网进行浏览，只要一开

丹麦某不知名河旁的书吧，读者可在书吧门口享受河景读书

吴绍华摄

机就一直保持在线上，可以随时随地传递信息，使 I-mode 手机成为网络终端，成为新闻、广播、增值服务的载体。

虽然习惯用手机阅读需要一些时间，因为名片一半大小的小屏幕一次只能显示几行文字。但随着液晶显示器的品质和功能逐渐改善，例如可自动翻页或滚屏，使手机阅读变得愈来愈容易，愈来愈舒适。

今天的手机阅读还只是一种流行风尚，在不远的将来，用手机阅读将成为越来越多人的选择，成为一种普遍的阅读方式。

《阅读史》封面

[加] 阿尔维托·曼古埃尔著，商务印书馆，2004 年

四、读“屏”时代的阅读现象

随着文本、图像和声音变质为字节、数据，纸张转变为电脑、手机、手持阅读器等大大小小的“屏幕”，阅读正在发生一场不可逆转的革命！对于未来的阅读，爱书人汤姆·拉伯（Tom Raabe）做了如此描述：“从身上掏出 PDA，当场读起斯蒂芬·金的新作，将是美丽新世界稀松平常的景象。未来的读者在任何时间、任何地点进行阅读皆属家常便饭。其中若干最极端的新人类甚至还会以咱们现在万万无法想象的方式过日子——完全不使

用纸张。”（汤姆·拉伯著，陈建铭译，《嗜书瘾君子》，上海人民出版社，2007 年）

改变的不仅仅是阅读的载体，这场阅读革命对传统阅读的颠覆是全方位的。无论是国际互联网、计算机、笔记本，还是电视、手持阅读器、手机等等，随着技术的不断发展，网络化是其发展的必由之路，网络化所带来的最大变化就是它的交互性、开放性、独立性，因此，这样的阅读对任何人来说都将是一次全新的体验。

1. 为阅读赋予许多新的乐趣

“每日每夜，只要一声令下，普天之下所有书籍都可以随传随到，这光景将会令人乐不可支。”（汤姆·拉伯）

相比以前汗牛充栋、陶侃搬砖般地劳动于书本与书本之间的藏书和阅读方式，网络阅读最有价值之处，在于一切资讯都在指尖之间，只需轻轻敲敲键盘，所需要的资源就源源不断涌来，省钱、省时间、省精力。

对于善用网络的人，网络阅读是一件无比幸福的事。网络上铺陈的知识盛宴，让每一位热爱书籍、热爱阅读的人随手可得，尽情享用；而网络的多层次、超文本、扩展性、延伸性和跳跃性特征，极大地增加了知识展示的维度与选择，这是线性、平面、单一

读连环画的人们
邓咏秋摄

的传统阅读和知识搜寻方式所不具备的；内容从原来单一的以文字为主、图片为辅的方式转变为文字、图片、声音、动画等多种方式的综合体，丰富了阅读者的感官享受，也打通了知识与娱乐的鸿沟。

网络最大限度地实现了阅读的互动和分享。这是一种崭新的阅读，它是交互的、创造性的，阅读者可以选择随意、随处去一个人静静地读，还可以随时随地和作者、和别处的阅读者交流、商讨。

读屏还导致了文化的结构与重组，它打破了文化专有者们的特权，无论你承认与否，人们所能享用的文化将不再被规定。每个人都可以既是读者，也是创作者，以往那种几个天才就能引导、统治人类精神文化的时代已经一去而不复返了。当古老的羊皮书、甲骨文与现代文明亲密拥抱时，经典将会经由无数个普通、平凡的人共同创造出来。

2. 传统阅读的失落

> "今天对于全部电子媒体包括计算机在内的猛烈的学术攻击，都是源自由来已久的对新媒介的焦虑而反过来希望保护书写媒介。"
>
> ——莱文森（P.Levinson，美国媒介哲学家）

非纸媒介来势汹汹，大有一举替代纸质媒介之势，微软曾断言：要在二十年内结束纸媒书时代。而更多的出版行家，即使对电子书抱乐观看法，也相信传统书籍将不会消失。当代欧洲最博学的学者、符号学家翁贝托·艾柯（Umberto Eco）在《书的未来》的长篇演说中，认为通过"链接"得到的"超文本"，在某种意义上是开放的多维度的网络、是拥有无限可能的迷宫、是替代了纸本百科全书的百科全书，不过，他又强调，阅读纸本书籍是不可替代的经验。他说："电脑通讯跑在你的前面，书却会与你一同上路，而且步伐一致。如果你落难荒岛，没法给电脑接上电源，那么书仍然是最有价值的工具。就算你的电脑有太阳能电池，可你想躺在吊床上用它，也没那么容易。书仍然是落难的时候，或日常生活中最好的伴侣。书是那种一旦发明，便无需再作改进的工具，因为它已臻完善，就像锤子，刀子，勺子或剪子一样。"（艾柯著，康慨译：《书的未来》，载于《中华读书报》2004年2月18日，3月17日）——这样一种不保守也不过激的态度，也许才是观照书籍未来的明智之道。

对当代的读者来说，我们会发现自己正在拥抱一个双重的世界，其中有些书是实体存在的，另外一些则只不过以"位元"（bits），字节单元（bytes）等数字、虚拟的形式出现。

电子阅读的崛起，带来超前便利的同时，必然会引起传统阅读的失落。以购书为例，“夕阳西下，微风吹衣，访得久觅而不得之书，夹之而归，是人生一乐也”，（何家干:《闲谈书事》代序，上海人民出版社，2006 年）爱书人古今同慨，所言不虚。然而时移势异，拜发达的网上书店（从国外的亚马逊到国内的当当、卓越网）所赐，轻点鼠标即可尽情浏览书目，从一本书链接到更多的书，转眼间过眼的书籍已难以计数。而之前在一家接一家书店缓步流连、寻寻觅觅，为得到某书举鼎绝膑的艰辛，竭全力而得之的欣喜与兴奋，都将成为只待成追忆的岁月。

屏幕阅读和拿起一本书的阅读，感觉相去甚远。传统阅读的温馨宁谧的意境，只有在手握的书本中才能得到。阿尔维托·曼古埃尔（Alberto Manguel）在《阅读史》中描述到：“当你阅读时，你的五觉都用了：眼睛从书页上辨视文字，耳朵听着朗读的内容，鼻子闻着纸张、黏胶、墨水、硬纸板或皮革等熟悉的气味，你的手触摸着或粗糙或柔软的纸页、平滑或坚硬的封面；甚至味觉，有时，读者会用舌头舔着手指……”（曼古埃尔著，吴昌杰译，《阅读史》，商务印书馆，2002 年）。而电子阅读，由于机器的本质——凌驾一切使然，在阅读过程中难以达到这种浑然忘我、人书合一的境界。

就可靠性而言，电子书以虚拟方式存在，一旦电脑死机、停电、遭遇病毒，生活就被完全打乱。作为可以摩挲拥抱的物质实体，纸本书的白纸黑字却可靠得多。即使在遥远的将来，一切都实现数字化、都可以进入虚拟空间之后，人这个物种还是要生存并活跃在物质世界中。这也是纸媒书不会退出历史舞台的理由。莱文森的论述给我们做了很好的解释。他说：“书籍尤其是平装本版的书，几乎不费吹灰之力就可以移动，而且不需要准备就可以得到信息。然而当前的任何电子通讯设备都没有这样的移动性。连手机也需要电池，我们发现手机电池快要耗尽时，都深知电池的重要性。”　［Paul Levinson:REALSPACE（真实空间），London:Taylor & Francis Group 2003 年出版］。

3. 两代人的阅读选择：阅读的分化

对伴随书本长大、深受传统阅读风气熏陶的一代人来说，一本书，正如一把开启大千世界美妙景象和内心世界精彩景观的钥匙，阅读本身就是一个寻找智慧的过程，值得尊崇。与书相拥，徜徉文字，获取知识，丰厚人生积淀——对他们来说，阅读之旅单纯、专注，就像在林中小径寻幽探微，没有过多的纷扰，宁静而充满欣悦。

如今，随着一个信息和知识如此爆炸的年代到来，阅读的方式和目的受到前所未有的影响。多媒体技术、数字技术在给阅读带来巨大便利的同时，也在迅速消融一些人的读书情结。1999年、2001年、2004年和2006年国内4次大规模的读书调查显示，人们的阅读兴趣和目的发生令人遗憾的负面迁移：读书热点从世界名著转向实用书再转向娱乐书。追求知识丰富、精神修养、人格完美的阅读兴趣大不如前了。在两代人之间，在不同年龄、职业、社会文化身份的人们之间，阅读，正日益呈现分化。很多读者，尤其是年青一代满足于“浅阅读”，“图像阅读”，“快餐化”、“动漫化”似乎有点势不可挡。

浅阅读是信息超载时代的必然产物。互联网时代的海量资讯每天刷新着人们的记忆，据专家统计，如今的一份厚报纸，文字量相当于19世纪一个人一年的阅读量。除了报纸，电视、广播、电影和广告每天都在我们周围卷起资讯的潮流和压力，使读者被放置于时速造就的漩涡中心。阅读的深度和广度被信息时

北京理工大学图书馆的一角
北京大学图书馆提供

代阅读的速率打败，深度阅读正在渐行渐远，取而代之的则是浅阅读——所谓“速读”、“缩读”，所谓“读图”。在有限的时间里，浅阅读能消费最大的信息量，保持与时代节奏同步。

购书的人们
崔璐摄

在浅阅读时代，阅读变成以注意力决定效果的娱乐方式，浅得可以一眼望穿。

浅阅读的典型特征之一，是简写，重录，娱乐化的出版物。大量快餐式的、点水式的读物大行其道，那些靠精美版式和冲击力图片吸引眼球，用时髦、时尚的语言概念包装着最浅显说教的读物正在大行其市，成为一种社会公众的阅读时尚。

时下流行的还有“语录”体，使阅读的跳跃性更大。比如，《非常道》（余世存著，社会科学文献出版社出版）就是一部典型的“语录”体文学。该书选集了从 1840 年到 1999 年中国的所谓“非常话语”，出版商的宣传口号就是：“风吹到哪一页读哪一页”，你可以从任何一页看起，都不影响阅读。

图像阅读、动漫阅读更是风行一时。图片和卡通以更直观、形象、通俗的方式，取代文字的高度抽象和凝练，读起来更省时、轻松，符合阅读的娱乐化目的，令年青一代趋之若鹜。

浅阅读的第二个典型特征是浮光掠影的解读方式和“快速、快感、快扔”的阅读节奏。伴随电子媒体长大的一代，在多媒体资讯的汪洋大海里嬉戏冲浪，这里吃点那里吃点，没有什么能令他们长久停留。键盘抹平了会写字不会写字之间的差别，同时让句子越写越短，对长文越来越没兴趣。同时烂文章与好文章享受同样待遇。一次点击、一次浏览然后跳到下一篇，这就是年青一代的阅读节奏。多媒体、流媒体、博客、电子小说，网络阅读的快乐唾手可得，又简单纯粹。厚重仿佛已经过时，没有多少人还能耐得住性子去体验、去追求那种深度阅读的愉快。

有人把浅阅读看做是“浅薄”，也有人视“浅”的实质为轻松、轻快、轻灵。现代人肩负着生存和竞争的砝码，在不同的生活节奏和社会角色之间来回转换。“浅”与“深”，每个人可根据职业、立场、心态不同，选择不同的阅读方式。毕竟，所有的迥异都是时代赋予的选择权决定的。

但是浅阅读的泛滥决不能视为时代的进步，也不值得讴歌和欢呼。尤其对于成长中的青少年、儿童，阅读能力还在培养阶段，如果过多地沉溺于浅尝辄止、“囫囵吞枣”的浅阅读而不加以正面引导，将会导致他们阅读能力越来越弱化，因为阅读是一种思维训练和美学修养熏陶的过程，阅读的本质在于形成一个人文化底蕴的积累，只有细读、深读、精读，才能真正吸取书本养分。书中所蕴藏的智慧和魅力、深刻思想和美好情感，书中那充满奇观、美感、想象的世界，只有通过细读精读，才会有所发现和领略。过量“浅阅读”，会使人心变得更浮躁，长久以往，令心智枯竭、心灵生锈。我们不能够在培养网络人和动漫人的同时造就一代文字阅读的“空心人”。

染于苍则苍，染于黄则黄。对年青一代的阅读，社会、家庭都负有正确引导之责。正面的引导，当然要使人学会分辨，让年青一代明白，在“快餐式”、“娱乐化”的阅读之外，还有一个充满永恒的乐趣和无限的愉悦，有思想、有深度，能触及生命内在真实，能无限扩展个人生命体验的“真阅读”的境界。需要在强大的电子媒体世界里构建一个适宜的生态环境，唤醒每个生命个体内在的阅读热情和兴趣，让深度阅读、文字阅读配合图像阅读、多媒体阅读等维持在一块完整的空间，让年青一代仍能坚守从容、优雅的阅读方式，既能适应新时代的生存，又能获得使生命丰盛、使人格完美的精神力量。

第二节　家庭阅读相关网站

一、搜书、购书、聊书

1. 谷歌图书搜索（中文试用版）http://books.google.cn

谷歌（Google）图书搜索简体中文试用版于2007年3月2日上线，这是一款提供全文检索的图书搜索产品，中文用户在甚至不明确目标书籍的情况下也可以通过输入某些“关键词”找到和这些“关键词”匹配的图书，轻松地阅读到其中的部分片段，这真切地模拟了在现实开架书店的购书体验和书籍的发现之旅。

对不再有版权的公版中文图书，Google用户可以阅读到整本内容；对仍然受版权保护的书籍，用户看到的是基本信息，部分摘要或者有限的内容。希望购买图书的读者可以直接点击Google图书搜索给出的链接，跳转到相关的网络书店中去。或者通过“找本地书店”功能，到谷歌地图中去寻找当地最近的书店。

对搜索到的图书，Google图书搜索还提供该书浏览、在书中搜索、查找评论、在图书馆中查找副本等链接。

虽然目前谷歌全球的多语言图书搜索已包括共一百多万本书籍，但在中国，谷歌图书搜索刚刚开始，目前包括的书籍数量还比较有限。目前古典国学的书籍收录相对丰富一些；中文现代书籍的收录，还有待更多出版商的参与。

2. 百度图书搜索 http://book.baidu.com

百度图书搜索于2007年4月20日推出，数据来源于图书馆（如北大图书馆、中科院图书馆、中山图书馆）、电子书商（超星、方正等）和网上书店（如卓越、蔚蓝等）等合作伙伴，面向中文用户提供图书信息查询服务。

与谷歌图书搜索相比，由于Google提供图书内容全文或部分预览，考虑到图

Google 图书搜索首页

百度图书搜索首页

书版权的问题，因此走的是出版商路线；而百度的数据来源侧重于图书馆的书目数据，追求更加精确的搜索结果，在搜索结果数据量方面也比谷歌图书搜索大一些。

3. 当当网：http://www.dangdang.com

开通于 1999 年 11 月的当当网，是全球中文网上图书零售的领军公司。除了图书品种丰富、价格优势、高效的物流配送之外，当当在客户服务方面充分体现了对消费者的理解和体贴，比如以读者为导向的图书分类查询、导航系统以及“货架”布置，让客户很容易在浩如烟海的书籍中迅速找到自己所需；重视客户体验和界面友好，可根据客户的购买习惯将商品按购买顺序进行排序，购买流程简洁高效；对那些工作繁忙而又时常买书的读者来说，在当当网上书店花半个小时就可以买到自己想要的书，显然要比在传统书店逛上一天才能买到自己满意的图书省时省力。相比传统书店，网上书店的另一个优势是，书籍不受上架周期的和

当当网图书搜索页面

顾客地域性偏好的限制，各种类型的读者都可各取所需。

4. 99 网上书城 www.99read.com

99 网上书城在规模、市场份额方面无法与当当、卓越等大型网上书店相比，它的特色在于细化市场目标，定位于 18—26 岁的年轻人，“青春文学”、“校园文学”的读者群；坚持“厨师推荐”，面对种类繁杂的书籍品种，依靠编辑推荐和重视服务而吸引用户。向所有用户开放的论坛、名家导读、作家聊天、会员书评等在这里都能觅着。

上：99 网上书城主页
下：豆瓣首页

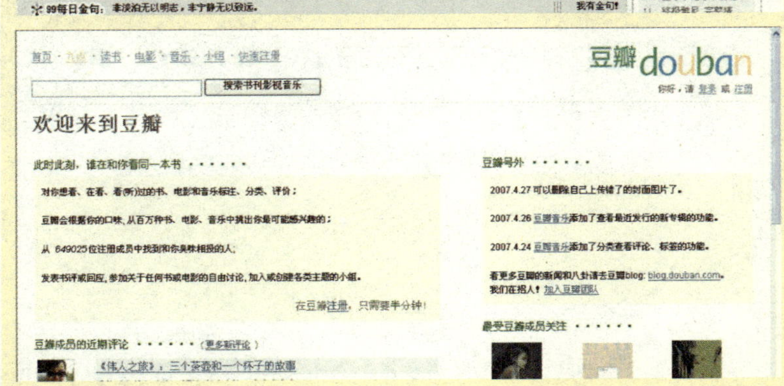

5. 豆瓣 http://www.douban.com

豆瓣网创建于 2005 年 3 月，是一个大众的图书（电影、音乐）分享和交流平台。它的界面极其简洁，既没有编辑写手、没有特约文章，也没有数百行的首页和跳动的最新专题，完全靠用户自发贡献内容和自组织，至2007年已有100多万注册用户，还有众多的“看客”。豆瓣网用户——其中占大多数的是学生和年轻职员，大家使用豆瓣网的动机基本上都是一样的：“我看了一本书（电影/音乐），或者我想买一本书（电影/音乐），我就会去豆瓣上看一看。”

豆瓣包纳百味，欢迎和鼓励任何人的参与，这里所有的内容，分类，筛选，排序都由用户产生和决定。给评论一个“有用”，它的排位会自动上升；贴“我女儿的最爱”给一本书，它会在整个网站的标签分类中出现。用户既贡献内容，也贡献次序，依靠大众的力量，多数人的判断，以及数字的智慧，通过网站幕后不断完善之中的算法，有序和有益的结构会从无数特异而可爱的个性中产生。

在豆瓣搭建的网上社区里，所有的人通过聊书而交往，不一一结交，却知道成千上万人的口味，能够通过寻找自己喜欢的东西，从而迅速找到志同道合者，然后通过他们找到更多的好东西。个性、自我创造、分享与交流，这是典型的Web2.0精神之体现，也是豆瓣网最有价值之处。

二、网上阅读

1. **书生读吧** http://www.du8.com

电子书阅读、销售和交流门户网站，由原书生网改版而来，之所以更名为“读吧”，体现了网站的宗旨和特色：注重读者对“读”的体验，提供一个轻松愉悦的网上阅读空间。

凭借丰富的正版资源，具亲和力的用户界面和操作流程，简单、灵活的支付方式，以及原创基地、书评书摘、读吧论坛等版块，吸引了大批爱书之人参与其中。

除了网上在线阅读外，书生读吧还提供手机阅读、下载JAVA文件等形式，令越来越多的网友感受到电子阅读的乐趣，并逐渐习惯和喜欢上这种读书方式。

2. **方正爱读爱看** http://book.idoican.com.cn

方正爱读爱看定位于“全球第一中文数字内容阅读门户”，是方正阿帕比技术有限公司建立的数字内容在线平台，提供几十万种电子书和上百种电子报的在线阅读服务。

“在线免费翻阅”是爱读爱看的特色之一。提供几十万种有趣味、有价值的各类图书，包括最新图书，足不出户就可免费试读，原版原式的翻阅页面令在线阅读更轻松。

丰富的购书方式，是爱读爱看的另一特色。爱读爱看与国内四百多家出版社、七百多家地面和30多家网上书店建立了合作关系，还有独立的电子书店，不论是付费下载电子书、手机书，还是通过纸本书购买链接，甚至按自己的想法印刷书，都可以轻易实现。

此外，爱读爱看通过各种分类、搜索、来自读者的评论、推荐榜单和本站专题，让读者可以在数量众多的读物中找到符合自己口味的那类图书，使阅读更有效。

3. 名著在线 http://mingzhu66.db66.com/

名著在线是知识在线麾下的阅读网站，站内收录大量中国古代典籍和英文原版著作，内容涵盖小说、诗歌、散文、戏剧、宗教、哲学、历史等大类，并包含大量极少流传的珍稀文献，是读者了解研究中外古典名著的好助手。

经典名著是人类文化宝库中绚丽的瑰宝，历经岁月流传，生生不息。一座库存丰富、检索便捷、服务周全的网上名著博览库，犹如一场壮观而又华丽的知识盛宴，对于热爱阅读的人，没有理由不善加利用。

4. 新浪读书频道 http://book.sina.com.cn

2002年新浪网领风气之先，在门户网站中率先开办读书频道，早期的新浪读书频道发源于出版物连载，最初推出的几部作品，如春树的《北京娃娃》、王文华的《蛋白质女孩》及痞子蔡的系列作品在新浪连载后引起强烈关注，引发网上连载阅读的火爆。如今，连载和原创文学已经形成新浪读书频道的两大阵地，同时，新浪读书频道通过嘉宾访谈、重点书推荐、大众书评等一系列活动，丰富栏目，关注热点读书人物和书界现象，逐渐发展为国内最重要的网络中文阅读媒体之一。五年来，读书频道每年都以100%的速度发展，并与几百家出版机构达成合作。现在每年有3000种书在新浪连载，日访问量也一直呈上升趋势，从过去的100万发展到现在的1000万，人气十足。

5. 搜狐读书频道 http://book.sohu.com

搜狐读书频道成立于2004年8月，最初主要以书库的形式运作，目前发展到资讯、连载和原创三方面具备。设置了连载、搜书、书库、排行、书评、书摘等栏目，原创热书荐读、原创精品栏目、书市热点、重磅推荐等栏目的推出，成就了搜狐读书的特色，从而吸引了众多网友读者。

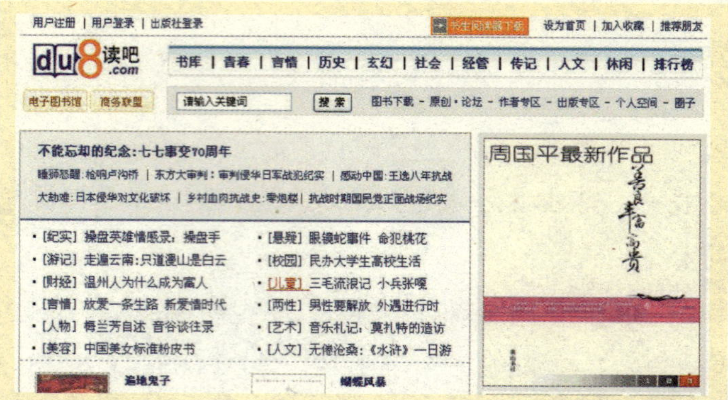

书生读吧首页

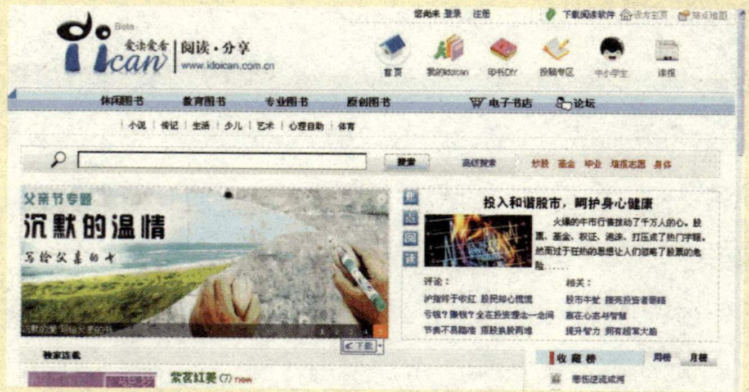

方正爱读爱看首页

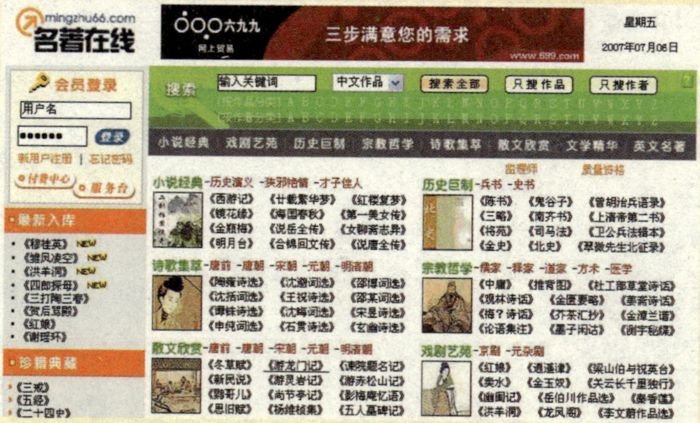

名著在线首页

新浪读书首页

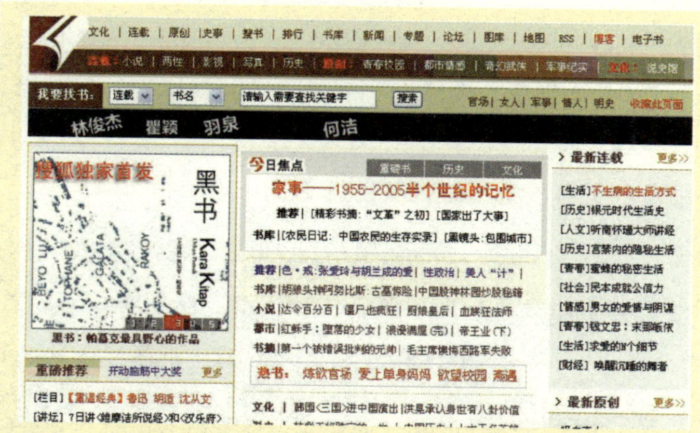

搜狐读书首页

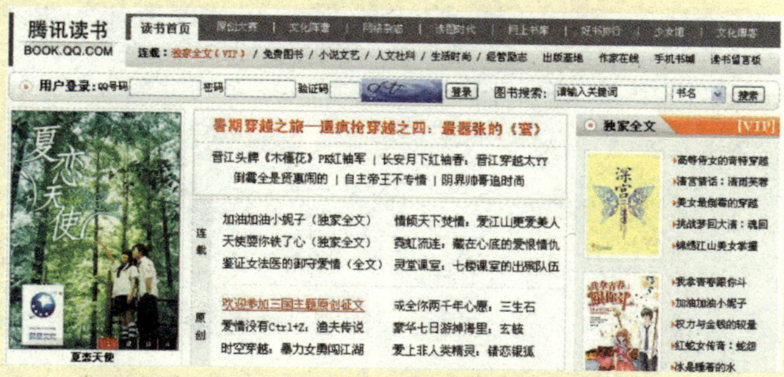

腾讯读书首页

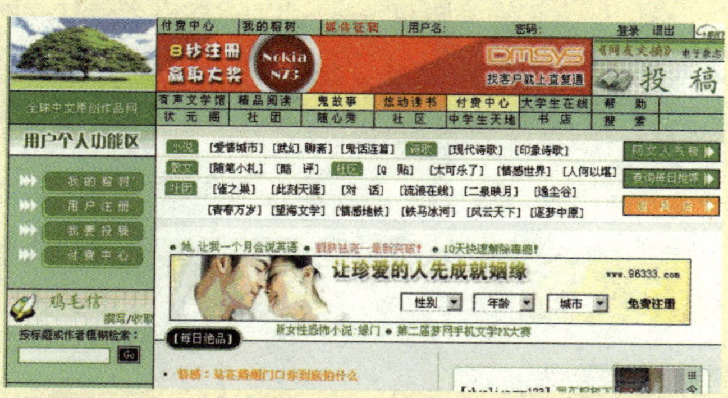

榕树下首页

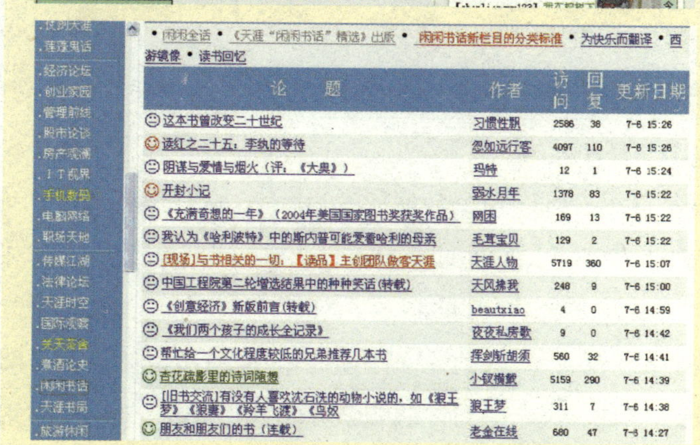

天涯社区之“闲闲书话”页面

6. 腾讯读书 http://book.qq.com

腾讯读书频道于2004年9月上线，第一个月的访问量就突破了20万，目前日访问量稳定在300万左右。腾讯读书频道分为四大版块：资讯、评论、专题、书库，后来增加了论坛和视角。

腾讯网号称拥有4亿注册用户，周活跃用户达1.6亿，庞大的QQ用户群为腾讯读书频道提供了丰富的客户资源。为了贴近年轻人群，腾讯读书频道在上线之际，就打出了"阅读青春，放飞激情"的口号，无论在页面设置还是内容方面，都更具自己的青春特色。视觉阅读、畅销文本、武侠、玄幻历史、纪实青春、校园原创精品、职场、励志动漫、教育时政、人文两性、情感影视、娱乐等时尚新锐的栏目，与当下出版界盛行一时的"青春悦读"风潮不谋而合。

7. 榕树下 http://rongshuxia.com

"榕树下"，象征一片绿荫，一份宁静，一个现代人的精神庇护之所。从1997年底"榕树下"网站创建以来，这片以"生活、感受、随想"为宗旨的绿荫也吸引了越来越多趣味相投的人。如今的"榕树下"已发展成为"中文原创文学大本营"，用户数和投稿量都在稳步上升，聚集了安妮宝贝、宁财神等众多声名赫赫的网络作家。榕树下延续了众多网友对文学的热爱，使文学通过网络这一快捷的载体真正变成了大众的文学，让许多爱好文学的人好梦成真。目前稿件库有300多万篇的存稿，并且以每日1000篇的速度递增。

页面清秀，内涵雅致，浓郁的书卷气息，榕树下吸引了众多网友常去"灌水"和"乘凉"。榕树下目前拥有450万的注册用户，日页面浏览量达700万以上。

8. 天涯社区 http://www.tianya.cn

天涯社区诞生于1999年3月，是小资网民中口碑不错的网络虚拟社区。经过几年的发展，从最初的3个BBS发展成为拥有百万会员、300多个版块、150万个博客的大型人文社区。简洁的界面、丰富的内容、浓厚的人文气息，以及开放、自由、宽松的特性，使天涯社区受到国内乃至全球华人的推崇，成为成千上万中国互联网用户钟爱的信息交流通道和网上生活家园。

"海内存知己，网聚爱书之人；天涯若比邻，纽结书林万象"，天涯读书频道以BBS形式网罗天下爱书爱读人士，共建追求阅读趣味、交流阅读体验的互动共享平台，品藻书籍文章，反刍风云人事，颇有些藏龙卧虎混迹其中。另外两个与阅读有关的栏目“闲闲书话”以及“天涯书局”，以书评文论、书人书事、书籍史话、书单交流等为主题，在读书界和出版界具有较高的地位。

三、儿童阅读及阅读推广相关网站

1. 红泥巴读书俱乐部 http://www.hongniba.com.cn

由国内著名少儿网站红泥巴村创办，面向 0—18 岁少年儿童提供专业读书引导和图书销售服务。提供专家读书导引、分阶推荐书目、个性化成长阅读方案、阅读论坛、网上读书社区、图书优惠网购等活动，书目侧重于儿童文学、科普百科、卡通漫画、历史传记、益智类、家庭教育类。

俱乐部倡导“快乐读书，快乐成长”，鼓励会员积极参加成长读书计划实践与导读活动，凡被会刊采录的读书计划、书评、读后感、阅读实践记录或其他相关的文章，将会有适当的奖励。

2. 蓝袋鼠亲子文化网 http://www.landaishu.com

如果没有阅读的妈妈，如何成就一个有阅读习惯的民族？蓝袋鼠亲子文化网倡导以“写字·读书·生活”作为现代家庭文化生活的三联模式，让阅读成为习惯，让阅读回归浪漫。

蓝袋鼠亲子文化网关注学龄前儿童阅读、青少年阅读及家庭阅读，致力于让更多的家庭、更多的孩子得到阅读的滋养。曾联合多家新闻出版机构，举行儿童阅读现状调查、亲子阅读现状调查，并开展丰富多彩的阅读推广、交流等活动，指导父母跳出“实用”、“功利”等误区，为孩子选择好的书籍，与孩子一起享受阅读的快乐。

正如哲人所言，两个人交换了思想，每个人就有两个思想。面对孩子阅读和教育中的这样那样的困惑，从经验丰富的专家指导，到先行一步的网友的经验，最终汇积成有深度有价值的经验，让每一个网友父母受益匪浅。网站将博客与社区有机融合，网友父母们交流思想、分享经验，互相鼓励、扶持、帮助，使亲子文化网成为网友父母们心灵憩息的网上家园，被誉为网上的“书香门第”。

3. 中国儿童读物促进会（国际儿童读物联盟中国分会，CBBY） http://www.cbby.org

国际儿童读物联盟（IBBY）中国分会由中国 30 多家少年儿童专业出版社组成，既是中国最权威的少儿读物出版者，又是中国文化产业的重要组成部分。中国少儿出版界从 1986 年开始参与 IBBY 活动，于 1990 年成立了中国分会。面对一个更加全球化、知识化、信息化的新时代，中国分会引领中国少儿出版积极参与 IBBY，致力于“架起儿童与图书的桥梁”，让中国的孩子与世界的孩子站在同一阅读起跑线上，让中国的孩子享有精彩纷呈、包罗万象的传媒大世界。

红泥巴读书俱乐部首页

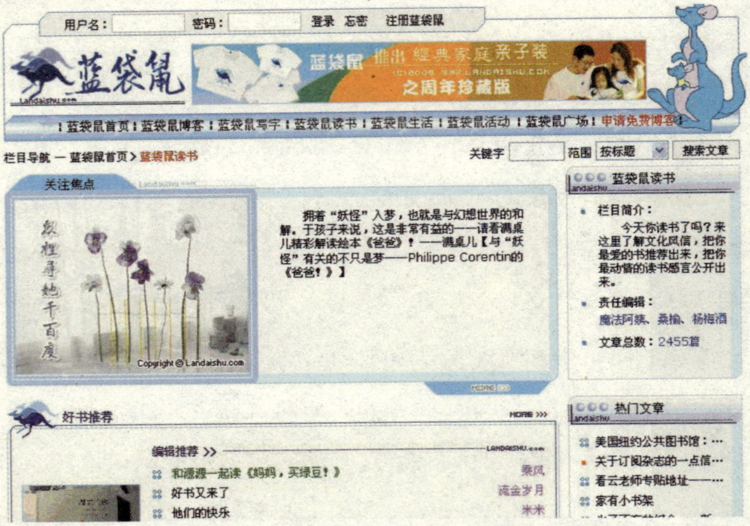

蓝袋鼠亲子文化网页面

国际儿童读物联盟
中国分会网站首页

第三节　社会变迁与家庭阅读

一、出版环境与阅读

宋朝时，苏东坡曾写下这么一段话："自秦、汉以来，作者益众，纸与字画日趋于简便，而书益多，士莫不有，然学者益以苟简，何哉?余犹及见老儒先生，自言其少时欲求《史记》、《汉书》而不可得，幸而得之，皆手自书，日夜诵读，惟恐不及。近岁，市人转相摹刻诸子百家之书，日传万纸，学者之于书，多且易致如此，其文辞学术当倍蓰于昔人。"（苏轼《苏轼文集》卷 11《李氏山房藏书记》，中华书局，1986 年）

表姐弟在看书
温雪芳摄

可见读书的"今不如古"，从苏东坡时代就开始了。宋代以前，由于雕版印刷术尚未普及，书籍总量有限，书籍的获取途径，一靠高额购买，唐人曾有"黄金都散尽，收得邺侯书"的诗句（《题朱庆余闲居四首》），而杜荀鹤也有"卖却屋边三亩地，添成窗下一床书"的诗句（《书斋即事》）；另一途径是靠手抄，如唐朝的杜牧、陆龟蒙等人抄书达万卷之多。古人因书籍难得之故，倍加珍惜；如今书多易得，则"益以苟简"。

如果生在今天，苏东坡的感慨一定不止于此。今天的书籍与一千多年前他所处的时代比起来，不能以道里计，面对浩如烟海的书籍世界，对于一个读者来说，的确难以选择。

台湾出版人郝明义曾做过统计，从西汉到清末，大约两千年间所出版的图书，现存大约 15 到 18 万种；而从 1912 年到 1949 年期间，大约四十年间所出版的图书种数，在 10 万种左右。而今天，中国（包括港澳台）一年出版的中文图书种数，起码在 19 万种以上。也就是说，如今一年的时间里，一个中文世界读者所要面对的新书品种，就已经超过了过去四十年出版物的数量，也几乎相当于更早的两千年间所留下的图书种数之和。

出版市场的空前繁荣，给社会不同层面的人带来了机会——写作者表达的机会、出版者追求商业利益的机会、阅读者读自己喜爱的东西的机会。但也给阅读带来明显的副作用：一是书籍数量虽多而好书甚少，其中充斥着大量平庸、跟风、雷同甚至拙劣的书，还有相当数量的关系书、官员书、职称书、自费书，即使是一些畅销书，也未必有好的内容和生命力；更别提不良出版商为谋取利润最大化而造成的盗版猖獗、有害读物肆虐了。一年近 20 万个出版品种，但能影响人的被大家记住的书少之又少，就像苏东坡所感叹的，在书籍随手皆是的环境里，“后生科举之士，皆束手不观，游谈无根”；另外一个副作用是，面对无止境的书海，无从选择和消化。如果缺乏正确的方法和判断，即使有再强烈的热情与兴趣支撑，不是形同夸父追日，就像刘姥姥进大观园——走马观花倒罢，还不免受鱼目混珠之害。

写作和出版机制的商业化，使得传统出版的文化价值备受挤压。

有人回顾上世纪 80 年代以来的出版业变化，20 世纪 80 年代到 90 年代初期，出版界最关注的是一本书的内容和审美价值，但是从 90 年代后期至今，他们最关心的问题是某本书首印多少、发行多少、销量多少。这种变化多少说明了目前出版界重利轻文的问题。

以少儿文学的创作和出版为例，与越来越凶猛的域外少儿文学引进浪潮形成鲜明对比，国内原创少儿作品领域显得十分苍白，尤其是儿童诗、儿童散文、儿童影视文学、儿童戏剧文学的创作。一方面是少儿图书在市场上获得巨大利益，另一方面是真正有品位、有质感，对少年儿童精神生命负有责任感和使命感的原创作品非常少，流行艺术和娱乐消费文化也在向少儿出版领域渗透。如在中小学生中流行的

“口袋书”现象，这些不良“口袋书”多为非法出版物，内容不健康、格调低下，对少儿身心健康造成不良影响。家长在气愤不良“口袋书”投孩子所好，不负责任灌输芜杂知识做法的同时，也对“大书”有些失望。作为我们宣传教育的主体力量的“大书”，为什么笼不住孩子们的心呢？不良“口袋书”的流行，从一个侧面反映出学生读物太少，能吸引学生的优秀读物更少。现在书店架子上一排排陈列的是：精装的、删节过的、打着“中小学生必读”标志的名著，侦探小说，网络小说，影视小说，“大话”系列，恐怖的“鸡皮疙瘩”系列，言情小说，武侠小说等。几乎没有能跟上时代步伐的、让中小学生感兴趣的书。

有文学评论家提出面对市场化、商业化浪潮，少儿文学作家，甚至每一个作家都应该坚持“难度写作”。所谓难度，就是坚持一种艺术标准，创作下面沉潜着一定的文化，包含着一定的精神，呼吁为广大少年儿童呕心沥血创作具有审美意义和高蹈精神的作品。但在商业化操作时代，要做到坚持“难度写作”谈何容易！竞争和生存压力使然，儿童文学的创作几乎完全被图书出版界所控制，作家都在挖空心思地为出版商“做”书，为市场而写作。当写作失去了“文章担道义”的责任感，而成为一种换钱的手段时，它就没有什么社会责任感可谈。

北欧的一些国家非常重视少儿文学，通过对少儿文学的图书免税等手段，对少儿文学的图书创作和出版予以政策上的倾斜和扶持，让国家最优秀的作家投身到少儿文学创作中。而我们对儿童图书的创作和出版扶植力度远远不够，中国的儿童文学作家长期受到轻视和冷落，在文坛没有地位。这不能不令人担忧。

追求商业利益是出版产业化的正常需求，在文化产业化时代，如果不能保证正常的出版利润，担当文化责任就是空谈。但是如何在经营中保持自己的文化情怀、文化追求，多一些文化传承和积累的责任感，则需要政府、管理部门、出版界付出艰辛的努力。正如有着110年历史，在中国出版史上曾写下辉煌篇章的商务印书馆所倡导的那样“做有良知的出版人”，“做文化建设者，而不仅仅是商人”。

二、教育环境与阅读

“读书本来是至乐之事，杜威说，读书是一种探险，如探新大陆，如征新土壤；佛兰西也已说过，读书是‘魂灵的壮游’，随时可以发现名山巨川，古迹名胜，深林幽谷，奇花异卉；到了现在，读书已变成仅求幸免扣分数留班级的一种苦役而已。”

《帮助孩子爱上阅读——儿童阅读推广手册》封面　阿甲等著，少年儿童出版社，2007年

这是林语堂在《读书的艺术》一文中的一段话。好几十年过去了，如今的情形却有过之而无不及，孩子们从中学（现在可能从小学）起，在考试制度的压力下，太容易把读书和考试、求得学位画上等号。一旦考试结束，读书也就成为唯恐避之不及的东西了。

不同于30年前书荒的情形，今天的学校教育不是困之于书"少"，而是迷失于书"多"，不是失之于"引导"，而是失之于"误导"。不是失之于"教"，而是失之于"谬教"，学生面对的是日益膨胀的阅读内容，无从选择，有效阅读、自由阅读、自主阅读的时间与空间相当狭小。应试教育为备考而阅读，学生对文学之美、文章之俏、文字之趣浑然不知，掌握的尽数都是"三点一测"与答题纲目，这样的功利化语文教学必然扼杀阅读的美感，还破坏了孩子心中的阅读快感机制，造成他们终生厌恶阅读。一项针对上海部分小学高年级学生的调查表明，43%的孩子"写不出"中国和外国著名作家各一位的名字，另有5%表示知道的孩子，却填出了爱迪生、爱因斯坦、徐根宝……学校阅读教育的"沙漠化"令人担忧。

不过，教育界的有识之士已经开始警觉与行动，以"毛虫与蝴蝶"、"亲近母语"为标志的全新的校园阅读生活与生态正在

深圳图书馆少儿开放日，馆员指导儿童使用电脑，画面最前方的儿童带伤参加活动。
李军锋摄

积极推进与蓬勃发育之中。朱永新教授这样说："一个没有阅读的学校永远都不可能有真正的教育。没有阅读只是训练，只是工厂的制造，而不是教育。现在我们的教育充其量只是训练。最近这几年我一直在推动营造书香校园的活动。我认为，人阅读的需要、人精神的饥饿感，只有在中小学阶段才能形成。孩子们读的第一本书是最重要的，这一本书会形成他读书的基本态度。"这是多么清醒的论述呀！

附："毛虫与蝴蝶"项目

"毛虫与蝴蝶——儿童阶梯性阅读研究"（简称"毛虫与蝴蝶"）是新教育研究中心（总部设在苏州的一间民间教育研究机构）开发的一个不以赢利为目的的阅读研究项目，主要任务是帮助实验学校解决"营造书香校园"中面临的不同阶段的儿童读什么、怎么读等现实问题。项目以"共读共写共同生活"为切入点和突破点，通过一至两年时间，形成一个较为完备的"共读"、"选读"书目，出版相关的操作手册，整理汇编优秀的实践案例，并形成一定的童书阅读理论，向实验学校推广。

项目使命：

1.为新教育实验"营造书香校园"项目提供儿童阅读、师生—亲子共读的书目、策略、理论。

2.为每一个儿童寻找到他此时此刻最适宜的童书。

3.为儿童的幸福和一生的发展提供最生动活泼的营养。

倡导的阅读方式：

"晨诵、午读、暮省"是新教育实验倡导的一种回归朴素的生活方式，其中"午读"代表的是整个儿童阶段的非学科性质的阅读。其中的核心内容就是阅读属于他们自己的童年书籍。在他们成长的每一个时刻，一定有着这一时刻最适宜的一本童书。这些精心挑选的书籍，将在娓娓动听的故事中，告诉他们宽容、合作、自律、慈悲、感恩、执著、信心、爱……它们将编织出一张美丽的网，呵护孩子在漫长的旅途中保持着纯真、快乐与勇气。

引自毛虫与蝴蝶博客，http://maochonghehudie.blog.sohu.com/

《阅读的艺术》封面　毛姆等著、陈安澜等编译，上海翻译出版公司，1988 年

三、家庭环境与阅读

你或幸运，发现宝藏；
黄金成堆，珠宝满堂。

你我比来，仍是我富，

因有慈母，为我读书。

——史斯克兰·吉利兰（Strickland Gillilan）《阅读的妈妈》（The Reading Mother）/雪亮译

在所有的消费中，阅读是相对廉价的，它要求的是心境和志趣，而不是多高的财力。而它所带来的收获和乐趣，却是任何财富所不能相比：任何时代的智慧，任何长久为人类所喜爱的故事，都能以极小的代价从书本之中获得。而孩子一旦学会欣赏阅读，领会好书，养成热爱阅读的习惯，将会一生受益不尽。有一个阅读的妈妈，一个充满阅读氛围的家庭，是孩子无上的幸福。

俗话说，“近朱者赤，近墨者黑”，“如入鲍鱼之室，久而不闻其臭”，可知环境对一个人影响之大。孩子成长所需要的教育环境不止于家庭，还包括学校（幼儿园）和社会，三者在儿童成长的不同阶段，影响力是不同的，但家庭教育对儿童的影响却贯穿始终。而且年龄愈低，家庭和父母的影响力越大。如果家长喜欢阅读，而且可以提供孩子一个良好的阅读环境或气氛，孩子也会感受到书香的气息；反之，如果家长整天泡在电视机前或麻将桌前，从来看不到他们在读一本书，却一味地要求孩子养成阅读习惯，这无异于缘木求鱼。阅读行为的推动，不是依靠强制的力量，而有赖于家长言传身教、精心营造的阅读氛围。

影响儿童阅读的家庭环境因素是多方面的，最直接的包括：家庭阅读经验，如父母的阅读习惯；家庭阅读环境，如双亲伴读时间、家庭藏书量等；家庭生活情形，如游玩、看电视、阅读的时间等。

时代的变迁反映于家庭生活中，对家庭阅读的影响也是显而易见的。一个人到底是他的生息的社会的一员，他的阅读思考和一切活动，都不能不受它的影响和制约。以工业革命对家庭阅读的影响为例，在19世纪中期以前，西方工业革命尚未完成，那时的人们生活简单、平淡，没有什么波动，自然地，看书的机会就多起来，要保持阅读的传统也相对容易。我们常常在一些西方文学及影视作品中看到这样一幕：全家人围坐在壁炉边，由父亲、母亲或家中的大孩子为大家大声读书。事实上，在西方有文化的家庭，一种重要的娱乐方式就是家庭诵读，尤其是为孩子大声读书。家庭诵读的风气，与为孩子讲述民间故事的传统息息相关，也与宗教的传播密切相关（只是随着时间的推移，诵读的范围渐渐地从宗教典籍换成了文学作品），但最根本的，它是根植于当时的社会生活条件。然而，随着工业革命带来经济飞速发展，人们的生活方式、生活习惯与思维方式也发生了巨大的变化。电的发明，电气事业的发达，汽车、飞机的发明，给人类生活带来许多新奇的事物，也将传统的寻求读书之乐的时间剥夺了去。在这种条件下，阅读传统的失落也就不足为奇了。

随着电视、网络相继走入家庭，今日的阅读与19世纪相比，更是不可同日而语。人们在享受技术进步的同时，也承受了许多传统价值的失落。生活节奏加快，竞争压力加大，休闲娱乐方式的丰富多样，以及社会风气普遍的虚浮、喧躁、功利化，让阅读习惯的培养更为不易。孩子们的成长环境中，充斥着来自外界形形色色的诱惑，让他们目迷五色，很难抵抗。"不阅读"儿童、"无阅读"家庭的大量存在，实为当代文明社会中的一大遗憾！

以家庭藏书为例，2007年4月，天津教育科学研究院完成的一项历时一年、样本覆盖了天津市235所中小学1.4万余名10—17岁中小学生的调查显示，随着年龄的增长，中小学生课外阅读率逐步下降的趋势明显——小学生的阅读率为62.8%，初中生为48.7%，高中生为39.6%。调查发现，超过三成学生拥有的课外图书数量少于10本，六成学生的个人藏书量不到20本；40%的家庭藏书量不到20本。

不到20本的家庭藏书量，这与当代中国城市发达的物质消费水平相比，是一个多么可怜的数字，它清楚地表明了国人已经越来越成为物质消费的富有者，而日益成为精神产品的匮乏者。功利主义的心态导致对家庭阅读的漠视。

在营造家庭阅读环境方面，很多家庭也存在不少误区。比如：

1. 对早期阅读重要性认识不够。对"孩子什么时候可以开始阅读？"这个问题，很多人的理解都存在误区。有的家长认为，学龄前开展阅读为时过早，那是孩子上学以后的事；有的家长则认为，阅读，总得等到会"识字"以后吧，至少要到三岁以后。事实上，阅读是从阅读对象中获取意义的过程，包括字面的意义、背后的意义，还有延伸的意义。阅读的对象并不局限于文字，还可能是图画，甚至是口述作品。为孩子大声读书，是最简单也最有效的培养阅读兴趣、引导孩子走上阅读之路的方法。如果能理解这一点，孩子的阅读之路当然是越早越好，这也正是国内外许多专家所持的观点：孩子的阅读可以从零岁开始。（参见阿甲著《帮助孩子爱上阅读》，少年儿童出版社，2007年）

上海黄浦区图书馆
温雪芳摄

2. 实用的阅读态度。对学龄前孩子，将阅读等同于识字，满足于识字效果，忽视了孩子整体阅读的培养；对中小学生，将阅读等同于功课的补充，提高考试分数的手段。

3. 舍得花钱，时间和精力上却投入很少。工作和家务的繁忙，以及认识上的不足，令不少家庭缺乏父母伴读的习惯和意识。据一家幼儿园进行的幼儿家庭阅读情况问卷调查，每天与孩子一起看书或讲述20分钟故事的家庭比例不足20%。对有的家长来说，为孩子阅读而付出时间、精力，甚至意味着改变自己的生活方式，这要比他们付出金钱困难得多。

4. 在家庭环境布置上不利于开展早期阅读，没有有意识地为孩子准备专门的小书架、书桌，或者一个自由看书的空间，让孩子可以随处与书相遇，接近书本。“人是地盘性的动物，仪式主义者”，孩子非常容易受到环境的影响，为了让孩子热心阅读、专心阅读，布置专门的适宜的阅读空间，营造阅读氛围是十分必要的。

5. 缺乏正确的读物选择和阅读指导方法，忽视儿童心智发育规律和特点，对不同年龄段、不同个性类型孩子适合读什么书，如何引导阅读等，存在一定的盲目性。比如急于求成、拔苗助长式的阅读培养，违背儿童成长规律，结果适得其反。萧伯纳曾说许多英国人终身不看莎士比亚，就是因为幼年塾师强迫背诵种下的结果。

6. 缺乏家庭成员间、亲子间的阅读互动与分享。阅读固然是个人行为，阅读的心得与体会也因人而异，但通过家长对孩子的引导、传授，通过亲子间的交流与分享，能够让孩子的阅读之旅更有效和有价值。同时，在亲子阅读、分享阅读的过程中，大人和孩子同时从书里学到东西，大人的收获甚至不亚于孩子。

四、图书馆与家庭阅读

居民家庭是构成一个城市生活的基本组织单元，而公共图书馆则担负着所在城市“文化客厅”和全体居民的“公众书房”的两大重要功能。一个拥有良好读书、学习风尚的书香社会，离不开家庭藏书读书与图书馆藏书读书的良性互动。

在发达国家，国民阅读风气的盛行，很大程度上得益于其完善的公共图书馆服务体系。公共图书馆被誉为“城市最重要的免费公共空间”，是一个城市里利用率最高的公共场所之一。在图书馆阅读跟去书店或在家庭阅读的区别在于，图书馆可以提

苏州图书馆积极推动亲子阅读活动的开展
苏州图书馆提供

供更多免费资源，提供各种服务和指导，提供更好的交流场所和平台。另外，还有很多弱势群体，没有力量自由购书阅读，图书馆就为他们提供这样的机会。发达的公共图书馆网络，遍布居民生活的各个角落，藏量丰富，使用方便，让读者使用图书馆就像进入自家书房一样便利。此外，图书馆还把举办各种读者活动、文化讲座、文化聚会、社区的公共社交活动等等放在很突出的地位，在培养市民阅读习惯、促进儿童和青少年阅读、提供阅读指导等方面更是不遗余力，功不可没。

伴随我国公共图书馆事业的长足发展，图书馆的公共阅读率有了极大的提高，各地图书馆在推动社会阅读风气、提升图书馆公众服务方面作出了行之有效的努力和探索。但应该看到，图书馆在阅读推广和阅读指导服务方面仍有待作为。在家庭阅读组织中，图书馆和家庭的互动还十分欠缺，图书馆脱离于家庭，家庭脱离于图书馆，彼此之间相互游离的现象十分严重。一方面，民众普遍缺乏图书馆意识和使用图书馆的习惯；另一方面，图书馆在满足家庭阅读需求方面，限于资源、人力、专业技能等条件，力不从心。近年来公共图书馆举办的各种阅读推广活动，大多缺乏长期性与整体性的经营规划，活动形式单一，大致不脱主题书展、赠书活动、征文比赛、专题讲座等，缺乏广泛深刻的影响力和功效。发展家庭阅读是一个复杂的教育和研究过程，需要系统的知识与方法，需要馆员承担起家庭阅读的领航员的角色，图书馆相关专业人员的缺乏，使得目前阅读研究和阅读指导服务仍是一片空白。

倡导读书、促进阅读，需要政府重视和投入，也需要发动各界的力量。作为城市知识组织和知识传播中心的公共图书馆，更应该把引领所在城市或地区的阅读风气、推广和促进阅读当作自己义不容辞的责任和使命，以创新和改进读者服务的内容和模式，形成图书馆与家庭阅读的良好互动。

第四节　书房与家庭阅读

一、中国文人的书房情结

书房，即藏书、读书之所，又称“书屋”、“书室”、“书斋”等。如四壁皆书，称之为“书城”，所谓“坐拥书城”；藏书甚富，称之为“书库”；书置于阁楼，称之为藏书楼、藏书阁，如涵芬楼、天一阁。

在中国传统宅院中，除祖堂外，另一个重要的精神场所便是书房，但祖堂大多和中堂合一，所以，大体上书房是民居之中唯有的精神场所。书房一般位于宅院的僻静之处，如有后花园，必与之相邻，形成营造书房高雅恬淡的良好环境的重要因素。

对中国传统文人来说，书房不仅是为书所构筑的爱巢，是主人读书、诵诗、点染翰墨、良朋知己谈心交流的场所，还是为自己所营造的一个自由世界。因而历代文人无不重视书房的设置，追求读书环境的幽雅考究，一旦有条件，就会“奢侈”地布置他的书房，优化他的读书环境，将此当作洁净心灵，提高修养的圣地。中国文人对书房的要求，从藏书“万卷琳琅，致多善本”，到环境“几案精严，庋置清雅”，其精美考究，令西方人望尘莫及。“中国文人对着一本纸墨精良、字大如钱的宋椠精本摩挲不忍释手的醉心神往的情形，或许还有西洋藏书家对着哥顿堡的四十二行本圣经，反复数着行数，用鼻嗅着羊皮纸的古香气一再点头赞叹的情形差可仿佛”。（叶灵凤《中西爱书趣味之异同》，三联书店，1995 年）而中国藏书楼、书房以及读书环境之精美，西方人则难以望其项背。无怪乎季羡林先生在《藏书与读书》里谈到他晚年的感悟：“藏书与读书的风气，其他国家不能说一点没有”，但“实在是远远不能同我国相比”，“中国是世界上最喜藏书和读书的国家”。（季羡林《阅世心

风檐展卷

宋代赵伯骕绢本，纵24.9 cm，横 26.7cm，现藏于台北故宫博物院。本图中央绘一座敞轩，有一白衣士人盘膝坐在榻上，穿白衣紫裳，右手持羽扇，左臂支在臂搁上。榻前有一小几，上面有平摆着的书，也有翻开的书，表示榻上坐着的人，在这里展卷读书，故此画名为“风檐展卷”。敞轩与曲栏是用界尺打直线画出来的，所以这种画叫“界画”。

语》，陕西师范大学出版社，2007 年）

一个精致高雅的书香世界，并非人人所能拥有。不用说时时担心茅屋为秋风所破的穷书生，只能心向往之，就是家境优裕的书香门第，要构筑一个“缥缃万卷，坐拥书城”的精舍也着实不易。然而，不论物质条件怎样，浓郁的书斋情结是古今文人始终无法舍弃的。对于读书人而言，书房是他与先哲心神交会之处，是他的独立思想得以萌生的策源地，也是他的自由精神得以休憩的理想场所。因而书房不论大小，哪怕只是斗室、陋屋，只要其中寄托了主人的精神追求，就可满足如天堂。正所谓“斯是陋室，唯吾德馨”。清人戴名世《南山集》中有《意园记》，其开头一句曰：“意园者，无是园也，意之如是云尔。”也就是说，文中所记，不是物质上的“客观现实”，而只是精神上的空中楼阁。在这里，书斋作为一种精神意向，并不驻留于客观的存在，而是直指生存方式上的独立品格与精神趣味上的文雅气质。此外，读书人钟情诸如“红袖添香”、“佳人伴读”之类极富诗意的境界，也更多的是追寻一种“轻物欲”、“重性灵”的精神情趣，所谓“美女”云云，不妨视作一种精神的托付，内心深处欣赏的乐趣，体现了书香世界里期待自己精神趣味能被某一“知己”所读解的理想追求。

清人山阴金曾说：“天麻静讶惟为善，祖泽长延在读书。”书房作为我国“笔墨一族”的精神家园，读书人个性创造的发酵池，在历史上留下了无数的佳话传说。尽管历经艰难困顿，私家藏书读书的优良传统在我国并未中辍过。它犹如星星火种，薪尽

俾斯麦的藏书票

俾斯麦（Otto von Bismarck，1815–1898）虽被称为铁血宰相，但仍热衷于庄园生活，票面主要画面具体象征了他的身份和地位。同时，他喜读有内容的书籍，在历史、文学、哲学和神学方面的造诣很深。藏书票画面的上方，正代表了这方面的爱好。

潍坊民间孤本年画

山东省潍坊市寒亭区文化局征集的民间木版年画，此双幅作于清代时期，半印半绘形式，纵117 cm，横 28cm，左幅为“我教子”，右幅为“能吟诗”。

而火传，代代有传人，永远不至于毁圮。不论大小，每一间书房都是文化传承的书香家园，由许多个体存在并发挥作用的书房联合起来，构成绵亘不断的万里书城，成为历史长河中文化传承的汇集点，使中华民族的文化经典得到传承和弘扬。

二、书房与阅读

书房是藏书、读书之所，能藏而能读，能读而能用，才能不失其意义。

朱熹在《训学斋规》中说："凡读书，须整顿几案，令洁净端正。将书册齐整顿放，正身体，对书册，详缓看字，仔细分明读之。须要读得字字响亮，不可误一字不可少一字，不可多一字不可倒一字，不可牵强暗记……凡书册，须要爱护，不可损污皱折。济阳江禄，书读未竟，虽有急速，必待掩束整齐然后起，此最为可法。"（朱熹作，束景南注，《训蒙绝句考》，江苏古籍出版社，1991 年）

司马光藏书万余卷，"晨夕披阅，虽数十年，皆新如未手触者"，所以能如此，是因他特别爱惜书，"至启卷，先视几案净洁，藉以茵褥，然后敢启"。（吴应箕编撰，胡贯中点校，《读书止观录》，黄山书社，1990 年）

梁实秋也说，他每获心仪甚久之良册，必是沐浴一番，焚香净手阅之。可谓虔诚之至。

这种读书姿态，为古人所称"善观书者"，讲究清静、高雅的读书环境，提倡对书本的恭敬爱惜之心，读书做学问时心无旁骛、严谨刻苦的态度。

当然，读书也不一定要在书斋里正襟危坐。欧阳修谓读书在"三上"：枕上、厕上、马上，可谓性情中人，率性阅读。明末清初著名思想家、学者顾炎武一生酷爱读书，时人赞赏他"自少至老，无一刻离书"。在战事频繁、兵荒马乱的年代，不管是在行军还是避乱中，总是随身带两匹骡子、两匹马，以骡子载书，一边赶路一边抓紧读书。如果道路平坦，他就信马由缰，骑在马背上出神地读书，默背考证注释。于是"马背书馆"的美誉流传至今。曾国藩也说："苟能发奋自主，则家塾可读书，即旷野之地、热闹之场，亦可读书，负薪牧豕亦可读书。"（《唐浩明评点曾国藩家书》，岳麓书社，2002 年）

不论是为求知、做学问而读，或为乐趣、兴味而读，只要有所获益，则有无书房，书房不论大小好坏，都能达至读书的至高境界。

西方人对待书房与读书的态度要普遍随意得多。他们并不把读书之所当成一种重要的事情来看待，更注重读书的方式。由于没有特定的书房，所以客厅、车库、厨房都成了他们的书房，房中的每个角落都成为放书的场所，自然，房中的每一个场所都成为了读书的地方，这种做法看似对书籍不敬，却使得读书成了随时随地都可进行的行为，无意之间，将读书演绎成为生活的一个部分，这种方式贯穿于生活中的方方面面。由于西方人的这种读书观念，使得他们不把读书的范围只限定于房中，于是，在公园里、草地上，在街头的咖啡厅、酒吧中，在通勤的车厢里，人们都能看到他们读书的身影。据报道，《哈利·波特》的作者罗琳非常喜欢酒吧的阅读气氛，她的小说的许多部分并不是在书房里写就，而是在伦敦的酒吧完成的。一杯啤酒在手，目睹窗外过往的人流，精彩的外部世界尽收眼底，从中获得的想象力和创作灵感，与独自在书房里苦思冥想殊为不同。正可谓人在之处即书房。

三、现代家庭书房

随着时代的变化，书房的概念从传统的“幽幽书香静心处”变成如今的多元化空间。现代书房作为现代居室的一部分，是时代文明与人们精神追求的空间外现，在张扬个性、以人为本的年代，书房的组成要素、形态也都发生了巨大的变化，突破了传统的概念，打破了雷同的形态，用“风格多样、不拘一格的个性化空间”来形容现代书房是再合适不过了。

★随意书房

传统书房一般有独立的空间，伴随着琴瑟和墨香，书籍满架，书桌、书椅、文房四宝一应俱全，文玩、字画等精致雅趣，既见书籍之理性，又见艺术之灵性。现代书房则以简约实用为主，更关注读书环境的健康、舒适与环保，不论是款式与材质，还是造型与风格，根据主人的个性和独特需求呈现多样化。

此外，限于居住条件，多数家庭并不允许拥有一个规规矩矩、独立完整的书房，因而许多现代家庭会基于自己独特的生活习惯、空间的具体安排，尝试着以“空间组合”的方式，使读书空间与其他功能空间互动组合，以适应现代人娱乐、休闲、学习于一体的“敞开”的读书方式。甚至可以打造出一个叫“书房”，更适合称之为“读书角落”的地方。比如在客厅或餐厅一隅，巧妙地添置一个“书房角”，也会有“随遇而安”的不俗表现。这样的读书空间除却了刻板，增添了温馨，除却了自闭，走向了敞开，动静相宜，符合现代人青睐的寓学于乐的休闲读书方式。

俞前以藏书量 5000 册荣获 “2006 年苏州十佳藏书家” 称号。
张海萍摄

★**无形书房**

“我家没有书房，只有一间起居室兼工作室，也充客堂。但每间屋里都有书柜，各人都有书桌。所以随处都是书房。”——杨绛《我的书房》

“至于说到书斋，实际却并没有。我只是在卧室里放一张书桌，……书么，还是胡乱地散布各处，也不曾理董，乱乱的，用起来实在不方便。”——黄裳《我的书斋》

对杨绛、黄裳这样的名家大师来说，“没有书房”意味着大藏若无。而现代人的“无形书房”，则是对传统书房的解构。

从空间角度讲，书房流散在客厅里、卧室里、卫浴间里、餐厅里。在家里，书是不需要专门在某个地方坐着读的，可以在客厅里看书，客厅里可以有读书角；可以在床上看书，卧室里也可以有读书角；躺在浴盆里也可以看书，卫浴间里也可以有放置书刊的安排。笔记本电脑是SOHO一族所爱，可以放在餐桌上上网，可以在茶几上点击键钮，可以在床上发送电邮。从书房家具组成讲，放置书籍的柜体以板式化、组合化出现，它们没有硬性的规定，你可以把它当成书架，也可以把它当作装饰架，摆上书籍就是文化气氛浓厚的散点书房，摆上花朵或饰品就是颇有情调的美化墙。

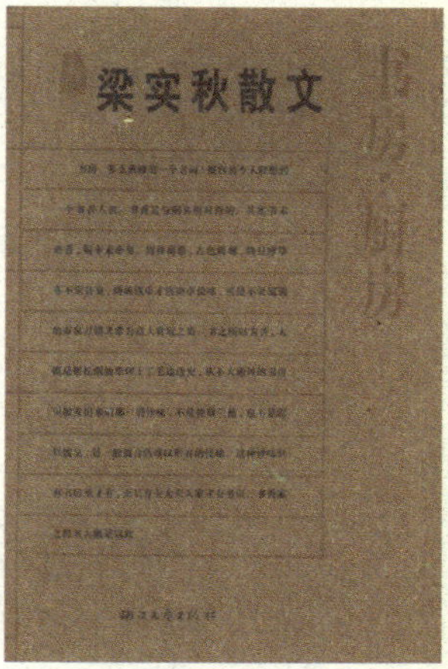

《书房·厨房——梁实秋散文》封面
梁实秋作、江虹选编，浙江文艺出版社，2006年

这种书房形态被专业的室内设计师称之为“散点书房”。它对应的是闲散、方便、随意的读书状态。如果说集约式的书房形态是“硬”性的，那么，散点式的书房则是“软”性的。散点式的书房就是顺应现代居家生活的要求，将家里专门的书房“打散”，使专门的书房消失。在现代人的居住观念中，看书、获得信息的行为应该融于在家里的比较散漫的坐卧起居状。所以，散点书房没有固定的模式，它只是一种形态。

★多功能书房

随着数字化时代的到来，多媒体设备及网络在家庭的普及，读书之地的存在形态也有了时代性的改观。书房不仅仅是读书

深圳图书馆外景
魏建华摄

之地，同时也是理想的工作空间和娱乐空间。SOHO一族把书房定义为“工作室”，读书与工作界限的模糊，使书房成为办公环境的延伸。写字台、活动转椅，收藏图书的组合柜具，加上电脑、扫描仪、打印机、传真机等办公设备，俨然是一个小小的OFFICE。这样，“现代书房”的概念就演变成了获取知识的自我空间以及依托知识获取财富的家庭工作空间。

除了传统的读书、学习功能，现代书房还被赋予更多的娱乐功能，越来越多地被用做影音室、电脑游戏室、互联网浏览室等多重角色。

书房作为人类文化积淀的产物，不论其形态如何多样，它的基本功能是不变的。书房对于家庭的必要性，正如梁实秋所说：“一个正常的良好的人家，每个孩子应该拥有一个书桌，主人应该拥有一间书房。书房的用途是庋藏图书并可读书写作于其间，不是用以公开展览藉以骄人的……书房不在大，亦不在设备佳，适合自己的需要便是。”（梁实秋作，江虹选编《书房·厨房——梁实秋散文》，浙江文艺出版社，2006年）现代家庭迈向物质文明的同时，更需要构筑一个充满儒雅与灵性的书香空间，让书籍走入每个家庭，使阅读成为人们生活中不可缺少的一部分。

附：翁森：《四时读书乐》

翁森，字秀卿，号一瓢，浙江仙居人，生卒年不详，生活在宋元更替的时代。他学问很好，宋朝灭亡以后，他不愿为官，隐居办学，著有《一瓢稿》。他创作的这组诗《四时读书乐》在后代读书人中影响深远。

春

山光照槛水绕廊，舞雩归咏春风香。
好鸟枝头亦朋友，落花水面皆文章。
蹉跎莫遣韶光老，人生惟有读书好。
读书之乐乐何如，绿满窗前草不除。

白话文译文：阳光照着堂外的栏杆，流水淙淙绕着长廊流过，乘凉归来的人们，沐浴着春风送来花香，一边走一边吟唱着诗歌。停在枝头的鸟儿，是伴我读书的朋友；漂在水上的落花，可以启发我作出美妙的文章。不要蹉跎岁月，人生只有读书是最好的事。读书的乐趣是怎样的？好比绿草长到窗前而不剪除，放眼望去，一派欣欣向荣的景象。

夏

新竹压檐桑四围，小斋幽敞明朱曦。
昼长吟罢蝉鸣树，夜深烬落萤入帏。
北窗高卧羲皇侣，只因素稔读书趣。
读书之乐乐无穷，瑶琴一曲来薰风。

白话文译文：新长出来的竹子垂压着屋檐，屋子四周种满桑树。我的小书斋安静敞亮，射入灿烂的阳光。

白天变长了，读完书以后，听听蝉儿在树上的鸣叫；夜晚读书时，灯花一节节落下，还有萤火虫飞入帷帐。只因为向来深知读书的乐趣，我在北面的窗户下闲适地躺着，就像远古羲皇时代的人一样逍遥自在。读书的乐趣是无穷的，好比沐浴着煦暖的南风，用瑶琴来弹奏一曲。

秋

昨夜庭前叶有声，篱豆花开蟋蟀鸣。
不觉商意满林薄，萧然万籁涵虚清。
近床赖有短檠在，对此读书功更倍。
读书之乐乐陶陶，起弄明月霜天高。

白话文译文：昨天夜里，我听到了庭前树叶落下的声音，篱笆上的紫豆花开了，蟋蟀在鸣叫。不知不觉，原野里已到处是秋天的气息，大自然的各种声音都含着冷清的意味，一片萧瑟的景象。床旁多亏有一盏矮灯，就着它读书效果加倍地好。读书的乐趣很令人愉悦，好比在高远的秋夜里，起身来赏玩明月。

冬

木落水尽千崖枯，迥然吾亦见真吾。
坐对韦编灯动壁，高歌夜半雪压庐。
地炉茶鼎烹活火，四壁图书中有我。
读书之乐何处寻，数点梅花天地心。

注："四壁图书中有我"也作"一清足称读书者"。

白话文译文：树木凋零，江河干涸，群山枯槁；在这辽阔的天地间，我正可以看清"真我"的本质。我坐在那儿，展开书卷而读，灯光摇曳，映射在墙上，墙壁好像也跟着在晃动；我高声朗读着图书，外面雪下得很大，半夜里，我的房顶全被积雪覆盖了。地上的火炉里，炭在燃烧，锅里正在煮着茶，我就在四壁放满了图书的空间里读书。读书之乐到哪里去寻找？就在这寒天雪地，且看那几朵盛开的梅花，从中我们可以体会天地孕育万物之心。

（邓咏秋/译注）

第五章 关于家庭阅读的建议

第一节　家庭阅读的责任与享受

为了更好地理解家庭阅读的内容，十分有必要再了解一下家庭及其功能。

“家庭建立以后，家庭会对夫妻双方，然后对于子女或者父母等家庭成员发生种种效用，同时还要与社会相互作用。‘家庭对于内部分子和社会的价值与贡献，就是家庭的功能。’”（黄升明等著，《多种形态的中国城市家庭消费》，中国轻工业出版社，2006）家庭的功能主要体现在家庭成员的活动上，即在家庭这个关系维系下，人们在一起做什么，尤其是为了履行家庭成员的义务互相支持，他们做了什么。社会学家们对家庭的功能有许多总结，但总的来说，离不开以下几个方面：1）经济功能：对食品和劳务的生产、分配、交换和消费，满足家庭成员基本生存的需要；2）抚养功能：群体成员之间身体上的抚养和照顾，通过生殖和收养增加新成员；3）社会化功能：进行儿童的社会化，对成员进行社会控制；4）情感交往功能：通过爱来维护的道德和动机，在家庭活动中体会天伦之乐的亲缘关系。

凝望的宝宝
谢佳摄

“家庭阅读”是“家庭的阅读”，即个

人作为家庭成员参与阅读活动，是一种家庭关系基础上的阅读。从表面上看，阅读只涉及人与阅读材料的关系，但这种关系背后隐藏的仍然是人与人的关系。建立在这种关系上的家庭阅读，一方面是在家庭范围内对阅读材料进行处理和使用，另一方面是在此活动过程中对家庭成员关系的适应与修正。前面章节提及的亲子阅读、分享阅读、阅读治疗以及快乐阅读等形式，或就是以家庭的形式进行，或可以在家庭中进行，并且也体现了家庭的两个重要功能——社会化和情感交往。

一、社会化——家庭阅读的责任

家庭成员的社会化，尤其是儿童的社会化，是家庭的主要或者核心的功能。人一出生，起初只是一个一无所知的“自然人”，只有在与家庭成员的群体生活过程中，接受抚育，逐渐成长为一个具有与社会文化相一致的道德观、价值观、行为模式的“社会人”。这样一个把人从“自然人”转变成为“社会人”的过程，在社会学上被称为社会化。家庭是人类社会生活最基本的组织形式和最小的社会单元，而且人们社会化的大部分过程都是在家庭中完成，因此家庭担负着主要的社会化责任。

儿童社会化，实际上就是儿童接受与社会文化相一致的信息和知识，这种信息和知识可以通过口耳相传，但最主要也是最重要的方式是通过文字与阅读来传播。阅读对于儿童社会化的意义，主要就是帮助他们在今后的社会生活中理解和阐释文本内容，批判地评介文本的内容和形式。阅读能力，是取得学业和职业成就的核心前提，更是现代信息社会中的关键能力。美国著名媒体文化研究者尼尔·波兹曼在《娱乐至死》（广西师范大学出版社，2004）中写到：“印刷文字对于我们的身体和大脑都提出了相当苛刻的要求。但是，控制你的身体是最低限度的要求。你还必须学会注意书本上文字的形状。你必须看穿他们，这样你才能直接了解这些形状所代表的意思。”儿童社会化过程需要阅读，阅读能力为儿童社会化提供基本的智力支持和实现手段，儿童通过学语言、学识字，来实现阅读的第一步，而且这第一步基本上都在家庭这个场所、家庭成员的帮助下进行。所以，儿童社会化的重要任务就是家庭承担培养儿童阅读能力的责任。

儿童社会化，儿童学习阅读，需要家庭和父母的关注与干涉，父母和家庭对于儿童社会化过程中的健康成长都担负着举足轻重的责任与义务。

法国 18 世纪的伟大启蒙思想家卢梭的父亲很爱读书，他将自己的癖好也传给了卢梭，每天吃过晚饭，父子俩就兴致勃勃地朗读起来，经常是一口气读到天亮。这种通宵达旦的阅读，使卢梭获得了丰富的阅读能力和理解能力。但是粗心的父亲并不在意孩子看的是什么书，这使卢梭通过图书知道了在他那个年龄不该接触的关于情欲方面的知识，这使他多愁善感，对他一生影响很大。而俄国伟大的无产阶级领袖列宁的母亲就很注意培养列宁的学习方法和阅读指导，深入浅出，循循善诱，使他终生受益。

从卢梭和列宁的事例中，可以看到在儿童家庭阅读中父母进行有效的干预相当重要。同时，父母有针对性地对儿童阅读过程进行规划和控制，有助于儿童形成正确的人生观和价值观，能够帮助儿童了解和掌握其所处社会环境下所共同认可的道德体系和价值体系，能够让儿童在此体系下与其他的社会人进行有效的沟通，并能获得大家的认可。

附 1：列宁的家庭阅读故事

摘录自《哈佛伟人家教》（美）威廉·贝内特著；小伍译，中国妇女儿童出版社，2005 年版。

我应当告诉孩子正确的学习方式，以便让他尽早形成自己的学习习惯。

——卡尔·威特

列宁 5 岁的时候，母亲就开始教他读书，但是列宁很喜欢乱蹦乱跳，一点也坐不下来。他对热闹的游戏的兴趣大于对读书的兴趣。

在教会了孩子识字后，母亲给列宁找来一些适合儿童的读物，在母亲的严格要求下，刚学会识字的列宁读得很吃力，没过多久他就对这些失去了兴趣。聪明的母亲看得出孩子没有真正对读书感兴趣，就不再强迫孩子进行下去，她改变了自己的方法。一天她让丈夫从学校带一些笑话之类有趣的书回来。丈夫问她：

“为何要这样的书呢？”

母亲说：“我要用来教育孩子。”

“你用笑话来对孩子进行教育？”丈夫奇怪地问。

“我只是用它来培养孩子的读书兴趣。你最好也看几篇，来配合我一下。”

晚上吃过饭，大家都清闲的时候，列宁的母亲提议说：“我们来讲笑话吧，好不好？”

父亲配合说：“好呀，每人讲一个，我先来。”

于是父亲先讲了一个，然后母亲也讲了一个。轮到小列宁了，列宁却没有笑话可讲。母亲给了他一本讲笑话的书，说：“你先看，然后再讲给我们听。”

列宁接过书看了起来，为了能把笑话记住，列宁看得很认真。看完了，列宁也合上书讲起来。

第二天晚上母亲又提议讲笑话，列宁白天已经看了书了，他发觉那些书读起来很有趣，不知不觉地就记住了。这样列宁对看笑话类的书有了兴趣，几乎每天都能给母亲讲几个笑话。

过了几天，母亲又提议说：“今天我们不讲笑话了，改讲故事，每人讲一个。”于是列宁只好又去读故事类的书。这些书母亲早已让父亲借来了，书里大部分都是简短而有趣的故事。

在母亲的诱导下，列宁很快就习惯了阅读，他感到了读书的乐趣。母亲为他准备了很多适合他读的书籍，

父女共读书
李璟摄

其中有神话、童话、科普小知识等等，列宁读得津津有味。

在阅读了一些书籍后，母亲开始让列宁动手写东西了。她对列宁说："仅仅阅读是不够的，你还要做读书笔记，写读后感，要养成一个良好的读书习惯。"在母亲的鼓励下，列宁试着写了一篇读后感，然后交给母亲说：

"妈妈我写好了，你看这样行吗？"

母亲看了后说："写得还行，不过一定要注意表达的思想要清晰，不能前后矛盾，你最好在写之前列一个提纲，这样就会有条不紊了。"

不一会儿列宁写好了提纲拿给母亲看，母亲说："这就对了，以后要经常这样做，这很有利于提高你的工作效率，不仅是写作，做任何事也是一样，最好是想好后，一步一步地去做。"

附2：儿童早期阅读应该怎么读？

许多父母认为早期阅读就是提前识字和认字，早期阅读教育要对孩子进行笔画、字词的辨认和书写技能的培养。面对这样的问题：有甲、乙两所幼儿园，当甲幼儿园承诺在三年内教1000个汉字，乙幼儿园没有明确提出识字要求时，你选择哪一所幼儿园？38.2%的父母选择甲幼儿园。许多父母认为"早期阅读就是早期识字，不识字怎么阅读"，把识字作为阅读的必要条件。他们热衷于给孩子买识字课本，采用小学生的识字方法，让孩子一笔一画练习，有些父母甚至对孩子提出一定的识字任务。这种将小学读写提前至幼儿阶段的做法，加重了孩子的负担与压力，使得他们将来一拿起书本，就与早期所获得的枯燥、机械、乏味的识字经验联系起来，会使孩子产生厌学情绪。"早期阅读就是早期识字"这种观点的存在，既受我国对"文字"和"神童"崇拜的传统文化观念的影响，也与对早期阅读缺乏正确认识有直接关系。幼儿的早期阅读与中小学生乃至成人的阅读有着本质区别。它是一种"读写萌发"，是正式读写学习的准备。儿童早期阅读的价值主要体现在通过接触书面语言获得早期阅读经验，主要表现在三个方面：

第一，早期图书阅读经验。包括翻阅图书的经验；从书中发现人物表情、动作、背景，将之串联起来理解故事情节的经验；会用口语讲出画面内容；听父母念图书文字时，知道是在讲故事的内容。

第二，早期识字经验。包括知道文字有具体的意义；知道文字是一种符号并可与其他符号系统相互转换，如认识各种交通与公共场所的图形标志，知道这些标志代表一定意思，可以用语言文字表现出来；明白文字有一定的构成规则，如汉字"氵"旁的字大多与水有关，如"泪"、"汗"、"洗"等等，认识一些常见的汉字。

第三，早期书写的经验。包括了解汉字的基本间架结构，如汉字的上下、左右结构等；了解书写的最基本规则如由左至右、从上到下等；知道书写汉字的工具，并学会用正确的书写姿势写字，包括坐姿、握笔姿势等。

为使孩子获得上述三个方面的早期阅读经验，父母在对孩子的早期阅读教育中可采用以下方法：

第一，创设良好的阅读环境。使儿童随时随地有机会接触书和文字。丰富的早期阅读环境包括为儿童提供随手可取的书籍或其他文字游戏材料，如拼字积木、拼写磁铁玩具等；在儿童常玩、常用的物品上贴上一些文字标签，如“桌子”、“电视机”等；做一些以孩子名字命名的标志，如“明明的房间”、“明明的床”等；有时也可以结合儿童的经验或活动，在儿童经常活动的地方，摆放一些信件、报纸、贺卡等。这样的环境，有利于儿童通过观察不同的文字符号了解文字的基本功能和重要意义，并萌发自己使用文字的愿望。

第二，为孩子树立良好的阅读榜样。父母经常看书阅读会给孩子留下深刻的印象，孩子会从父母潜移默化的“身教”中学会并养成自觉看书、自觉学习的好阅读习惯。所以，应努力为儿童营造浓厚的阅读氛围，用自己爱看书的情感去感染孩子，让孩子在耳濡目染中感到书的吸引力。

第三，充分利用社区教育资源。在闲暇时间，父母可带孩子到书店、图书馆走走，不仅可以让孩子感受到人们对知识渴求的氛围，更重要的是能够使孩子在真实的社会生活中积累阅读经验，拓展阅读视野。

第四，采用分享阅读法。这种阅读方法要求父母与儿童一起选择、共同阅读儿童感兴趣的图书。在阅读过程中，父母要注意通过言语讲解帮助儿童理解读物内容；听完故事或看完图书之后，适当提出有利于儿童思考的问题，也有助于儿童理解阅读内容。此外，父母还要有意识地对儿童的阅读行为表示关注、兴趣和赞赏。分享阅读之所以强调“分享”，是因为这种阅读方法不以学习为直接目的，而是强调通过父母与儿童的共同阅读，分享阅读的经验与快乐，让儿童享受到父母的爱。这种早期阅读

爱看书的宝宝
李璟摄

的方法对于培养儿童的阅读兴趣、激发儿童的阅读动机有着独特的作用。

第五，反复阅读。故事是儿童阅读的主要材料。父母应当每天给儿童安排看故事书的时间，指导儿童将同一故事阅读多次。这样做，既有助于儿童熟悉故事中的语言，从开始的被动听故事过渡到自己主动读故事；而且经过多次反复，当儿童无需父母的参与就能够自己进行独立阅读的时候，儿童就会获得阅读自信心，从而促使他们进行更多的阅读活动。

第六，参与读写活动。在日常生活中，父母经常与儿童随机运用和讨论儿童感兴趣的文字，如点字念儿歌、故事，念公交站牌，念报纸，儿童涂写留言条，“翻看”报纸等。这些有意义的、儿童感兴趣的、成人没有刻意“教”的阅读活动，对于儿童了解有关文字的功能及获得文字的认读经验是很有帮助的。

——摘录自谢秀莲《家庭中早期阅读教育的误区与对策》，《甘肃教育》，2006(5)

二、情感交往——家庭阅读的享受

“执子之手，与子偕老”，情感是建立家庭的主要动因。现代社会紧张忙碌，竞争激烈，家庭是人们走向社会的起点，也是回归的终点。对人来说，心理卫生、人格发展、感情慰藉和精神寄托都离不开家庭。家庭是思想、情感交流最为充分的场所。人都是需要交流的，感情交流是家庭精神生活的重要组成部分。

（一）为什么要开展家庭阅读？

1. 家庭阅读中的情感交流可以拓宽家庭活动空间，促进家庭和谐

在这个节奏快、竞争激烈、生存压力大的现代社会中，家庭是人们休息的港湾。一方面，家庭成员渴盼的是一起共度的欢乐时光；另一方面，他们希望的是在有限的时间中尽可能多地了解彼此的生活和学习。在家庭阅读活动中，家庭成员的角色位置是平等的，每一个家庭成员都可以在阅读活动中充分放松自己，表现自己，与家庭成员分享各种阅读经验和阅读体会，参与平等的讨论和交流。在共同分享阅读体会和阅读兴趣的活动中，家庭成员坦白相对，相互尊重和相互信任，增进彼此间的理解和认识，从而促进和谐均衡的家庭交流关系的新发展，而这种和谐均衡的家庭交流关系又反过来为家庭阅读的深入开展提供了坚实的亲情基础。

2. 家庭阅读可以使家庭成员在互相促进中得到灵感

家庭阅读不仅仅是家庭成员聚在一起休闲和放松，还是一种学习型家庭的建设活动。家庭成员在交流阅读思想和阅读材料中，可能会有出其不意的灵感，这种灵感是一种水到渠成的意外收获，个人知识体系通过家庭这个平台得到扩大和促进，是个人阅读的家庭延伸和拓展。关于灵感的例子，比较著名的有列夫·托尔斯泰

的故事，大意如下：

俄国文学家列夫·托尔斯泰经常和孩子一起读书。他写《安娜·卡列尼娜》时，酝酿了四年都写不好开头，苦恼极了。直到有一天，他随手拿起大儿子刚读的普希金小说，看到普希金的文章《宾客齐集在别墅中》，大受启发，赶紧回到书房，在稿纸上写道："奥布浪斯基家里，一切都乱了。"这就是托尔斯泰名著《安娜·卡列尼娜》的开头（现在的开头在这句话前边又加了"幸福的家庭都是相似的，不幸的家庭各有各的不幸"）。

3. 家庭阅读可以治疗"社会病"

现代社会是工业社会或后工业社会，时间就是效率，人们的生活节奏相当的快。为了生活，不得不早出晚归、疲于奔命，高强度的工作劳动使人们之间的关系疏远、家庭成员之间的关系疏离，人们会习惯于以电视或网络这种不需思考的媒介来放松，或者将家庭成员留给保姆、寄宿学校、电视或网络来照顾。因此，这个社会的人群出现了"电视自闭症"、"网络依赖症"和"亚健康"等种种"怪病"，近来还出现了"宅男（女）"、"干物男（女）"（两者都是日语舶来词，前者形容人们每天憋在屋子里不出去社会交往，沉迷于玩电脑游戏、网络聊天、泡论坛、看动漫、看电视连续剧；后者是形容年轻人不竞争，不交际，不运动，不恋爱，就像干巴巴香菇、干贝等）的怪称呼。家庭阅读，一方面提供了融洽的家庭环境、轻松的家庭交流手段，使得家庭成员脱离"孤离"的生存状态；另一方面，经典的阅读材料为家庭成员的心理健康、性格完善提供了指导和疏导。在现代社会中，把阅读作为养生保健或回归身心健康的一种方法，谓之"阅读疗法"，家庭阅读因有家庭温暖和家庭亲情滋润，更具有阅读疗法的功效。

（二）家庭阅读的天伦之乐

所谓天伦之乐就是家庭成员之间欢聚与共同生活带来的乐趣与享受。亲子共读，夫妇共读，交流阅读情感，构建和谐的家庭关系，让家庭成员在承担社会压力与儿童社会化责任的过程中贯穿着天伦之乐。

在家庭阅读尤其是与子女的共同阅读中，应当注重就阅读情况与子女交流，充分听取子女的意见和建议，让其积极参与其中，使其感受到自己的建议是可以被采纳的和自己是重要的，这有助于子女从小培养自我认同意识，对其成长过程中自信心的树立大有帮助。

父亲指导使用图书馆的 OPAC 机
李军锋摄

在父母与子女共同阅读的过程中，家长对于子女教育与阅读所付出的努力和关注能够让子女切身感受到家长对他的爱，让他懂得家庭的核心在于互相的关怀与付出，使得子女从小培养和树立对于家庭的责任感和责任意识，通过其对家庭责任意识的理解，进而在他们步入社会后，可以进一步展示出他们对社会和公众的责任意识。

在家庭阅读的集体行动中，家庭成员的共同参与和同心协力能够让所有的家庭成员感受到家庭的亲情与温馨。这种独特的家庭文化，为家庭成员的和谐共处与深层次交流和沟通创造了良好的环境和氛围基础。

（三）平等的家庭阅读

家庭阅读的情感交流，应该是一种建立在平等基础上的交流，平等的关系才能抛开顾忌，打开情感压抑的闸口，营造畅所欲言的氛围。父母—子女关系在家庭伦理关系中的天生不平等，导致父母—子女的家庭阅读关系也不能完全平等，但对于以爱情为基础自由结合的夫妇，阅读关系应该是平等的。李清照在

《金石录后序》中以形象的笔墨记载了其婚后温馨甜蜜的生活：丈夫赵明诚“每获一书，即共同校勘、整理、签题。得书画彝鼎，亦摩玩舒卷，指摘疵病，夜尽一烛为率”，“指堆积书史，言某事在某书某卷第几叶第几行，以中否角胜负，为饮茶先后。中即举杯大笑……”读书与校勘，阅读与娱乐一体，夫妻二人作为两个平等的人共享良辰，嬉戏欢闹。这幅场景，是千年来无数中国读书人“红袖添香”的浪漫梦想。然而，《追忆——中国古典文学中的往事在现》（郑学勤译，三联书店，2004）中，美国学者宇文所安却毫不留情地证明：随着赵明诚过于关注藏品，书库新规矩的制定，李清照不能随意使用其中图书，所以“她在家庭中节衣缩食以购买副本，以求随意使用属于她自己的书”，而且“流露出抱怨的情绪来”。宇文所安的解释可能是一种西方人纯粹的自然主义眼光，中国人心理上很难认同，但这个观点也从侧面证明了家庭阅读是应该建立在平等关系之上的。

附：散文《女儿一岁半了》

作者：李璟

女儿现在一岁半了，当很多像她一样大的孩子刚学会喊爸爸妈妈的时候，她已

挪威的威格兰公园雕塑

公园内的作品是由挪威政府出资，委请艺术家古斯塔夫·威格兰(Gustav Vigeiand) 创作而成。威格兰花了40年完成650件作品，全部陈列在这个公园内，这也是他的毕生之作。作品都与人性有关，包括亲情、友情及爱情在内的人性反应。

吴绍华摄

经能用完整的句子来表达自己的思想了，这完全得益于我们天天进行的家庭阅读。

女儿刚出生，我们就给她买了一本专门给婴儿看的书，上面都是黑色和鲜艳颜色的图案（用于锻炼宝宝的视觉和对色彩的感觉），在光线充足且她情绪良好的时候，我们把书放在她的眼前慢慢移动，她的小脑袋也随着书的移动而摆动，她的这一举动时常引来全家人的围观。

等女儿五六个月大时，我们给她买了几本认物书。每天当我闲下来时，我就把她抱在怀里，用清晰、正确的发音一遍一遍教她认物书上的事物，而她似乎也很认真地听，到一岁时，她的认物书上的东西她基本上都能说出它们的名称了。对于我来说，最难忘的一刻是她第一次指着书上的猫念到"猫猫"的时候，当时觉得她说的这两个字比天籁还要动听，我相信所有做妈妈的都能体会到这种喜悦感和成就感。

她八九个月大时，我就开始给她讲故事了，我常常运用夸张的表情和生动的语言，并辅以相应的动作模仿人物的身形，而她也总喜欢跟着我学，比如我讲到"兔妈妈敲门"，就会在地板上做敲门的动作，她就跟着学，有时候我在房间里，她要找我，也会在外面敲门了。对于书里的人物，她也有了自己的喜恶。我给她讲《三只小猪》，当"大灰狼"这个反角出现时，她都会伸出自己的小手，使劲地打它，嘴里还念叨"打，打，打"，当讲到大灰狼把房子吹倒了，她又在说"猪猪，跑"，最后讲到三只小猪再也不用怕大灰狼时，她就会开心地鼓掌。而我也常常会被她的投入所感染，在阅读的过程中逐渐忘掉生活中的不愉快，沉浸在童话的世界里。

现在她已经形成习惯了，每天都要依偎在我的怀里，享受这段温馨的共读时光。有些故事是我母亲在我小时候给我讲过的，比如《小红帽》、《拇指姑娘》等等，在给她讲这些故事的时候，我常常会想起自己的母亲，仿佛自己也回到了幸福的童年，体会到爱就是这样一代一代传递的。我想家庭阅读给她带来的也绝不仅仅是词汇量和语言能力，更重要的是在阅读过程中能体会到父母的爱与关怀，这对于她情商的发展是大有裨益的。

第二节　家庭藏书与书香氛围

影响家庭阅读的重要因素是藏书和书香氛围。家庭阅读之所以不同于个人阅读，是强调家庭环境、家庭文化和家庭成员对于个人阅读的影响，这种影响首先是家庭藏书，其次是家庭的书香氛围。所以家庭阅读的开展，必然包括家庭藏书和书香氛围两个方面的建构。

一、家庭阅读的源泉：家庭藏书

中国文化源远流长，典籍浩繁。中国人和犹太人一样，也是爱读书的民族。读书当然必须有书，爱读书的人也大多嗜好藏点书，所以中国家庭藏书的历史也可追溯久远。家庭藏书为家庭阅读提供文化源泉，其重要性对家庭成员来说不言而喻。

（一）中国私家藏书之传统

唐宋之前，书多为手抄本，读书人爱书也很难大量藏书，所以私家藏书以官宦和学者为主。随着造纸术的改良和印刷术的兴盛，书的数量一时激增，读书阶层突破士大夫之流，到达乡绅、富贾以及一般的布衣学子。

私家藏书一时蔚为风行，宋代开始成为文人风尚，而且诸多父子传承，藏书万卷，历经数代。据吴晗《两浙藏书家史略》初步统计，自晋至清末，浙江私家藏书家就有359人，著名的有南朝宋、齐、梁三代的沈约。沈约是浙江最大的藏书家，也是当时全国藏书家之首，据《湖录》沈约“本传”称，“约家藏书十二万卷”。沈约博通群籍，著作甚实，著名的《二十四史》之一的《宋书》(一百卷)为其所主持修纂，此外，还著有《晋书》一百卷（可惜未能流传于世），《宋文章志》三十卷，《文纪》二十卷，《高祖纪》十四卷，及《迩言》十卷，《谥例》十卷。他曾历官宋、齐、梁三代，官位显赫。沈约的出众才能和卓著成就，与他倚靠丰富的私家藏书，少时笃志好学，博

徐家汇藏书楼内景
全称上海图书馆徐家汇天主堂藏书楼，收藏了许多珍贵的中西文文献
吴绍华摄

览群书密不可分。此后最著名的藏书家有前文提到的明朝范钦及其天一阁藏书楼、王世贞及其弇山园、毛晋及其汲古阁等，还有清朝末年蔚然壮观的“晚清四大私人藏书楼”：常熟瞿氏铁琴铜剑楼、山东杨氏海源阁、归安陆氏皕宋楼、钱塘丁氏八千卷楼。

藏书风气不仅仅为文人所崇尚，也深入民间。三国时就形成村落的上海青浦古镇朱家角镇，藏书的习俗一直延续至今，因此千年文化积淀，孕育了众多文人雅士，仅明清两代，就出了18位进士，40多位举人。读书、爱书、藏书，也就成了墨香浓郁的朱家角古镇的珍贵人文资源和文化传统。据2007年6月2日的《新民晚报》报道：朱家角镇20世纪90年代，“全镇民间藏书就超过10万册，是镇图书馆藏书的10倍，并超过了青浦21个乡镇图书馆藏书的总和”；目前（2007年），“全镇11 000户家庭，藏书户达到了8600余家，80%以上的家庭有藏书，全镇民间藏书总数达到56万册，户均50余册，人均16册，藏书千册以上的家庭有51户。”朱家角镇人民为其民间藏书丰富而自豪，正在积极申报“国家级民间藏书之乡”，目前已通过市级评选，这也是

丹麦皇家图书馆馆藏中文书
吴绍华摄

丹麦皇家图书馆流通服务总台
吴绍华摄

全国第一个申报“民间藏书之乡”的文化古镇。

（二）现代家庭藏书阅读之趋势

中国这种文人社会和基层民间家庭藏书的文化现象，长期维持着中国文化传统，培育了大量优秀的中国读书人和文化人才。即使在当代社会，家庭藏书在阅读中的重要地位也不可忽视。虽然随着公共图书馆的出现、书籍的印刷和发行市场化，人们可以去图书馆借阅图书，可以通过实体和虚拟书店购买图书，甚至可以足不出户在网络阅读电子图书。然而，无论多么便捷的方式，都比不上家庭藏书的方便实用、“信手拿来”。

据《中国人读书透视》一书对 1998 年 1000 名北京市民进行的随机调查结果显示：在被访者阅读的书籍中，平均有 71. 4% 是他们自己的藏书，高达 40%的被访者平时所读书中 90%是个人藏书。同时，第二次全国国民阅读与购买倾向抽样调查（2002 年）公布的调查数据显示：从 2001 年起，我国图书消费以自费为主，该年读者自费购书比例已由 1999 年的 46.1%上升到

57.7%，首次超过半数。第三次全国国民阅读与购买倾向抽样调查（2004）数据虽然显现“家庭藏书数量不多，有藏书的家庭比例下降”，但仍表明“2003 年我国识字国民中有藏书的家庭比例为 61.6%，其中城镇识字居民中有藏书的家庭比例为 80.4%，农民识字居民中有藏书的家庭比例为 55.0%；从城市规模看，300 万以上人口的特大城市中，家庭有藏书比例为 65.8%，150 万—300 万人口的大城市中，家庭有藏书的比例为 65.5%，20 万—150 万人口的中等城市中，家庭有藏书的比例为 59.4%。从总体看，我国国民家庭拥有藏书的比例超过一半。”［中国出版科学研究所课题组，《对全国国民阅读与购买倾向抽样调查（2004）部分数据的分析》，载《出版发行研究》，2005 年第 1 期］

根据上述有关调查统计数字资料，可以得出这样的结论：家庭和个人自费购书成为家庭阅读图书的主要方式，依靠家庭藏书支撑家庭和个人的读书生活已成为一种趋势。

（三）家庭乐土之书房

虽然阅读不一定要有自己的藏书，虽然图书馆等公共文化设施配套愈加发达和完善，社会公共文化服务愈趋公益和免费，但很多读书人仍选择自己建设家庭藏书体系和构建家庭读书环境。而且对于当代中国人而言，家庭居住面积的扩大，家庭生活品质的提高，共处闲暇时间的增多，使人们有更多的时间和空间与书为伍，也使人们对享受阅读提出了更舒适的要求。因此，书房和家庭藏书建设，成为家庭文化和人们精神生活建构的一个重要方面，自然也成为家庭阅读活动建设的基础方面。

书房是家庭藏书和家庭阅读的物理空间，其建设不可否认与经济实力和物质基础密切相关，既可有“豪华辉煌”的富人排场，也可有“螺蛳壳里做道场”的穷人办法。阅读和家庭阅读都不是奢靡之事，书房的建设也没有统一标准，只要适于读书即可：可独处一室，也可偏倚一角，还可只是台灯一盏、板凳一张，关键看对书籍和阅读的真诚心意，或举重若轻或慎而重之，随心所欲。阅读可以扩充人心的容量，也可拓展家庭的空间，只要读书，只要是爱书人和读书人，陋室也是乐土，天下即是书房。

（四）家庭藏书之选择

家庭藏书是家庭阅读的对象材料和交流工具，是家庭阅读活动的建设重点。家庭藏书是给家庭成员阅读的图书，不同家庭成员的阅读需求都是极具个性化的，即使同一位家庭成员，在不同的年龄层次、心理因素、社会环境、职业规划的影响下对阅读材料的需求也是迥异的。家庭阅读倾向的无限不确定性，与家庭购书经费的有限性，藏书空间的局限性，构成了一个尖锐的矛盾体。所以，如何优化家庭资源，把钱花在刀刃上，优选家庭藏书，显得十分重要。

关于藏书的选择，中国古代知识分子有很多论述，流传至今，就成为家庭和个人收藏中国传统文化名著的指南。为响应当代建设学习型社会和书香社会的召唤，各种融合了不同时代不同问题的中西方作品的家庭藏书总结书目也纷纷面世。古今中外的各种推荐书目，各有特点，各有侧重，但也有异曲同工之处，使得家庭藏书在“乱花迷眼”的同时也有一条清晰的小径。藏书的选择，既要考虑家庭阅读的个性需求，也要考虑家庭阅读的共性特征。家庭藏书的共性图书，主要有两类：

1. 经典著作。经典著作是经得起时间考验的作品，阅读经典应该成为家庭阅读文化生活的主旋律。家庭阅读，要读好书，首先就得落实到阅读经典上。朱自清先生曾在《经典常谈》中这样说：“在中等以上的教育里，经典训练应该是一个必需的项目。经典训练的价值不在实用，而在文化。”这说明阅读经典名著，具有提升家庭文化品位和家庭成员人文修养的作用。经典著作是漫长读书社会的历史选择，也是公认的优秀作品。古今中外各推荐书目中的重点，必然围绕这些公认的经典著作展开，而且涵盖范围和具体品种也大致相同。经典著作是永恒的作品，超越了具体的时代特征、学科种类和阶级阶层。比如，司马迁的《史记》，虽然归属于历史学类，但其中蕴含的文学价值、思想价值、哲学价值和文化价值远远超出了具体的学术范畴，可以被同一家庭中的任何成员阅读。经典著作流传久远，经久不衰，由此可看出，经典收藏不但是家庭藏书的重头戏，甚至也可以作为家庭的一项基业，代代传承。

2. 工具书。工具书被人称作“案头顾问”、“无声老师”，备受读书人重视。武汉大学法学院马克昌教授定义“工具书是汇集知识，编排有序，便于查考的图书”。国图研究馆员戚志芬在其《参考工作与参考工具书》中认为工具书的功能为：“指示读书门径，解决疑难问题，提供参考资料，掌握学术信息，节省时间精力。”工具书的种类很多，除了通常所见的字典、辞典外，还包括文献资料汇编、索引等供查考使用的图书。最常用的工具书如《新华字典》、《现代汉语词典》、《古汉语常用字

广东省开平市关族图书馆内景

字典》、《唐诗鉴赏辞典》、《宋词鉴赏辞典》等。这些工具书既可以随时查阅读书和生活中碰到的疑难问题，也可以作一般阅读材料来通读，据说，《新华字典》出版后，许多识字不多的进城干部，都是靠通读这本字典扫除文盲、掌握了阅读的基本能力（笔者有位父辈经历即如此）。所以，工具书确实是家庭成员读书治学的利器、工作生活的帮助，为家中必备的实用书。

美国作家亨利·瓦德·毕奇尔说："对于一座房子来说，没有比书籍更美丽的装饰品。"对于一个家庭来说，也没有比藏书更美丽的装饰品了。家庭必须要有藏书，要藏好书。德国阅读基金会的弗兰茨曼（Bodo Franzmann）先生说，如果读者看完某本书会要求读另外一本书，那它就是一本好书。家庭藏书建设就是要选择这样能激发家庭成员阅读下一本的渴望的书。而关于家庭藏书和家庭阅读，清代文人张潮在《幽梦影》中有个描述，堪为经典："藏书不难，能看为难；看书不难，能读为难；读书不难，能用为难；能用不难，能记为难。"

附 1：中国名人和家庭藏书

根据《你应该知道的中国历史文化 100 人》(马丕环编著，广西人民出版社，2007)、《当代百家话读书》(曹积三、阎桂笙主编，广东教育出版社，1997)和《饶宗颐学述》(饶宗颐述，胡晓明、李端明整理，浙江人民出版社，2000)摘录组织。

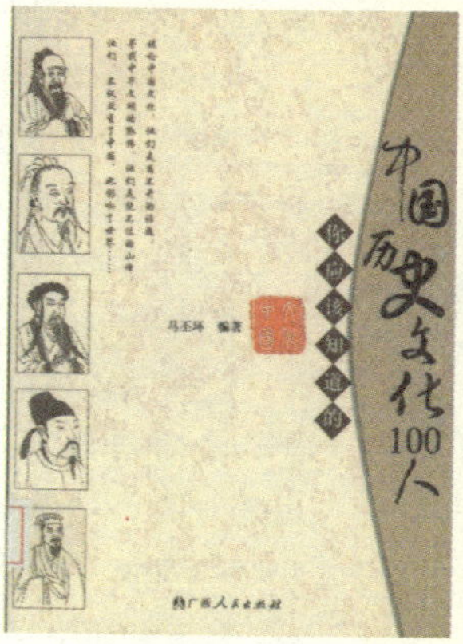

《你应该知道的中国历史文化 100 人》封面，马丕环编著，广西人民出版社，2007

明朝剧作家　汤显祖

《牡丹亭》的作者汤显祖出生于江西临川一个书香人家。他的曾祖父和祖父都是有名的藏书家，家中拥有大量图书，这为汤显祖从小受到良好教育提供了极为便利的条件。

明朝地理学家　徐霞客

徐霞客出生于一个曾筑万卷楼的诗书世家，陈函辉在《徐霞客墓志铭》中说其"尽发先世藏书，缣湘充栋、博览群书，即如探囊"，"客中未见书，即囊无遗物，亦解衣市之，自背负而归。今充栋盈箱，几比四库。"先世藏书和自身的不断藏书，使得徐霞客博览群书、涉猎甚广，为他后来的事业打下了深厚的基础。

社会学家　费孝通

费孝通出身于知识分子家庭，家中有一个书斋，使他早年除了在学校里学习基本知识外，还通过家里的小书斋接触到中国的历史和文化及简单的当代世界知识。

历史地理学家和郦学家　陈桥驿

陈桥驿写道："从家庭来说，我出自书香门第，我祖父是清末举人，藏书盈数

授经图

隋代展子虔作，绢本，纵 30.1 cm，横 33.7cm，现藏于台北故宫博物院。展子虔，生卒年不详，北周末隋初画家。

屋。”

翻译家、学者　戈宝权

戈宝权1913年出生在江苏省东台县一个书香门第的人家。他家里有不少藏书，并且很早就接触到新学和民主的思想。他回忆说，这些新民主藏书中，其中有邹容的《革命军》和梁启超主编的《新民丛报》，还有孩子们最喜欢看的《点石斋画报》。

香港大学　饶宗颐教授

香港大学饶宗颐教授在自述其学术道路时，就颇以“出身书香世家，幼熏文史坟籍”自豪。他自述其间因缘道：“我的家族可以说是潮安地区的首富。……我出生的时候，家族不但没有衰落，而且正如日中天。我的高祖名兴桐，有四个儿子，每人都开有钱庄，自己发行钱票。有钱就可以买书，大型的书籍如《古今图书集成》、《四部备要》、《丛书集成》等都购置了。这就是我的父亲饶锷藏书楼‘天啸楼’的来历。里面的藏书那是以十万计的。我的伯父是一个画家，画山水；又是收藏家，收藏的拓本、古钱，数量多达数千种。……我小时候成天就接触这些东西，条件是多么好！现在的大学生，毕业了，都未必有我六七岁时看到的东西多。而且，一般的士绅家庭、书香门第，还不能有这样的条件……我那时候读书读得很杂，道家的书、医书都看。”

附2：书籍的购置

约翰·厄斯金作，陈安澜译，摘自《读书的艺术》/《博览群书》杂志选编，九州出版社，2004年版。

约翰·厄斯金(1879—1951)，美国教育家、小说家和音乐家。学术生涯主要在哥伦比亚大学度过，致力于古典文学研究，编制出“名著”阅读规划。此规划后被许多学校采用。曾与人合编《剑桥美国文学史》。

一个好的读者在知道有一本好书出版时，总是迫不及待地想要买到手。即使我们有充分的购买能力，但我们所读的书多数还是不属于自己的。然而读一本从图书馆借来的书，绝不会像读自己的书那么愉快、自在和便于利用。因为一本有价值的书，通常都得读一次以上，而每读一次，总会有新的发现和体会，并且希望以后能方便地查阅参考。

有些读者喜欢在阅读时画线作记号，但我在再次读到这本书时，画线的地方会使我想起第一次阅读时的感想，就很难有新的发现与启示，倒是不画线时会使人产生新鲜的感觉和印象。我的习惯是在阅读时做索引，先记下页码，在简略地写出提要与见解，在第二、第三次重读时，我会把索引的内容扩充几倍。我的私人藏书大部分有这样的索引，当我需要查找相关论述时，就能很快翻到正确的页数。用这种方法去利用一本书，并且年复一年不断地加以利用，那当然必须购置自己的藏书。富裕的读者可以随意购买他所想要的任何新书，甚至是精装豪华的版本。但是我个人可能永远拿不出这么多钱。而且据我所知，绝大多数勤勉而认真的读者，也买不起那些昂贵的书。我的藏书大部分是大众丛书或企鹅丛书之类的廉价的古典作品汇编，体积小、容易携带，又不会占太多的空间。

最近几年，又出现几种便携而经济的丛书，如班顿丛书、印鉴丛书和袖珍丛书等，定价一般在二毛五分左右，在全国各地的书店几乎都可以买到，其中有数百种都是文学名著。当然这些廉价丛书也包括数以百计的凶杀侦探小书和其他趣味低下的渣滓。你只要花相当于一场电影，一杯鸡尾酒或一包香烟的代价，就可以获得一本好书，使你愉快地度过几小时光阴，同时不知不觉地丰富了你的知识，启发你的思想，使你得益匪浅。

随着年龄的增长，我的藏书也增加了不少，但我还是喜欢那些比较小巧简便的版本。多年以前当我开始读书时，就为自己拥有几百部书而感到自豪；当我的书增加到一千本左右时，小小的书房几乎被书籍挤满了；最近几年，我为了不断增加的藏书不得不另行租房。于是我对书籍的选择越来越严格，使藏书始终保持在一万部以内。当然除非你是职业的作家或学者，否则这个数目未免太庞大了。因此，即使对于那些嗜书成癖的读者，我还是劝你们至少每隔二年得清理一下藏书，淘汰那些过时的没有参考价值的读物，毫不犹豫地把你不想再读的书弃之如敝屣。

要是你清楚地看到这种淘汰过程将不断继续下去时，就会懂得如何把钱花在对你有用的书上，也会理解那些藏书丰富的作家与学者们，在买到便宜的旧书，只要是无破损的善本，都会很高兴。

你只要花几块钱，就能开始拥有自己的藏书，先买一些廉价版的好书或整洁的旧书，至少每月一本，但决不要去买你眼下不会去读的书，如果把书籍作为装饰品，只是供别人参观，对你是莫大的损失。培养读书的兴趣，将使你获益终身。

二、家庭阅读的“场”：书香氛围

（一）书香·家庭的氛围

中国有私家藏书的传统，也有“书香世家”的传统，家庭传承着藏书的同时，也传承着书香。前文所说的范钦，他独特的“欲书者受书，欲金者受金”的遗产分割方式，也包含着他希望将“世代书香”与万卷藏书一同流传的良苦用心。

对于“书香”是什么，人们会有很多想法，但要作具体而科学的定义却很难，更多人倾向于认为它是一种只可意会不可言传的东西。人们会感性地描绘：书香是一种氛围，是笼罩在家庭周围，这是一个相当于现代物理中“场”的东西，看不见、摸不到的。但书香氛围是可以被感觉到的，是家庭中热爱书籍、热爱阅读，甚至可以扩展到热爱知识、崇尚文化的一种氛围。

孔子有两个生动的比喻：“入芝兰之室，久而不闻其香；入鲍鱼之肆，久而不闻其臭。”就是说，人们在某种环境中，或者与某些人和事物的接触时间一长，就会受影响被同化。在孟母三迁的故事中，假如没有孟母当时的明智之举，可能就不会有亚圣的出现。

曾任冯玉祥助手，吉鸿昌、李宗仁秘书的谢和赓有段生动可爱的文字，深刻展现了这种传统的书香氛围的魅力。他写道：“我出生在一个世代书香之家，祖上出现过谢安、谢玄、谢灵运等人物。我瞻仰过家藏的这些老祖宗们的工笔精裱册页画像。还记得谢灵运那一幅胡须极长，两臂和胸前也画着很长的毛，其侧的小传上称其文才和诗作‘冠于江东’。这是我父母引以为自豪的。为了给祖上增光，他们特别注意对子女的教育和学识的培养。读书，在他们眼里看得很重，很重。”谢和赓说他

《读书的艺术》封面
《博览群书》杂志选编，九州出版社，2004

在文学书籍中更爱诗词，其原因便是羡慕父亲和长兄他们能诗擅赋，于是自己便希望同他们一样，这便是家庭成员之间的相互影响。

显然，家庭的书香氛围最直接的体现应该是家庭成员之间在读书方面的相互影响、熏陶和互动的关系。长辈对子女的阅读指引和教化，兄弟姐妹之间在读书方面的互相影响等等，就连父母的期望有时候也是营造书香氛围的一个关键。这种氛围的形成既可通过“润物细无声”的潜移默化，也可通过耳提面命的严厉教诲甚至直接压力。

在《三联生活周刊》2007 年第 43 期的特别报道《业余历史学家》对《明朝那些事儿》作者“当年明月”（真名石悦）的访谈中，“当年明月”谈及家中藏书对他写书的影响，也展示了别样的书香压力：

“当年明月”说从 5 岁就开始看历史，“当时我爸给我买了《上下五千年》，开始我不看，我爸说买了就要看，5 块钱当时挺贵的，还揍了我。然后我就开始看，从 7 岁到 11 岁，读了 7 遍。读这个书不是因为我对历史有兴趣，实在因为我爸管我很严，不许

芬兰赫尔辛基大学图书馆内景
吴绍华摄

深圳图书馆 2007 年“阅读分享”活动现场
辛鑫摄

我出去玩，所以只能在家看书。他比较喜欢唐诗宋词，书架上全是这些……”

（二）交流·书香的培育

书香氛围可以传承，但也需要培养和发扬。古代家庭藏书毁于不肖子孙之手的多过毁于兵水火虫四厄，究其原因，有时不与我的缘故，也有书香隔断的缘故。风水学中有“气场”之说，家庭阅读活动也有书香氛围这个“气场”存在，而且这个“气场”很微妙，也会依据周围的环境变化而产生不同的作用。20 世纪以来，西方学者在对自我身心的探索基础上提出了很多理论并且进行实践，发现所谓人与人之间的交互作用，既通过视、听、嗅、味、触等各种已知的方式进行，同时也通过无形的气场的方式在无意识中进行（这种场据说可以促进“恋爱酶”的产生，导致男女相爱，所以才有无缘无故的爱）。因此，书香氛围这种“气场”要保持其“气脉流动”，必须依靠家庭全体成员投入身心的培育和呵护。这种鲜活气氛的留存，一方面需要良好的读书环境的熏陶、丰富家庭藏书的吸引，另一方面也需要家庭阅读活动的主体——家庭成员来维持，而家庭成员的维持方法，除了阅读图书外，更重要的是进行阅读交流。

首先，交流沟通是人类行为的基础，人需要交流，家庭成员

藏书票

票面上有一个圆胖的生有翅膀司知识的第二级天使，正在向前行进。他两手捧着嵌版，所刻希腊文意为“深入知识之中”，与小天使的身份非常相称。下有票主签名。票主班克罗夫特（George Bancroft，1800–1891）曾在哈佛大学教授希腊文，担任过海军部长，驻英、德公使，但他的盛名是在史学撰述上。他完成了十卷本煌煌巨著《美国史》，是第一个全面研究美国建国历程的学者，被称为“美国历史之父”。

中再亲密的关系也需要沟通。阅读产生的信息、思想和情感在家庭成员之间传递，并且达成家庭共同的文化和精神诉求，这种家庭阅读的过程和结果才是一种先进的家庭生活方式。

其次，“独学而无友，则孤陋而寡闻。”《学记》中这句千古名言意思是说，如果学习中缺乏学友之间的交流切磋，就必然会导致知识狭隘，见识短浅，推广至家庭阅读也是如此。家庭成员的阅读交流，可以强化阅读的效果，拓展家庭成员的阅读能量。

1. 阅读交流，优化阅读的家庭氛围

在阅读过程中，阅读的交流会使家庭成员在轻松愉快的氛围中踏上求知和自我修养的道路，在不知不觉中进入文化的殿堂。比如，对于与子女分享阅读、进行交流，可以培养孩子的好奇心和求知欲，增强其自信心，启发其心智，激发其读书兴趣，逐步实现由家长助读到孩子完全自主读书的转变。另外，文化没有高低年幼之分，即使是父母，家庭阅读时也可以阅读孩子的书籍，并可以得到别样的体会，而不仅仅是为了教育孩子。当有人问托尔斯泰，为什么有兴趣读那些写给孩子看的童话时，托尔斯泰回答说“这才是深奥的哲学呢”。

2. 阅读交流，培养家庭的阅读鉴赏力

莎士比亚说：“书籍是全世界的营养品。生活里没有书籍，就好像没有阳光；智慧里没有书籍，就好像鸟儿没有翅膀。”读一本好书就像享受了生命中的阳光，也是交一个好朋友。家庭成员多接触思想性和知识性较强、文字水平较高、装帧设计精美的图书，持之以恒，就会提高家庭读书的品位、增强他们识别优劣的能力，从而具备较高的鉴赏力。“善读书者，无之而非书，山水亦书也，棋酒亦书也，花月亦书也”。（张潮《幽梦影》）一个人读书的范围是有限的，一个人读书是枯燥的，家庭成员推荐个人读过的书，喜欢的书，进行家庭讨论，大家一起看好书，可以培养家庭成员的共同话题与共同兴趣，增进沟通和了解，在“品读”中增长家庭的审美鉴赏能力，达到“善读书者，无之而非书”的境界。

3. 阅读交流，提升家庭的读书方法

做任何事情，只有选择好的方法，才能达到事半功倍的效果。读书亦是如此，朱熹在《朱子语类》中有《总论为学之方》一卷和《读书法》两卷，总结了中国的传统读书法。有一套好的读书方法将终生受益，家庭成员在共同阅读的过程中，互相交流各自的读书方法，可以体会不同的阅读经验，增强阅读效果。

家庭成员交流、分享阅读所得到的信息和知识、乐趣和经验，这个过程相当于一个交叉阅读的过程，一个人虽然事实上只阅读了一本书，但收获了整个家庭的阅读成果。交叉阅读模式是美国认知心理学家鲁姆哈特在20世纪70年代提出来的，原意是指，在整个阅读过程中，一方面要对阅读信息做视觉处理，一方面要对文字符号、单词、词义以及不同语境中的词义这四个方面进行确认。后来发展为读书不一定要读完一本再读一本，可以同时并读，交叉进行的含义。交叉阅读的好处是讲求适应阅读者心情，有利于保持阅读者的阅读兴趣，延长读书时间，提高阅读效果。家庭阅读强调分享和交流，使得每个参与的家庭成员获得交叉阅读的效果，有助于拓展单个家庭成员的阅读空间——既有利于保证读书质量，也有助于扩大阅读范围，拓展知识的广度。

第三节　家庭阅读·深圳图书馆阅读推广案例

图书馆，尤其是公共图书馆，作为公益文化服务和教育机构，以其专业性、权威性、公益性和独有的丰富资源成为阅读推广的主要机构。为弘扬全民阅读、终身阅读精神，促进学习型社会、知识创新型社会的形成，各大城市公共图书馆都举行了一系列促进社会阅读和家庭阅读的活动。本节将以笔者所熟悉的深圳图书馆进行案例介绍。

一、"阅读经典"系列活动

深圳图书馆独创的品牌文化系列活动"阅读经典"系列活

深圳图书馆 2006 年"经典名著再现表演活动"现场

李海摄

动发端于 2006 年第七届读书月期间推出的“经典名著再现创意表演活动”。截至 2007 年底，深圳图书馆已经持续举办了不同分主题的多场“阅读经典”系列活动。

（一）活动细目

活动系列	活动主题	活动内容	节目（内容）	参与者
经典名著再现	阅读经典名著，用心灵、艺术和创意再现经典名著	参与者必须以阅读经典名著为基础，以诸如短剧、曲艺或歌舞等各种艺术表演形式，自编、自导、自演，展现其对经典名著名篇的创意和创作。	《致橡树》、《牡丹亭》、《威尼斯商人》、《白雪公主》等	家庭研读名著、组织表演节目
电影阅读	阅读经典，在光与影、情与色中影像阅读	1）图书推介。2）讲座：进行经典名著鉴赏和阅读活动指导。3）电影阅读鉴赏：播放名著改编电影。	《呼啸山庄》、《骆驼祥子》、《简·爱》	家长带子女参与居多
读剧	纪念中国话剧诞辰百年，重温经典著作和经典剧目	1）阅读：经典名著阅读推广。2）讲座：邀请专家进行经典名著的解读。3）读剧：以话剧的形式，朗读经典名著的经典片段。	《家》、《雷雨》	
阅读分享	快乐分享、因书结缘、以书会友	将读者与名著的故事，以娓娓讲述的方式与他人快乐分享。		

（二）活动总结

深圳图书馆 2007 年“经典名著再现表演活动”海报

1. 立足根本，开创深圳“阅读经典”风气之先

经典名著是能经得起时间考验的书，是社会阅读的主流推荐对象。推广经典名著阅读、丰富市民生活、构建读书平台、福泽大众，是深圳政府和社会公共服务体系赋予深圳图书馆的根本职责。“经典名著再现创意表演活动”的设计思路以此为立足根本，同时也深刻贯彻了国际图联/联合国教科文组织《公共图书馆宣言》赋予公共图书馆的系列使命：“尽早培育并加强儿童的阅读习惯，提供个人创造力发展的机会，激发儿童和青年的想象力和创造力，提供接触各种表演艺术文化展示的机会，促进不同

文化之间的对话，支持文化多样性。”

“经典名著再现创意表演活动”以“阅读经典名著，用心灵、艺术和创意再现经典名著”为主题，弘扬全民阅读、终身阅读精神，促进学习型社会、知识创新型社会的形成，同时展现了深圳各阶层人士的文化品位、艺术修养及丰富多彩的文化生活。

虽然当时各文化机构的社会阅读推广活动众多，但将“经典名著阅读”与“创意表演”相结合，并且明确“阅读经典”旗号的，深圳图书馆尚属首家。可以这么说，2006 年 11 月“经典名著再现创意表演活动”的首办，主题鲜明、独树一帜，开创了深圳“阅读经典”风气之先。

2. 立足时事，开创深圳“阅读经典”的品牌系列

阅读经典，是人类社会的永恒主题。阅读推广，不仅仅有情节再现、创意表演这一种形式，也可以衍生出多种文化产品。深圳图书馆总结“经典名著再现创意表演活动”的经验和成效，认真倾听社会和读者的反馈，集思广益，继续创新，围绕“阅读经典”这一永恒主题，结合社会形势，应时应景，开展了一系列不同内容的分主题活动。

2007 年 5—6 月，以宣传“4·23 世界读书日”为宗旨，开展“阅读经典·电影阅读”活动，以图书推介、文学鉴赏讲座、电影欣赏的形式，品味经典名著《呼啸山庄》、《骆驼祥子》和《简·爱》。

2007 年 9 月，为纪念中国话剧诞辰 100 周年，开展“经典阅读·读剧”活动，引进西方国家非常流行的“读剧”形式，在保持图书推介、名著鉴赏讲座活动的同时，将经典名著的剧本与诵读创意结合，让市民重温了五四时期的经典名著《家》和《雷雨》。

2007 年 11 月，为响应深圳第八届读书月号召，创办“阅读经典·阅读分享”活动，以“快乐分享、因书结缘、以书会友”为主题，以座谈会的形式请普通读者自由畅谈对阅读及阅读经典名著的认识。同月，继续举办了“经典名著再现创意表演活动”。

公共图书馆作为推广阅读的主要阵地，有责任和义务开展各种各样的阅读推广活动。阅读推广不仅仅依靠单调的灌输和简单的说教，更要依赖丰富的形式和持续的引导。深圳图书馆“阅读经典”系列活动，以古今中外经典的名篇名著的阅读

推广为宗旨，并且围绕这一宗旨，创新形式，持续开展，形成了深入人心的独特的文化活动品牌。

3. 立足社会，引导深圳市民"阅读经典"的文化生活

阅读经典，品味经典，不是文学家和教育家的专利，而是普罗大众的权利。"阅读经典"系列活动在提升社会阅读品味的同时，丰富了市民参与阅读的方式。图书推介、专家讲座、电影欣赏、读剧、读者座谈和文艺表演，目标受众定位扎根于普通市民，多管齐下，贴近生活，讲究多样性和平民性。

同时，"阅读经典"活动中，不仅受众是普通市民，展现者也是普通深圳市民。许多市民全家出动，扶老携幼，参加互动。系列活动中的书目推介，集中开放相关图书供市民自由借阅；"电影阅读"和"读剧"讲座，主讲者除了深圳大学的教授，主要就是普通的深圳中学语文教师，读者可以现场互动、提问交流；"读剧"活动的演员由深圳普通戏剧爱好者组成；"阅读分享"，慷慨激昂者都是平常的深圳人；"经典名著再现"报名者包括在深圳的印度老太太，而最小的表演者是不到五岁的孩子。

普通市民是主角，深圳图书馆"阅读经典"系列活动立足社会，面向基层，引导深圳市民进行各具特色的"阅读经典"的文化生活。

4. 成效显著，成为深圳"阅读经典"文化品牌的独特风景线

社会和市民的反馈是对深圳图书馆"阅读经典"系列活动成果检验的标尺。

"阅读经典"系列活动得到了最广泛的深圳市民的参与，也得到了市民的纷纷响应与好评。"电影阅读"和"读剧"活动中，集中推介的经典图书，在上架后不到两天时间，全部被外借。系列活动的现场，可容纳四百人的图书馆报告厅座无虚席，其间不时爆发出共鸣的掌声。"读剧"这种简单的话剧实践，在深圳试验上演，惊动了深圳的文学和文化界，演员不仅被邀请到区巡演，还被邀请在读书月期间加演。"经典名著再现"活动也吸引了众多亲友团的现场助阵。同时，多家媒体也持续关注和报道了"阅读经典"系列活动，社会反响强烈。

5. 蕴含丰富，拓展深圳"阅读经典"的巨大空间

深圳图书馆"阅读经典"系列活动是完全公益性质的阅读推广活动，贴近市民生活，满足人民群众日益增长的多重文化需要，具有先进性、主流性和可持续发展性，可拓展的空间巨大。

深圳图书馆 2007 年“读剧”海报

首先，人类文化长河中丰富的经典作品积累，为“阅读经典”系列活动的素材提供了取之不竭的资源；其次，社会品位和市民文化品位的不断提升，对公共文化服务体系的关注度不断增加，为“阅读经典”系列活动提供了宽松的文化环境；再次，公共图书馆的专业性，为“阅读经典”系列活动内容和形式的开发提供了专业科学的智力支持；最后，公益活动的公益性，为“阅读经典”系列活动的更广泛开展提供了坚实的群众基础。

二、少儿开放日

（一）活动策划

深圳图书馆 2007 年“阅读分享”海报

由于深圳图书馆新馆设计为成人图书馆，没有少儿书籍，也没有接待儿童的设施，同时成人图书馆的建筑结构和设施都不符合儿童的安全要求，儿童入内会带来安全隐患。开馆以来延续以往的措施，谢绝 12 岁以下的小朋友。但是，为更好地宣传图书馆，培养小读者读书求知的习惯，拉近与小读者的距离，深圳图书馆以开放日的形式，邀请小读者在家长陪同下，通过工作人员引导讲解演示，有组织地参观图书馆。

（二）活动主题

深圳图书馆 2007 年“读剧”节目单

“少儿开放日”现场——家庭共同了解图书排架

李军锋摄

以儿童为核心，参加者需由一名或一名以上家长陪同参加，家长需照看儿童，注意馆内秩序和安全。父母子女共同了解图书馆，推进家庭阅读。

（三）活动总结

1. 宣传到位，反应热烈。在开始报名后两天内名额爆满。

2. 注意活动细节，设计家庭胸贴，可以区别参加者，又能统一活动徽标。

3. 现场反应热烈，活动过程由几位充满亲和力的馆员引导，配合事前演练的路线及引导词，整个过程就是一个参观、演示、讲解、沟通的过程。除了介绍图书馆建筑、功能等方面外，还穿插出版物、图书馆学、家庭阅读等等内容，为参加者献上一份图书馆文化的大餐。

4. 总体上达到了预期的效果，附带调查显示参加者满意度

深圳图书馆 2007 年“少儿开放日”胸贴标志

李海、肖更浩设计

为86.67%。为图书馆活动作出了有益的探索,没有出现之前最为担心的安全问题及秩序问题。

三、快乐阅读——知识游园会

(一)活动目的

通过阅读获得知识，培养及提升读者学会阅读及从阅读中学习的动力和成就感。

(二)活动内容

谜语、知识问答题8种2000余条。

①知识谜语题500条。

②动物保护知识题若干

③电影类知识题若干

④中国古典四大名著知识题若干

⑤地震科普知识题若干

⑥神舟六号知识竞赛娱乐题若干

⑦“文明北京·走进奥运”知识题若干

⑧网上“青少年禁毒知识竞赛”题目若干

(三)效果评估

“知识游园会”带动了读者以个人或家庭合作参与,为家庭读者提供了文化沟通的平台,寓教于乐,轻松活泼。

第四节　家庭阅读与推荐书目

家庭阅读要有方向，而且要有好的方向。浩瀚书海行舟，放眼望去，四野茫茫，彷徨不知前路，这时候，就需要一个指引方向的灯塔，这个灯塔就是推荐书目。另外，书海无涯，书资有限，个人见识也有限，如何发挥经费最大化，在汗牛充栋的典籍中和良莠不齐的图书市场上选择家庭阅读的对象，需要推荐书目的指引。推荐书目是他人读书经验的总结，也包括向特定的读者或某一专门的问题提供的图书目录，一般来说比较具有公认性。市场上冠以“家庭阅读”“家庭藏书”之名的推荐书目不少，但所推荐的图书基本也与无此冠名的推荐书目异曲同工。同时，家庭阅读也是家庭成员的个人阅读，所以，推荐书目无论是向个人还是向家庭推荐的，都可作为家庭阅读的推荐书目，而并非定要冠以“家庭”之名。

一、推荐书目的传统

我国推荐书目的历史很悠久，北大信息管理系王余光教授在《关于推荐书目》一文中对此就有个比较概括的总结，大意如下。

我国推荐书目应传统官学、家塾、书院与科举制度的需要，很早就发展起来了。早在唐代，推荐书目就很受青年士子们的欢迎。目前能见到的最早推荐书目是被后人称为“唐末士子读书目”（敦煌遗书伯 2171 号）的一份书目。

元代初年，学者程端礼（1271—1345 年）把朱熹以来在书院、私塾教育经验加以总结和发展，写成《程氏家塾读书分年日程》三卷。此书被元朝国子监颁布郡县官学，成为学子读书的准绳。明代陆世仪在他的《思辨录》中，曾为青少年学子开列了一个阅读书目，该书目反对读书只为科举应试，强调经世致用，至今仍可作为藏书读书的参考。

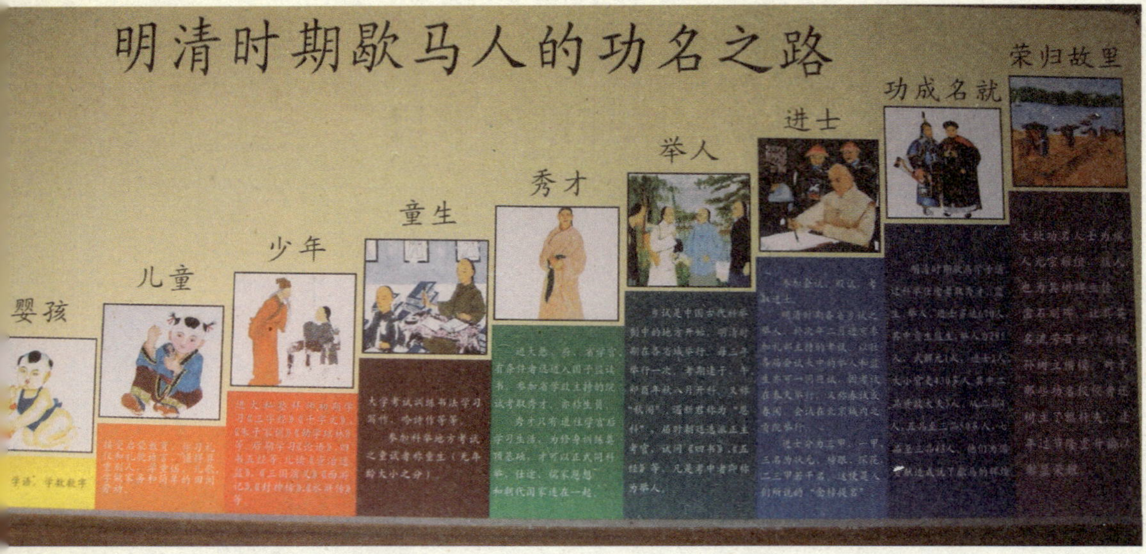

广东省恩平市圣堂镇歇马举人村展览馆古人功名图

吴绍华摄

清代的推荐书目也有较大的发展。康熙年间，由李颙口授，门人李士瑸手录的《读书次第》，是我国较早的一部指导读书治学的书目。此后，龙启瑞于道光年间撰《经籍举要》，为学子开列经史子集四部典籍要目。光绪初年，张之洞因诸生“应读何书，书以何本为善”相问，应合时事，挑选2200余种图书，编成《书目答问》一书，以指示诸生治学门径。该书目至今仍影响很大。

二、推荐书目的类型

好的推荐书目能指引家庭阅读的方向，提升家庭阅读的品味，增强家庭阅读的效果。随着时代的进步、社会的变革以及阅读活动的普及，推荐书目的制定也不仅仅是大学问家、学术机构的专利，越来越多的个人或团体都参与了这一过程。笔者认为，从书目的制定者来划分，可将推荐书目分为三种类型：

（一）名家推荐书目

名家推荐书目，制定者一般是读书名人或知名机构。这种推荐书目，推荐的图书一般都能经得起时间和社会大众的考验，可称为推荐书目中的经典。前文中说过《书目答问》就是名家推荐书目，不仅在当时的科举时代发生过广泛的影响，至今也启迪人们的读书治学。20 世纪初期，一些学者根据社会的实际情况，开列了一系列有关中国古代典籍的推荐书目。其中比较知名的有：梁启超的《国学入门书目》，胡适的《一个最低限度的国学书目》，章太炎的《中学国文书目》，鲁迅、王云五、汪辟疆、钱穆等人的书目。1949 年后，推荐书目的编制也有一定的发展，但多围绕在中国古代文化典籍推荐上。

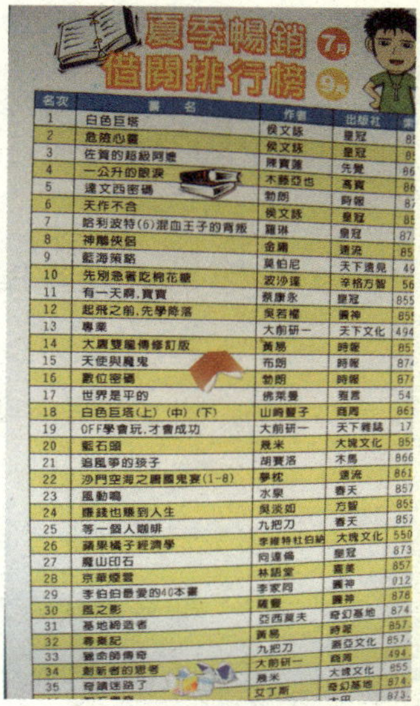

台湾省南投县图书馆图书借阅排行榜

何江涛摄

20 世纪 80 年代以后，社会反思“图书经典与文明进程”的话题，各学科专业人士和机构发布了许多专题或专业推荐书目，比如“汉译世界学术名著”；市面上也正式出版了诸如《影响中国历史的三十本书》、《影响中国的 100 本书》等“影响”书目，而 20 世纪末以来，社会提倡终身学习、阅读社会和书香社会的建立，各地方政府、各组织和团体，包括各媒体也争相发布推荐书目。政府推荐书目，以深圳文化品牌“深圳读书月”为例，时至 2007 年已经举办八届，每年都有“读书月推荐图书”的书目公布，深刻地影响了市民的读书生活。

名家推荐书目或是读书名人根据自己的读书心得和治学经验制定，或是知名机构根据历史文化经典、社会主流文化和专业

英国图书馆外景

卜华摄

学科研究制定，一般比较具有公益性和权威性。这种名家推荐书目，通常是从一个学术大家或官方角度俯看社会大众，虽然都是无可厚非的经典，但略显脱离了普通家庭的兴趣；而且某些推荐书目略带主流机构的灌输意识，可能在促进阅读方面吸引力不够。

（二）渠道推荐书目

渠道推荐书目是通过图书在销售流通渠道中的流量形成的，主要就是图书馆的“图书借阅排行榜”和图书销售商的“图书销售排行榜”两类，这种书目的制定者不是书商，也不是名家、团体和机构，应该是民众，最广大的民众，所以可定义为渠道形成的推荐书目。

图书馆作为公共文化服务体系的排头兵，收藏图书、推广阅读是其主要任务。近年来，各大小图书馆纷纷根据在一定周期内（多为每月）图书外借的次数，制定“图书借阅排行榜”。

“图书销售排行榜”一般是图书销售商根据一定周期内（多为每周）图书的销售量或者网上书店的点击量来制定，一般都是出版年代较近或近期出版的新书。这种综合性的排行榜，既是图书市场的风向标，也是普通市民和家庭购买阅读最新出版物的指导。

渠道推荐书目的制定相对比较客观，根据公众的力量形成，相对来说比较平民化，但也比较容易受当时社会风潮和图书发行宣传的影响。比如，据《中华读书报》报道，随着“神舟”五号载人飞船发射和回收的成功，一批以“神舟”五号为焦点、反映中国航天事业风貌的图书也在第一时间迅速出炉，很快在各大书店形成热卖之势，同时有关航天科技等科普图书也成为图书馆的热门借阅书。但是，“图书销售排行榜”因为有商业促销的作用，某些图书销售商可能会通过“做假账”来“买榜”，误导消费者。所以，渠道推荐书目也只能作为家庭选书的一个参考途径。

（三）网民推荐书目

随着时代的进步和科学技术的发展，在开放和共享的网络环境中，“草根”平民也获得了话语权，在网络上展示自己的阅读体会，推荐个人认可的阅读书目。阅读本身就是大众的家常事，并不是专家和权威的专利。网络的推广和应用，为“草根”平民建立了畅所欲言、集思广益的平台。

网民推荐书目，散见于各大论坛和网站，比如前文中所说的“天涯社区”、“豆瓣”、“腾讯读书频道”和“西祠胡同”。笔者比较推荐的是“天涯社区”(www.tianya.cn)的“天涯书局”和“闲闲书话”栏目,其中有很多书评、书话、书事,也有一些质量比较高的推荐书目。

网民推荐书目的优越性在于其广泛性、开放性,可以有原创,可以有转载,还可以有各种主题的推荐书目。比如在“天涯社区”“闲闲书话”栏目用“推荐书目”一词作标题检索,可搜索出“经世致用读书群推荐书目100种”、“春天漂流书”荐书目(转载)”、“某报社读书小组推荐书目”、“有空读读书(假日推荐书目)”等。网民推荐书目内容必然与“隐身”的网民的个人学识、见识和偏好有关,不可避免地带有主观性,但也给读书的家庭和个人提供了另一种阅读的门径。

附1:《我的千岁寒》一边挨批一边“畅销”——图书排行榜 猫腻有多少?

来源:新民晚报 作者:李菁 日期:2007.08.06 版次:A-19

几个月前,王朔高调复出之作《我的千岁寒》因“晦涩难读”“不知所云”收获了媒体的一大堆批评。近日,图书业界又对该书展开了专题讨论,导火索是一份名为“全国优秀畅销书排行榜”的榜单——《我的千岁寒》连续两月高居该榜单文学类图书榜首。不少业内人士和读者对这份榜单提出质疑,认为其中有虚假成分。

真实性打问号

图书业界某权威媒体最近整版刊发有关评论文章。业内人士指出,《我的千岁寒》排名如此之高,其真实性要打问号。目前市面上各种图书榜单甚多,但一般只有排名,并不公布具体销售数据,这为人们甄别排行榜真假增加了难度。不过,一些相关调查数据表明,近期肯定有一些其他文学类图书,市场表现不亚于《我的千岁寒》,而且很可能居于其前,如易中天的《品三国》(下)、郭敬明的《悲伤逆流成河》等。连这份“全国优秀畅销书排行榜”的数据来源单位提供的数字都证实,近几个月《我的千岁寒》尽管居于畅销书文学类前十名之列,但雄踞榜首却极为鲜见。更有一些人士进一步就“畅销”与“优秀”的关系严肃发问,认为《我的千岁寒》不具备“优秀”的特质:“作者公开声称‘就是要让人看不懂’,不将读者放在眼里的虚构类文学图书,会是优秀的吗?‘几近天书’和人们直讥为‘癔语’的作品,会是优秀的吗?文字不通、逻辑不清的作品,符合推出‘全国优秀畅销书排行榜’所公示的‘导向正确,内容精湛,具有文化传承作用’的标准吗?”

“做假账”骗读者

事实上,各式各样的图书排行榜,并非仅有统计功能,促销目的更为主要。由于人们普遍存在从众心理,上榜的图书会卖得更快,从而产生引导消费、“强者恒强”的现象。因此,许多出版单位和销售商特别重视排行榜,甚至不惜“做假账”,其中“买榜”就是具有隐蔽性的一种手段。所谓“买榜”,是指一些出版商发行了新书之后,花钱派人去各大书店批量购回该书,造成该书十分“畅销”的表象,带动不知情的读者跟风购买,既欺骗了消费者,也欺骗了书店。据了解,“买榜”的成本并没有许多人想象的那样高,有时候在一家大书城,同一本书一周买上几十本或上百本就可以把它送上榜。

找“书托”很常见

记者还了解到,目前图书促销的常用手段——现场签售,有时也存在猫腻。国内某青少年图书出版单位

藏书票

本票推测为德国著名画家、雕塑家、建筑师阿尔布莱特·丢勒（Albert Durer，1471－1528）所作。画家让一个愚蠢的学者坐在中世纪的抄经台上，右手拿着一把掸帚，用来拍击停在书本上的苍蝇，左手正在逐页翻书，头上戴着一顶睡帽（为了隐藏他的驴耳朵），饰有铃铛的傻瓜头巾吊在颈后，抄经台两侧和身后的书架上，到处都是满满的书。此票曾为德国诗人（Sebastian Brant，1457－1521）寓言诗《愚人船》所用，也为藏书票设计家布莱克本于1932年用在其自用的藏书票上。

的一名市场人员不久前私下告诉记者：搞青少年图书签售活动时，找“书托”是常有的事。为了活动现场气氛火爆，更为了借活动一举打开销售局面、让出版的新书迅速登上书店畅销排行榜，他们会事先准备好一定数量的“书托”。具体做法是找学校，先跟老师搞好关系，再让老师安排学生到签售现场排队买书造势。买书款由出版单位预先交给老师，学生只要到现场跑一趟，就可以白拿一本新书，学生自然乐意。由于图书签售大都安排在周末举办，所以不会影响学生上课。

曾有读者来信反映，上书店买书，琳琅满目，不知该买哪一本。有些名气很响的畅销书，市面上充斥着溢美之词，买回家后发现不过尔尔，而一些好书却默默无闻，销售不佳，乃至撤柜。幸亏，书业内部也在反思这个问题。任何一个行业，如果一旦放纵虚假掩盖真相、伪劣驱逐良品、奇技营巧取代脚踏实地，即便一时表面繁荣，但最终将难逃衰弱的命运。

附 2：经世致用读书群推荐书目 100 种

天涯社区·闲闲书话 http://cache.tianya.cn/publicforum/content/books/1/100764.shtml

作者：刘意轩　提交日期：2007-11-10 10:03:00

之前曾拟过一个基本书目 30 种，有些朋友觉得还不够全面。所以我就不揣冒昧，再拟一个标准书目 100 种，一劳永逸。这些书要看完，也要花些时间了；如果还不够，大家再单独交流。书目分为八类：经典、史家、智谋、修身、思维、诗文、小说，考虑到大家的时间精力，主要选择一些有现实价值的书，间杂少量闲情类书，同类书当中尽可能挑选最有代表性的。如果能让朋友们有点感悟，更好地走好人生的路，在下当喜笑颜开。

先说经典。《论语》、《孟子》、《老子》、《庄子》、《易经》、《大学》、《中庸》、

香港城市大学图书馆内景
钟智锦摄

深圳图书馆时装阅览区
魏建华摄

《金刚经》；

其次史家。《资治通鉴》、《史记》、《三国志》、《品人录》、《品三国》；

再次智谋。《三国演义》、《智囊》、《反经》、《孙子兵法》、《兵经百字》、《三十六计》、《曾胡治兵语录》、《百战奇略》、《何博士备论》、《贞观政要》、《战争论》、《君王论》；

再次修身。《呻吟语》、《菜根谭》、《围炉夜话》、《格言联壁》、《禅说：尊者的棒喝》、《小窗自纪》、《培根随笔集》、《庭训格言》、《帝范》、《周国平自选集》、《曾国藩家书》、《妄谈疯话》、《增广贤文》；

再次思维。《通往奴役之路》、《社会契约论》、《管道的故事》、《富爸爸穷爸爸》、《富爸爸财务自由之路》、《富爸爸投资指南》、《谁动了我的奶酪》、《致加西亚的信》、《拿破仑传》、《人性的弱点全集》、《洛克菲勒给儿子的38封信》、《方与圆》、《水煮三国》、《古典兵略》、《国富论》、《蓝海战略》、《在商言商》、《绝对成交》、《超限战》、《就业宝典：根据性格选择职业》、《选对池塘钓大鱼》、《细节决定成败》；

再次诗文。《唐诗三百首》、《宋词三百首》、《千家诗》、《古文观止》、《随园诗话》、《人间词话》、《梁启超文集》、《文化苦旅》；

最后小说。《平凡的世界》、《狼图腾》、《野性的呼唤》、《罪与罚》、《马丁伊登》、《福尔摩斯探案集》、《飘》、《简爱》、《红与黑》、《茶花女》、《牛虻》、《王子与贫儿》、《神雕侠侣》、《倚天屠龙记》、《天龙八部》、《笑傲江湖》、《鹿鼎记》、《寻秦记》、《大唐双龙传》、《天堂向左深圳向右》、《沧浪之水》、《成都，今夜请将我遗忘》、《流血的仕途》、《圈子圈套》、《输赢》、《随波逐流之一代军师》。

最后再次强调，从来没有必须要读的书。书不必尽读，大可挑适合自己口味的。

（以下略）

第五节　家庭藏书书目推荐

在本节，笔者将介绍一些正式出版物中的推荐书目，以供读书之家自由选择。

一、亲子型家庭阅读书目：《孩子，让我陪你一起成长》及其中书目

《孩子，让我陪你一起成长》（陈恩黎著，明天出版社，2004 年）的作者是一位儿童文学研究者，并且是一位母亲。她以“生命成长”为主题，选择了“那些从各种角度来阐释生命、关怀生命和理解生命的童书”，希望以此书“开启一段父母和孩子共同成长的旅程”；这本书的选择“越过了那些已经为大众所知的畅销书，而集中在还不大为人所知的图画书（绘本）上”。（见该书前言）那些摘录的故事很可爱，让成年人也忍不住想收集全其中推荐的所有图书。该书收录作品均为外国儿童文学作品，其著作者某些有中文译名，某些沿用原文姓名，现将该书所推荐的书目摘录如下。

永远不会老去的童年

《彼得兔》　（英）比阿特丽克斯·波特

《魔法师的帽子》　（芬）托芙·扬松

《小熊温尼·普》和《菩角小屋》　（英）A·A·米尔恩

《柳林风声》（英）格雷厄姆

《鼹鼠的故事》　（捷克）爱德华·佩蒂斯卡（文），（捷克）兹德内克·米莱尔（绘）

诞生创造力的想象

《颜色》　（瑞士）莫妮克·弗利克斯

《阿罗有枝彩色笔》　（美）克罗格特·约翰逊

《我看见了什么》　（美）苏斯博士

让童年在愿望中丰盈起来

《玛德琳》（美）路德威·白蒙

《哈利不要玫瑰》（美）吉恩·森（文），（美）玛格丽特·伯罗·格兰汉姆（绘）

《小猪》　（美）吉恩·森（文），（美）阿诺·洛贝尔（绘）

《小猪飞上天》　VALERIE COULMAN（文），ROGE（绘）

《五毛钱的愿望》（美）比尔·布里坦（文），（美）安德鲁·格拉斯（绘）

把关怀融入到每一个平常的日子

《野兽国》（美）莫里斯·桑达克

《当索菲发怒的时候》　（美）莫里·朋

《快睡吧，小田鼠！》　（德）艾尔哈特·迪特尔

《法兰西斯的就寝时间》　（美）罗素·霍朋

《你睡不着吗，小熊？》　（英）马丁·韦德尔

《睡觉前给我讲点快乐的事》　（英）Ke　Dunber（文），（英）Debi Gliori（绘）

《小象的大便》　（日）角野荣子（文），（日）佐佐木洋子（绘）

《维利床下的鬼》　（德）安格丽卡·格里兹（文），（德）伊姆克·许妮克森（绘）

《胆小如鼠的巨人》　（德）安娜格特·富克斯胡贝尔

《窗边的小豆豆》　（日）黑柳彻子

《第五排第三个》　（俄）阿·阿列克辛

伴随着秘密长大

《米丽的大秘密》（德）安格丽卡·格里兹（文），（德）恩纳特·施沃宝达（绘）

《秘密花园》　（英）弗朗西斯·霍奇森·伯内特

《艾尔韦斯的秘密》　（瑞典）玛丽亚·格里珀

《保守秘密》（挪）托摩脱·蒿根

那蓬蓬勃勃生长的天性

《淘气包埃米尔》　（瑞典）阿斯特丽德·林格伦

《男孩彭罗德的烦恼》　（美）布思·塔金顿

《小飞人卡尔松》　（瑞典）阿斯特丽德·林格伦

建立真实的自我

《亚历山大和发条老鼠》　　（美）李欧·李奥尼

《你很特别》　　（美）陆可铎（文），（美）马第尼斯（绘）

《费迪南的故事》　（美）Munro　Leaf（文），（美）Robert　　Lawson（绘）

《孩子，让我陪你一起成长》封面　陈恩黎著，明天出版社，2004

哦，那成长的历程

《傻鹅皮杜妮》 Roger　Duvoisin

《考试惊魂记》（美）范妮·若莉（文），（西）罗塞·卡德维拉（绘）

《吹小号的天鹅》（美）E. B.怀特

《小鹿斑比》（奥）费·察尔滕

勇气是一种信念

《波丽安娜》（美）埃莉诺·霍奇曼·波特

《鸟雀街上的孤岛》（以）尤里·奥莱夫

《离井背乡的365天》（美）理查德·佩克

养育童年养育生命的爱

《驴小弟变石头》（美）威廉·史代格

《女巫》（英）罗尔德·达尔

《大象舅舅》（美）阿诺·洛贝尔

《爱心树》（美）谢尔·希尔弗斯坦

《青蛙与蟾蜍》（美）阿诺·洛贝尔

《小老虎，你的信》（德）雅诺什

《本爱安娜》（德）彼特·赫尔特林

《让路给鸭子》（美）罗伯特·麦克拉斯基

可爱宝宝
谢佳摄

丹麦美人鱼铜像
吴绍华摄

《跑猪噜噜》（德）乌韦·狄姆

守护爱开始的地方

《不一样的小弟弟》（法）玛丽—艾莲·德娃（文），（法）苏珊·娃蕾（绘）

《伊尔莎出走了》（奥）克里斯蒂娜·纽斯林格

《我和我的双胞胎妹妹》（美）凯塞琳·帕特森

在我们之外的世界

《小矮人历险记》（英）R·R·托尔金

《狮子、妖婆和大衣柜》（英）刘易斯（文），（英）贝恩斯（绘）

《地板下的小人》（英）玛丽·诺顿

《幽灵大婶罗莎·里德尔》（奥）涅斯特林格

死亡，成长的开始

《鸟儿在唱歌》（荷）马克斯·维尔修思

《獾的礼物》（英）Susan Varley

《小女孩与死神》（德）于尔克·舒比格（文），（德）罗特劳特苏珊娜·贝尔（绘）

童书与哲学

《奥菲利娅的影子剧院》（德）米切尔·恩德（文），（德）弗里德利希·海西尔曼（绘）

《噢,美丽的巴拿马》(德)雅诺什

二、经典型家庭藏书建设:《中外推荐书目一百种》及其中书目

《中外推荐书目一百种》(邓咏秋、李天英编,陕西师范大学出版社,2001年)"选择了中外100种推荐书目,尽量避免时代性和个人主观性过于强的书目,而选择那些对于不同环境、不同时代的读者都能有所意义,经典的、能够经受得住时代考验的书目。学科范围上,除了人文科学、社会科学方面的书目外,也注意了自然科学和科技方面的推荐书目的收录……所收的推荐书目,在时代跨越上基本都是20世纪的……地域上既收有国内的(包括大陆的,港台的),也收有国外的。推荐者不仅有个人,也有集体……"(见该书《后记》)

笔者认为,《中外推荐书目一百种》的收录确实"具有多视角、综合性,有比较强的代表性"特点,而且筛选客观、概括全面,可列为的家庭藏书经典名著书目的第一参考用书。笔者将其书目目录及部分书目内容(有 * 号者)摘抄如下。

《中外推荐书目一百种》目录

中国现代导读书目

1. 胡适开列的《中学国故丛书》目录
2. 胡适开列的《实在的最低限度的书目》目录
3. * 梁启超开列的《最低限度之必读书目》目录
4. 章太炎开列的《中学国文书目》
5. 顾颉刚为有志研究中国史的青年开列的书目
6. 汪辟疆开列的国学纲领书
7. * 鲁迅开列的学习中国文学的书目
8. 王云五开列的国学基本要籍
9. 汪辟疆为大学中文系学生开列的书目
10. 钱穆开列的《文史书目举要》
11. 胡秋原开列的《一个最低限度的国民书目》
12. 汪辟疆开列的国文源头书
13. 朱自清的《经典常谈》

中国当代导读书目

14. 中国古代重要著作选目
15. 胡道静增补《中国古代重要著作选目》
16. 屈万里开列的《古籍导读》书目
17. * 家庭书目

18. 钱穆开列的“中国人所人人必读的书”
19.《中国历代经典宝库》（青少年版）书目
20. 中国文学古籍选介
21. 中国史学名著题解
22. * 现代妇女适读书目
23. 宗教典籍举要
24. 大学生必读名著导读
25. 国学名著二百种
26. 中外文学书目答问
27. 十本容易启发悟性的书
28. 主修国文的学生应读的古书
29. 中国古典名著导读
30. 中国近现代名著导读
31. 汉译世界名著导读
32. 外国文学经典书目
33. 大学生文化素质教育百部名著导读
34. 清华大学学生应读书目（人文部分）
35. 北京大学学生应读选读书目
36.《青年必读书手册》推荐的首选书
37.《青年必读书手册》推荐的必读书
38. 20 世纪以来的国外名家名作
39. 当代西方社会科学名著导读
40. 人生必读百部名著
41. 汉译世界学术名著
42. 西学基本经典
43. 名家荐书

外国导读书目

44. 海明威开列的文学书目
45. * 一生的读书计划
46. 毛姆推荐的文学名著
47. 日本学者推荐的世界古典名著
48. 理想藏书
49. 为西方读者推荐的中国古代典籍
50. 伟大的书

影响中国的书

51. 最能代表中国文化的四十本书

《中外推荐书目一百种》封面
邓咏秋 李天英编，陕西师范大学出版社，2001 年

52. 影响中国历史的三十本书
53. 影响台湾四十年的四十本书
54. 影响中国的一百本书
55. 影响中国近代社会的一百种译作
56. 中国历史上最有影响的三十三本书
57. 塑造中华文明的二百本书

影响世界的书

58. 震撼世界的十本书
59. 世界上作品被翻译频率最高的著作者
60. 人类有史以来的二十本最佳书
61. 改变世界的十六本书
62. 塑造现代文明的一百一十一本书
63. 全世界 20 世纪 80 年代十部杰出的文学作品
64. 影响历史进程的一百本书
65. 世界一百名著排行榜
66. 二百部世界名著展评
67. 影响世界的一百本书
68. 文明通鉴
69. 影响人类文化的一百本书
70. 20 世纪国外名著
71. 影响历史的百部经典
72. 世界最伟大的三十份文献
73. 影响世界历史的十本书
74. 影响美国文化的十二本书
75. 影响美国特性最大的十本书
76. 改变美国的二十五本书
77. 美国历史上里程碑式的三十二本书

中国个人影响书目

78. 朱光潜喜爱的中外图书
79. 影响梁实秋的八本书
80. 影响端木蕻良最大的四本书
81. 影响吴小如最大的五本书
82. 影响巫昌祯最大的三本书
83. 影响翁偶虹最大的书
84. 影响庞朴最大的三本书
85. 影响刘绍棠最大的三本书

86. 江西大学生 1988 年喜爱的十种书
87. 影响严耕望最大的五本书
88. 给我影响最大的一本书
89.《文汇读书周报》1990 年读者最喜爱的九本书
90. 引导舒芜窥见学术门径的十本书

外国个人影响书目

91. 卡尔·桑德堡喜爱的书
92. 斯金娜喜爱的书
93. 影响列夫·托尔斯泰的书
94. 阿道斯·赫胥黎喜爱的书
95. 托马斯·曼喜爱的书
96. 克卢蒂喜爱的书
97. 诺曼·科温（Norman Corwin）喜爱的书
98. 托马斯·克雷文（Thomas Craven）喜爱的书
99. 卡尔·加摩（Carl Carmer）喜爱的书
100. 哈佛大学教授推荐最有影响的书

民国书影

荆有麟著的《回忆鲁迅》，上海杂志公司 1947 年 4 月一版，该封面为该书 1949 年 3 月二版，发行者是张静庐。

香港大学钱穆图书馆外景
钟智锦摄

部分书目内容

*** 梁启超开列的《最低限度之必读书目》**

梁启超(1873—1929年),近代思想家。年轻时师从康有为,师徒力主变法维新,时称“康梁”。“戊戌政变”后,梁启超逃亡日本,晚年讲学于清华学校等,曾任北平图书馆馆长。长于史学,颇多建树。著有《中国近三百年学术史》、《清代学术概论》等。

1923年,梁启超应《清华周刊》记者之约,拟就《国学入门书要目及其读法》,约160种。后来他又为“校课既繁、所治专门”的青年学生精简此书目,开列出《最低限度之必读书目》(如下)。

《四书》　《书经》(即《尚书》)　《礼记》　《老子》
《易经》　《诗经》　《庄子》　《韩非子》　《史记》
《后汉书》　《荀子》　《战国策》　《左传》　《墨子》
《汉书》　《三国志》　《资治通鉴》(或《通鉴纪事本末》)
《宋元明时纪事本末》　《楚辞》　《李太白全集》　《韩昌黎集》
《白香山集》　《文选》　《杜工部集》　《柳河东集》

*** 鲁迅开列的学习中国文学的书目**

鲁迅(1881—1936年),原名周树人,文学家。1902年留学日本,初学医,后弃医从文。1909年回国后一直从事教育和文学创作。先后任教于北京女子师范大学、中山大学、厦门大学等校。作品以《狂人日记》、《阿Q正传》等著名。

1930年,鲁迅为许世瑛开列了中国文学的书目,列书12种。

《唐诗纪事》　(宋)计有功
《唐才子传》　(元)辛文房
《全上古三代秦汉三国六朝文》　(清)严可均
《全汉三国晋南北朝诗》　丁福保
《历代名人年谱》　(清)汪镇
《少室山房笔丛》　(明)胡应麟
《四库全书简明目录》　(清)阮元
《世说新语》(南朝宋)刘义庆
《唐摭言》　(五代)王定保
《抱朴子外篇》　(东晋)葛洪
《论衡》　(东汉)王充
《今世说》　(清)王晫

***《家庭书目》**

* 亮轩编,发表在1976年1月台湾《书评书目》上。

编者希望通过这个书目,作为家庭读书与藏书的参考,并能够“冷却一部分的电视机跟麻将牌”。编者称，这不是一张标准书单，只有每个人自己为自己定，而且随时修正，才可能有所谓的“标准书单”。原书目收录图书 94 种，但有些书未标明著者或出版者，我们从中选录书目信息比较完整的 60 种图书，列出如下。

《史记》　司马迁	《左传》　左丘明	《战国策》　刘向
《世说新语》　刘义庆	《古文观止》　吴楚材、吴调侯	《庄子读本》
《老子读本》	《荀子读本》	《四书读本》
《饮冰室文集》　梁启超	《三字经》　王应麟	《千字文》　周兴嗣
《唐诗三百首》孙洙	《曾文正公家书》　曾国藩	《经典常谈》　朱自清
《孔子与论语》　钱穆	《中国文化丛谈》　钱穆	《中国之智慧》　幸川幸次郎
《三民主义》　孙中山	《浮生六记》　沈复	《胡适文存》　胡适
《西潮》　蒋梦麟	《禅佛教入门》　铃木大拙	《新旧约全书》
《人类的故事》　房龙	《西洋哲学史话》　威尔杜兰	《方法导论》　笛卡儿
《改变历史的书》　彭歌译	《20 世纪智慧人物的信念》　林衡哲译	
《开放的婚姻》　欧尼尔	《开放的人生》　王鼎钧	《泰戈尔诗集》糜文开译
《白玉苦瓜》（诗集）余光中	《闲情偶记》　李渔	《湖滨散记》　梭罗
《培根论文集》	《罗素论文集》	《沉思录》　奥瑞利阿斯
《裸猿》　摩利斯	《生活的艺术》　林语堂	《红楼梦》　曹雪芹
《水浒传》　施耐庵	《三国演义》　罗贯中	《西游记》　吴承恩
《儒林外史》　吴敬梓	《老残游记》　刘鹗	《唐·吉诃德》　塞万提斯
《星星王子》　桑狄克儒伯里	《伊索寓言》	《安徒生童话》
《爱的教育》　亚米契斯	《雅舍小品》　梁实秋	《三更有梦书当枕》琦君
《文艺心理学》　朱光潜	《朱自清散文集》	《徐志摩全集》梁实秋编
《张爱玲短篇小说集》	《焚鹤人》　余光中	《科学史图说》陈国成编
《生态学浅说》　丘佩华译		

＊《现代妇女适读书目》

冯笑眉编，载隐地、胡建雄合编《好书书目》，台湾尔雅出版社 1983 年版。

编者曾在台湾邀请不同身份、背景、年龄的学有专长或知名人士，提供他们认为现代妇女适宜阅读的书。推荐者以女性为主，共有 20 位，他们中“有许多位都希望妇女多读中国历史和古诗词（《诗经》、《楚辞》、唐诗、宋词），追寻中国的古老传统；多读各种报纸杂志，把握现代广大的世界”。

《青年的烦恼与出路》　张春兴（王振鹄荐）	《中国现代文学大系》　（方瑀荐）
《歌剧欣赏解说全集》　（辛永秀荐）	《超级巨星》　约瑟夫·盖尔密斯（汪莹荐）
《生活的艺术》　林语堂（林文月荐）	《漂鸟集》　泰戈尔（林海音荐）
《世说新语》刘义庆（孟瑶荐）	《雅舍小品》　梁实秋（查韧千荐）
《平屋杂文》　夏丏尊（胡慧中荐）	《伊索寓言》　（陈恒嘉荐）

清华大学图书馆的秋天
王媛摄

《忆当年》 露丝·甘乃迪（陈扬琳荐）
《中国画论类编》 （梁秀中荐）
《中国戏曲史》 孟瑶（郭小庄荐）
《红楼梦》 曹雪芹（张晓风荐）
《爱的艺术》 佛洛姆（赵可式荐）
《现代诗导读》 萧萧等（蓉子荐）
《文艺心理学》 朱光潜（刘凤学荐）
《开放的婚姻》 欧尼尔（刘慕沙荐）
"四书" （邓玉祥荐）
《浮生六记》 沈复（薇薇夫人荐）

《一生的读书计划》

（美）克利夫顿·费迪曼（Clifton Fadiman） 著，乔西、王月瑞编译，海南出版社，2002年。

费迪曼，是美国著名的节目主持人、专栏作家和报人，也是《大英百科全书》编委会和"每月一书俱乐部"编委会成员。他应《吉斯周刊》之邀请，以"一生的读书计划"为题，为18岁到80岁的读书人精选并评介了100多种古今世界名著，且于1959年4月12日起在该周刊连载。此后作者在刊登书目的基础上增补修改，出版单行本。从这张书目中，我们可以了解到欧美读者心目中的名著和欧美社会的阅读兴趣。

《一生的读书计划》最早的中译本于1981年6月由花城出版社出版。后来出版了海南出版社译本。但是正如《爱上阅读》（邓咏秋、李天英编，武汉大学出版社，2007）所指出的那样，这两个译本所译的人名等均有一些错译。这本书在西方不断再版，后来出版了修订补充本，对原来的书目作了增补和修改，中信出版社2004年出版了这个新版的中译本。

下文的书目摘录自海南出版社版，并且根据《爱上阅读》校正，尽量采用较通用的书名和人名译法，便于读者按图索骥。

古代：

《伊里亚特》　（古希腊）荷马

《奥德赛》　（古希腊）荷马

《史记》　（古希腊）希罗多德

《伯罗奔尼撒战史》　（古希腊）修昔底德

《选集》　（古希腊）柏拉图

《伦理学》　（古希腊）亚里士多德

《政治学》　（古希腊）亚里士多德

《奥雷斯狄亚》　（古希腊）埃斯库罗斯

《俄狄浦斯王》　（古希腊）索福克勒斯

《俄狄浦斯在科罗诺斯》　（古希腊）索福克勒斯

《安提戈涅》　（古希腊）索福克勒斯

《阿格斯提斯》　（古希腊）尤利匹底斯

《米迪亚》　（古希腊）尤利匹底斯

《希波利多斯》　（古希腊）尤利匹底斯

《特洛伊的女人》　（古希腊）尤利匹底斯

《伊莱克屈拉》　（古希腊）尤利匹底斯

《巴凯伊》　（古希腊）尤利匹底斯

《论万象的本质》　（古希腊）鲁克雷提阿斯

《埃涅阿斯记》　（古罗马）维吉尔

《沉思录》　（古罗马）马可·奥勒留

中世纪：

《忏悔录》　（古罗马）奥古斯丁

《神曲》　（意大利）但丁

《坎特伯利故事集》　（英国）乔叟

戏剧：

《全集》　（英国）莎士比亚

《戏剧选集》　（法国）莫里哀

《浮士德》　（德国）歌德

《戏剧选》　（挪威）易卜生

《戏剧选与序文》　（爱尔兰）萧伯纳

《一生的读书计划》
海南出版社汉译本封面

小说：

《天路历程》 （英国）班扬

《鲁滨逊漂流记》 （美国）笛福

《格列佛游记》 （美国）斯威夫特

《贫民救济法案》 （爱尔兰）斯威夫特

《特雷斯特安·薛迪》 （英国）史特恩

《汤姆·琼斯》 （英国）菲尔丁

《傲慢与偏见》 （英国）简·奥斯汀

《爱玛》 （英国）简·奥斯汀

《呼啸山庄》 （英国）艾米莉·勃朗特

《匹克威克外传》 （英国）狄更斯

《大卫·科菲波尔》 （英国）狄更斯

《荒屋》（英国）狄更斯

《大遗产》 （英国）狄更斯

《艰难时代》 （英国）狄更斯

《我们共同的朋友》 （英国）狄更斯

《小杜丽》 （英国）狄更斯（以上狄更斯的作品可选一部或一部以上）

《名利场》 （英国）萨克雷

《弗洛斯河上的磨坊》（英国）乔治·伊利奥特

《卡斯特桥市长》 （英国）托玛斯·哈代

《诺斯托洛摩》（英国）康拉德

《儿子与情人》 （英国）劳伦斯

《爱丽丝漫游奇境记》（英国）路易斯·卡洛尔

《镜中幻影》（英国）卡洛尔

《尤利西斯》（爱尔兰）詹姆斯·乔伊斯

《魔山》（德国）托玛斯·曼

《巨人传》 （法国）拉伯雷

《老实人》及其他 （法国）伏尔泰

《红与黑》 （法国）司汤达

《高老头》 （法国）巴尔扎克

《欧也妮·葛朗台》（法国）巴尔扎克

《包法利夫人》 （法国）福楼拜

《追忆逝水年华》 （法国）普鲁斯特

爱伦坡的短篇小说及其他

《红字》 （美国）霍桑

《白鲸》 （美国）麦尔维尔

《哈克贝利·芬历险记》 （美国）马克·吐温

《奉使记》 （美国）亨利·詹姆斯

《唐·吉诃德》 （西班牙）塞万提斯

《死魂灵》 （俄国）果戈理

《父与子》 （俄国）屠格涅夫

《罪与罚》 （俄国）陀思妥耶夫斯基

《卡拉马佐夫兄弟》（俄国）陀思妥耶夫斯基

《战争与和平》 （俄国）托尔斯泰

诗歌：

《失乐园》 （英国）弥尔顿

《利西达》（英国）弥尔顿

《基督降生的早晨》 （英国）弥尔顿

《十四行诗》（英国）弥尔顿

《言论自由》 （英国）弥尔顿

《选集》 （英国）威廉·布雷克

《序曲》 （英国）华茨华斯

《抒情民谣集》（英国）华茨华斯、柯勒律治

《短诗选集》 （英国）华茨华斯

《老水手之歌》（英国）柯勒律治

《克利斯塔贝》 （英国）柯勒律治

《忽必烈汗》 （英国）柯勒律治

《文学评传》 （英国）柯勒律治

《莎士比亚论》 （英国）柯勒律治

《诗全集》（爱尔兰）叶芝

《戏剧集》 （爱尔兰）叶芝

《自传》 （爱尔兰）叶芝

《诗集》 （美国）惠特曼

《民主主义展望》 （美国）惠特曼

《草叶集》1885 年初版序 （美国）惠特曼

《回顾旅程》 （美国）惠特曼

历史：

《英国史》（英国）托雷维利安　　《忏悔录》（法国）卢梭

《约翰逊传》（英国）鲍斯韦尔　　《亨利·亚当斯的教育》（美国）亨利·亚当斯

现代作家：

《诗全集》（美国）佛洛斯特　　《喧哗与骚动》（美国）福克纳

《当我躺下等死》（美国）福克纳　　《短篇小说集》（美国）海明威

《人性枷锁》（英国）毛姆　　《印度之旅》（美国）佛斯特

《诗全集》（英国）爱略特　　《诗剧》（英国）爱略特

《美丽新世界》（英国）阿道斯·赫胥黎　　《评论集》（英国）阿道斯·赫胥黎

三、完整型家庭阅读书目：《读书人家》及其中书目

《读书人家》，吴永贵、徐丽芳编著，武汉大学出版社，2007年。

《读书人家》是《中国家庭适读书》（吴永贵、徐丽芳编著，宁波出版社，2000年）的新版。相对旧版而言，《读书人家》对具体的推介图书有所增删，但仍然保持了原来的书目类别体系。编者在旧版曾指出，该书的"基本编撰目标是为普通家庭提供一种专业之外的藏书指南"，分经典书架、女性书系、文化生活书系、实用生活书系、工具书等五大类。《读书人家》仍延续了这一目标，该书和一般的书目不同，注意了"女性"、"工具书"和"家居日常"类书籍的收藏，基本上可以满足家庭各成员的各方面需求，是比较完整的家庭实用藏书建设指南。虽然笔者认为，所谓"文化生活书系"和"实用生活书系"的多数图书因其实用性和时效性相对较强，未必是长期藏书之选，但对许多家庭藏书应该仍有很大启迪作用。在下文中，笔者摘录了《读书人家》重点推荐的图书，而不录该书所推荐的一般性浏览书目。

经典书架

传统儒家经典

《十三经》　　《尚书》　　《仪礼》　　《春秋公羊传》

《孝经》　　《春秋繁露》　　《二程全书》　　《朱子大全》

《象山先生全集》　　《日知录》

中国史部要籍

《二十四史》　　《汉书》　　《后汉书》　　《三国志》

《文献通考》　　《读通鉴论》　　《古今图书集成》　　《十七史商榷》

《续资治通鉴》

诸子百家集成

《新编朱子集成》　　《墨子》　　《列子》　　《商君书》

查尔斯·狄更斯故居标牌
卜华摄

《新语》 《淮南子》 《吕氏春秋》

中国文学名著

《全上古三代秦汉三国六朝文》 《文选》
《全唐诗》 《全宋词》 《唐宋八大家全集》
《古文辞类纂》 《中国古典小说名著丛书》

汉译学术名著

《汉译世界学术名著丛书》 《政治学》
《社会契约论》 《美学》 《旧制度与大革命》
《文明论概略》 《梦的解析》 《哲学研究》
《经济学》 《知识考古学》

中国世纪读本

《王国维文集》 《饮冰室合集》 《鲁迅全集》
《蔡元培全集》 《独秀文存》 《胡适文集》
《老舍文集》 《三松堂全集》 《朱光潜全集》

世界文豪书系

《塞万提斯全集》 《蒙田随笔全集》 《莎士比亚全集》
《巴尔扎克全集》 《列夫·托尔斯泰文集》
《追忆似水年华》 《卡夫卡文集》
《名诗名译丛书》（太白文艺出版社）

美国国会图书馆主干建筑
Jason Morgan 摄

瑞典诺贝尔颁奖大厅
吴绍华摄

《世界短篇小说名篇精选》（长春出版社）

《世界中篇小说名篇精选》（长春出版社）

《诺贝尔文学奖全集》（台湾远景出版事业公司）

中外宗教典籍

《圣经》　《古兰经》　《金刚经》

女性书系

女性文学

《源氏物语》　《傲慢与偏见》　《汤姆叔叔的小屋》

《勃朗特两姐妹全集》　《飘》　《玛格丽特·杜垃斯作品系列》

《母猪女郎》　《李清照集》　《冰心文集》

《丁玲》　《张爱玲文集》

女子传记

《宋庆龄传》　《居里传》

《我生活的故事》　（美）海伦·凯勒著

《我的一生》　（美）邓肯著

《杰奎琳·肯尼迪传》

《世界第一女记者——奥莉亚娜·法拉奇》

服饰美容

《走进香水》　《中国历代妇女妆饰》　《把服装看了》

文化生活书系

婚姻家庭

《爱经》　《性心理学》　《婚姻革命》

《第二性》　《爱的艺术》　《结婚真快乐》

家训家书

《读书人家》封面　吴永贵、徐丽芳编著，武汉大学出版社，2007 年

《颜氏家训》 《家范》 《曾国藩家书》

《傅雷家书》

子女教育

《爱弥尔》 《爱的教育》 《倾听孩子——家庭中的心理调适》

《忠魁智教——成功父母方案》 《武汉大学 0—7 岁小太阳教育方案》

《中国独生子女教育百科》 《外国家教精华丛书》

文化娱乐

《中国书法艺术》 《中国书画名家精品大典》 《艺术手册》

《艺术与生活丛书》 《爱乐 CD 经典》 《中国京剧艺术》

《音乐剧之旅》 《古董鉴赏收藏丛书》 《收藏投资大观》

闲情读物

《菜根谭》 《幽梦影》 《闲书四种》

《名士雅品小集》 《生活的艺术》 《梁实秋美文精粹》

《格调:社会等级与生活品味》 《彼得·梅尔作品集》

实用生活书系

卫生保健

《男性的身体：个人必备手册》 《女性的身体：个人必备手册》

《新世纪生活译丛》 《中华养生宝典》

《家庭实用药膳小全书》 《实用老年医学小百科》

家政理财

《室内盆栽花卉和装饰》 《中国盆景——佳作欣赏与技艺》

《中国南北名菜谱》 《家庭自制冷饮 300 例》

《空间 EQ 系列丛书》 《中国家庭理财手册》

《罗杰斯环球投资旅行》 《投资技巧——行之有效的个人理财策略》

体育旅游

《中国围棋》 《象棋指南》 《公牛王朝——篮球艺术与精神境界》

《华夏美：千年古都旅游文化书系》 《世界旅游指南》

工具书架

语言文字类

《汉语大字典》 《汉语大词典》 《辞海》 《辞源》

《康熙字典》 《中华大字典》 《中国成语大辞典》

其他类

《中国大百科全书》 《不列颠百科全书》 《中国丛书综录》

《中国历史大辞典》 《中国历史地名辞典》 《简明中国古籍辞典》

《中国历史地图集》 《中国名胜词典》 《中国人名大词典》

《世界文化辞典》 《唐诗鉴赏辞典》 《亲属称呼辞典》

《书目答问》 《中国读者理想藏书》

附录　家庭阅读和家庭藏书论著索引

1. 耕读传家

徐雁. 耕读传家：一种经典观念的民间传统. 江海学刊,2003(2):154-161

陈延斌. 论陆游的"诗训"教化及其特色. 徐州教育学院学报,2001(2):26-29

黄燕群. 试析客家人耕读传家思想对贺县教育的影响.广西梧州师范高等专科学校学报，2001(3)：54-56

高增荣. 耕读传家. http://www.ch.com.cn/cn/show.jsp?id=1439

谭伯牛. 湘军：耕读文化的最后守护者.http://book.sina.com.cn/longbook/1076899912_zhangtianjing/3.shtml

2. 家庭藏书

徐雁平. 私家藏书之兴衰与社会文化之变迁. 文化思考,2005(9)：56-60

刘宝娟. 办好家庭图书馆,为培养创新人才奠定基础. 河北科技图苑,2004(1)：36-38

韦力著. 书楼寻踪. 石家庄：河北教育出版社,2004

黄显功,张伟主编. 现代家庭藏书文化. 上海：上海科学技术文献出版社,2002

傅璇琮,谢灼华主编. 中国藏书通史. 宁波：宁波出版社,2001

曹积三,阎桂笙主编. 当代百家话读书. 广州：广东教育出版社,1997

3. 家庭阅读

魏春洋,陈凤. 芬兰独具特色的家庭教育模式. 江西教育,2007(3)：43-44

阎光霞,邓少滨. 深化阅读指导服务已是当务之急. 图书馆工作与研究,2006(4)：111-112

王媛. 中国图书馆学会科普与阅读指导委员会成立大会综述. 图书馆建设,2006(3)：1-3

孟秀芳. 布什夫人的育儿经验. 家长,2005 (11): 16

徐雁. 学习型家庭与公共图书馆(主旨报告). 图书馆杂志,2005(3)：89-92

吴谷. 少儿阅读兴趣的培养. 山东图书馆季刊,2005(2)：81-82,96

王静美,朱明德. 俄罗斯图书馆的家庭阅读新模式研究. 图书馆工作与研究,2005(1)：18-20

马骊. 家庭阅读和图书馆：互助的界限. 中小学图书情报世界,2005(Z1)：118-119

王玮. 试论家庭阅读的重建. 图书情报知识,2004(10)：13-16

宋端荣. 浅谈少儿图书馆的导读工作. 昌吉学院学报,2004(1)：97-99

布什夫人的“家庭朗读法”. 珠算与珠心算,2003 (6): 48

玛丽娅·亚历山大罗夫娜. 家庭阅读和图书馆互动. 图书馆研究,2002(2)

何树林. 论社会因素对儿童阅读的影响. 广西教育学院学报,2001(5): 48–50

仓荣卿. 总结家庭读书活动经验 推进阅读社会建设. 图书馆杂志,2000(8): 52–53

韩金霞. 敞开图书馆的大门——图书借阅中家园沟通的实践. 山东教育,1999(10): 32

胡湘明. 中、日、美三国青年认知能力倾向研究的综述. 青年探索,1999(4): 6–9

李广建. 青少年阅读心理与读书方法. 北京:海洋出版社,1991

4. 亲子阅读

香港亲子阅读书会. http://www.sunya.com.hk/hkpar2ent/hkparent.html

中国儿童阅读顾问网. http://www.chinacra.net/index.php

阿甲. 帮助孩子爱上阅读——儿童阅读推广手册. 北京:少年儿童出版社,2007

谢倩,杨红玲. 国外关于亲子分享阅读及其影响因素的研究综述. 学前教育研究,2007(3): 58–61

张萍. “亲子阅读”指导有效性策略研究. 上海教育科研,2006(10): 91–92

彭瑞. 天津市区小学生课外阅读状况的调查与思考. 天津市教科院学报,2006(6): 76–79

季燕. 亲子阅读在国内外. 幼教园地,2006(3): 12–14

深圳图书馆外景
魏建华摄

瑞典国家图书馆卡片柜
吴绍华摄

谢秀莲. 家庭中早期阅读教育的误区与对策. 甘肃教育,2006(9):12-13

李斌. 18世纪英国民众阅读的兴起. 历史教学,2004(7):29-33

唐凤玲. 儿童早期阅读能力培养的家庭调查分析. 山东教育,2003(1、2):16-19

江明文. 教子阅读十大妙策. 羊城晚报,1998-07-26

5. 阅读环境

陈泽伟. 第二届"全国国民阅读与购买倾向抽样调查"显示　出版物个人消费800亿. 瞭望,2002(22)

中国出版科学研究所课题组. 第三届"全国国民阅读与购买倾向抽样调查"结果发布. 传媒,2005(1)

中国出版科学研究所课题组. 对全国国民阅读与购买倾向抽样调查(2004)部分数据的分析. 出版发行研究,2005(1)

中国出版科学研究所课题组. 我国国民阅读与购买倾向又有重要变化:2006年全国国民阅读与购买倾向抽样调查有六大发现. 出版发行研究,2006(1)

跋

家庭是人类社会的细胞，个人的诞生、成长莫不与之息息相关，可以说，家庭是人们身心和精神的庇护所。家庭阅读，是家庭成员共同参与的活动，是一种重要的家庭内部互动。在这种互动中，家庭中的每一分子互相进行丰富的精神交流，共享温馨的美好时光。成功的、持续的家庭阅读，对于提高国民素质、构建和谐社会具有重要的意义。作为图书馆而言，阅读促进是我们工作的题中应有之义，我们不揣浅陋，向读者奉献出这本小书，希图能有所裨益。

经过近一年的通力协作，本书终于杀青，书成付梓之际，我们要指出的是：阅读促进在西方发达国家已然有一套相当成熟的做法，而在我国可以说才刚刚起步，这与一国的经济发展水平是有密切联系的。如何在我们这样一个拥有丰富传统文化的国度开展阅读促进，是一个不容易回答的问题，这本书可以视为我们的一个初步尝试。在本书中，我们力图从理论和实践两个方面对家庭阅读这个课题进行阐述，希望为这项工作今后的开展提供一些依据和参考。限于种种条件，本书一定有遗漏和不当之处，尚祈读者诸君明察指正为幸。

本书的分工是：

第一章　由许飞执笔；

第二章　由黄卉执笔；

第三章　由崔璐执笔；

第四章　由温雪芳执笔；

第五章　由程莉执笔。

全书由程莉、崔璐统稿，何江涛定稿。

何江涛

2007 年 9 月 1 日于深圳图书馆